POEMAS ESCOGIDOS

clásicos castalia

COLECCIÓN FUNDADA POR
DON ANTONIO RODRÍGUEZ-MOÑINO

DIRECTOR
DON ALONSO ZAMORA VICENTE

Colaboradores de los volúmenes publicados:

FRANCISCO DE QUEVEDO

POEMAS ESCOGIDOS

Edición,
introducción y notas
de
JOSÉ MANUEL BLECUA

CUARTA EDICIÓN

clásicos castalia

Madrid

Copyright © Editorial Castalia, S. A., 1989
Zurbano, 39 - 28010 Madrid - Tel. 419 58 57

Cubierta de Víctor Sanz

Impreso en España - Printed in Spain
Unigraf, S. A. Móstoles (Madrid)

I.S.B.N.: 84-7039-166-6
Depósito Legal: M. 21.271-1989

SUMARIO

INTRODUCCIÓN CRÍTICA   7

NOTICIA BIBLIOGRÁFICA 39

BIBLIOGRAFÍA SELECTA 41

ABREVIATURAS MÁS USADAS EN LAS NOTAS 47

POEMAS ESCOGIDOS 49

    Poemas filosóficos, religiosos, morales... 51

    Poemas amorosos 147

    Canta sola a Lisi y la amorosa pasión de su
      amante 169

    Poemas satíricos y burlescos 187

ÍNDICE DE PRIMEROS VERSOS 377

ÍNDICE DE LÁMINAS 383

INTRODUCCIÓN CRÍTICA

D ON Francisco de Quevedo tuvo dos grandes y
  persistentes pasiones a lo largo de toda su vida:
la política y la literaria. La primera le llevó a Nápoles
con el Duque de Osuna, el insigne don Pedro Téllez
Girón, a ser procesado y desterrado de la Corte después, y al final de su vida a la prisión de San Marcos
de León; [1] aparte de escribir la *Política de Dios,* con
el éxito más grande que se conoce en el siglo XVII. La
segunda, también le acarreó más de un disgusto (basta
recordar el inmundo libelo de *El tribunal de la justa
venganza*) y también uno de los éxitos más extraordinarios que registran las letras españolas, puesto que
sus obras corrieron manuscritas en numerosas copias,
se imprimieron en ediciones piratas, lo mismo el *Buscón* que los *Sueños,* aparte de cantarse sus letrillas y
romances por plazas y callejas hasta el siglo XX. [2] Pero

---

[1] Sobre las causas de la prisión de Quevedo contamos hoy
con un testimonio extraordinario: cierta carta del Conde-Duque
a Felipe IV descubierta por el gran hispanista inglés E. H. Elliot
y publicada en su trabajo "Nueva luz sobre la prisión de Quevedo y Adam de la Parra", en el *Boletín de la Real Academia
de la Historia,* CLXIX, 1972, p. 182. Allí se lee: "pues como
VM^d sabe, para el negocio de D. Fran^{co} de Quevedo, fue ne-
cessario que el Duque del Infantado, siendo íntimo de Don
Fran^{co} de Quevedo (como él lo dijo a VM^d y a mí) fue neces-
sario que le acusase de infiel y enemigo del gobierno y mur-
murador dél, y últimamente por confidente de Francia y correspondiente de franceses".

[2] El romance que comienza "Padre Adán, no lloréis duelos" fue recogido hacia 1916 por E. Martínez Torner en Boralla

7

si atendemos a su correspondencia particular, su pasión política fue más dominante que la literaria. Frente a las notas políticas que aparecen en sus cartas (salvo las senequistas y las de asuntos muy particulares), las literarias son de una avaricia notable. Como escritor, da la impresión de hacerlo todo como un puro juego al que no daba excesiva importancia, salvo que en ese juego era muy riguroso consigo mismo y de una insatisfacción constante. Y esto se prueba de un modo simplísimo: basta cotejar los manuscritos, y las variantes que arrojan demuestran hasta la saciedad el rigor con que escribía lo mismo un poema grave que un soneto burlesco, *La cuna y la sepultura,* la *Política de Dios* o el *Buscón.* Por eso, los editores rigurosos también han tenido que vencer una serie de enormes dificultades para ofrecernos sus ediciones críticas. [3]

Don Francisco de Quevedo cultivó la poesía desde muy joven hasta el final de su vida, pero nos da escasas noticias de esta afición. [4] Claro está que tampoco las dan otros, como Góngora, por ejemplo, aunque la famosa carta-respuesta a la 'echadiza' de Lope de Vega es impagable. A los cincuenta y cinco años, en 1635, publica una traducción, la de *Epicteto y Phocílides* y diez años más tarde prepara la edición de su obra poética, según se desprende de dos notas que se deslizan en sus cartas: en enero dice: "A pesar de mi poca salud doy fin a la vida de Marco Bruto, sin olvidarme de mis obras en verso, en que también se va trabajando", y unos días más tarde, escribe: "me voy dando

_____

(Galicia), cantado en gallego, "Padre Adan, non chores duelos", según me comunicó Diego Catalán de Menéndez Pidal. Para estos procesos de tradicionalización, véase del mismo Diego Catalán "Una jacarilla barroca hoy tradicional en Extremadura y en el Oriente", en *Revista de estudios extremeños,* VIII (1952), pp. 377-387.

[3] Véanse las ediciones de *La vida del Buscón llamado don Pablos* (Salamanca, 1965), preparada por F. Lázaro Carreter; la de la *Política de Dios* (Madrid, 1966), por J. O. Crosby y *La cuna y la sepultura* (Madrid, 1969), por Luisa López Grijera.

[4] No cuento, claro está, los prólogos a sus ediciones de Fray Luis de León y de Francisco de la Torre.

prisa, la que me concede mi poca salud, a las obras de versos". [5]

Esa "poca salud", y por la correspondencia sabemos muy bien qué poca era, no le permitió ver su obra poética impresa, aunque desde su juventud era un poeta archifamoso, a pesar de haber publicado muy pocos poemas con su autorización: varios elogios al frente de libros, como los de Lucas Rodríguez o Cristóbal de Mesa y los que escogió de un volumen manuscrito Pedro Espinosa para su conocida antología de las *Flores de poetas ilustres* (Valladolid, 1605, pero con aprobaciones de 1603). Como poeta anónimo figura ya desde la *Segunda parte del Romancero general* de Miguel de Madrigal (1605), los Romanceros y Romancerillos de Arias Pérez, Pinto de Morales, Pedro de la Naja, etc., hasta los pliegos sueltos callejeros: "esos librillos sabandijas que bárbaramente brotan de ordinario para auditorio muy vulgo", como decía González de Salas, sin contar con las numerosísimas copias manuscritas y el canto callejero. Por eso puede ver el lector en la p. 141 de este volumen la curiosa nota de González de Salas al final de la letrilla 63: "Muchas otras, que se encomendaron a la voz de los músicos, se podrán repetir de los propios". Nótese cómo se había popularizado la obra poética de don Francisco, aunque ocurrió lo mismo con la de Góngora y Lope, tan traídos y llevados por todos los ciegos y músicos callejeros de España. No creo que entre 1580-1640 se diera en Europa un fenómeno semejante: los más altos, cultos y extraordinarios poetas, alguno de ellos comentado como un Virgilio, convertidos, a su vez, en anónimos y cantados por todos. Que los poetas no conociesen después sus versos, lo dice con su habitual gracia Lope de Vega en el primer soneto de su primer libro, y no juvenil, precisamente, las *Rimas,* de 1602:

5 Luis Astrana Marín, *Epistolario completo de D. Francisco de Quevedo-Villegas* (Madrid, 1946), pp. 482 y 486.

> Versos de amor, conceptos esparcidos,
> engendrados del alma en mis cuidados;
> partos de mis sentidos abrasados,
> con más dolor que libertad nacidos;
>
> expósitos al mundo en que, perdidos,
> tan rotos anduvistes y trocados,
> que sólo donde fuistes engendrados
> fuérades por la sangre conocidos.

Al morir don Francisco, su heredero Pedro Aldrete Villegas vendió al editor Pedro Coello, amigo de Quevedo, las obras poéticas de su tío en setecientos reales "en plata doble"; pero en ese contrato se lee una cláusula sorprendente: "Y assimismo doy poder y facultad al dicho Pedro Coello para que él, o quien su poder ouiere, saque paulina[6] y use della y haga las diligencias que bien visto le fuere para rrecoger los quadernos del dicho libro que assí le bendo (que se entiende faltan), para que no salga su ynpressión diminuta y tenga el lustre que se pretende con esta diligençia".[7] Pedro Coello, que edita en 1648 la *Enseñanza entretenida i donairosa moralidad* de Quevedo, en la dedicatoria a Pacheco Girón, dice a su vez: "Murió en Villanueva de los Infantes, y de papeles, muchos originales de sus escritos, que siempre traía consigo, se echaron entonces de menos gran suma. De manera que de sus poesías, lo que yo pude alcanzar, con todo género de negociación, no fue de veinte partes, una, según aseguraron los mismos que en aquella ocasión las vieron [...] Pero por otros medios, con la autoridad grande de vueseñoría, se ha podido conseguir que mucho se repare de aquellas ofensas, imprimiéndose estos días a mis expensas una buena cantidad de sus poesías, y con no pequeño adorno, entretanto que se descubren las otras, que sería de grande lucimiento". Esa "buena cantidad

---

[6] Se llamaba 'paulina' a cierto despacho de excomunión que se expedía con el fin de descubrir cosas robadas u ocultadas maliciosamente.

[7] Véase el contrato completo en el libro de J. O. Crosby *En torno a la poesía de Quevedo* (Madrid, 1967), pp. 238-241.

de sus poesías" es la titulada *El Parnaso español, monte en dos cumbres dividido, con las nueve Musas* (Madrid, 1648), ilustrado por don José González de Salas, gran humanista y amigo de Quevedo, pero al que ni la erudición ni el trato de su amigo le sirvieron para dejar de ser el prosista más indigesto de su época.

González de Salas dice en el prólogo que don Francisco tuvo espíritu fácil para la poesía "ígneo y arrebatado, y por esa ocasión no pocas veces se resistió a la emendación y a la lima, remitiendo ese estudio a otra sazón y a mejor ocio. Continuo fue por muchos años el ejecutarle yo por esta diligencia, prorrogándomela siempre, hasta que llegando antes el término de su vida que el cumplimiento, no sólo no se logró, sino las poesías mesmas, que muchas había ya repetido de poseedores extraños y juntándolas en volúmenes grandes, se derrotaron y distrujeron. Summo dolor causa el referirlo. No fue de veinte partes una la que se salvó de aquellos versos que conocieron muchos quedaron en su muerte, y yo traté y tuve innumerables veces en mis manos, por nuestra continua comunicación".[8] González de Salas corrobora, como puede verse, hasta con una frase casi textual, lo que antes decía Coello, y por eso en el contrato se le autorizaba a que buscase por su cuenta, hasta con 'paulinas', los poemas que podían tener otras personas. (Insinúo la posibilidad de que aquí pueda haber también un tópico, el mismo que se lee en el prólogo de Pacheco a las obras de Herrera y el de Gabriel Leonardo a las *Rimas* de los dos Argensolas).

Ignoramos cuántos poemas adquirió Coello y cuántos los que, gracias a sus diligencias, pudo añadir al volumen; pero lo que sabemos muy bien es que González de Salas metió su pluma para "refingir", como él mismo nos dice, algunos poemas, ya por razones éticas o estéticas. Por ejemplo, al editar el romance que

---

[8] Cito por mi edic. de la *Obra poética* de Quevedo, I (Madrid, 1969), p. 91.

comienza "Roma, hablando con perdón", escribe:
"Ofendido un gran señor del mal tercio que le hizo una
desnarigada, la castigó con versos suyos y ajenos. Y
éstos que se escribieron entonces muy rigurosos, aparecen con semblante más mesurado". En total afirma
haber metido su mano en unos catorce poemas. Pero
lo cierto es que se puede probar con objetividad rigurosamente científica que don Francisco de Quevedo,
lejos de resistirse "a la emendación y a la lima", pulió
muchos poemas con una sensibilidad y un rigor sorprendentes, cosa que ignoraba González de Salas, como
veremos un poco más adelante; no sin antes advertir
que ese volumen de *El Parnaso español* está exquisitamente editado desde el papel a la corrección de pruebas, y que no se ha podido hallar ni un solo poema
que sea de otro autor.

Pero González de Salas murió en 1651 sin haber publicado la segunda parte con las tres Musas que falta-
ban, que dio a la estampa don Pedro Aldrete Villegas
en 1670, con el título de *Las tres Musas últimas castellanas. Segunda parte del Parnaso español* (Madrid,
Imprenta Real), dedicadas a don Pascual de Aragón,
arzobispo de Toledo. En el prólogo *Al lector,* dice el
sobrino de don Francisco: "he procurado se junten en
este libro las que he podido conseguir, y que todas las
poesías que comprehende se impriman en la mesma
conformidad que las dejó, sin añadir ni quitar cosa
alguna. Bien veo que les faltan muchos asumptos, y
las que los tienen están defectuosos, y no tienen el lugar
que les toca; la causa desto ha sido no haber podido
yo asistir a la corrección de la imprenta. Enmendaráse
en la segunda impresión que se hiciere. Y conociendo
lo que sentirán los doctos el perder cualquier obra del
autor, daré a la estampa algunas que tengo en prosa,
no acabadas, juntándolas con otros originales que me
han prometido [...] Bien sé de algunas que están ocul-
tas en poder de los que las han usurpado, entre las
cuales es una canción que el autor intituló la "Oración
que Cristo nuestro señor hizo a su padre en el Huer-

to"; otras que no parecen se nombran en el libro de
su vida". (Es la conocida biografía de Quevedo escrita
por Tarsia, donde ya se recoge más de una leyenda).
De estas líneas pueden deducirse algunas considera-
ciones: a) que Aldrete no pudo corregir las pruebas;
b) que no retocó o "refingió" los poemas como González de Salas, y c) que no pudo conseguir algunas
composiciones de cuya existencia tenía noticia. Todo
está muy bien y demuestra la honestidad del sobrino
de Quevedo, pero con esa edición precisamente comienza el proceso de ahijar a don Francisco hasta poemas
que jamás pudo escribir, puesto que algunos eran de
Pedro de Padilla, como el soneto "Dejadme resollar,
desconfianzas", publicado en 1581, cuando Quevedo
tenía un año, en las *Églogas,* f. 241v; o el de Lupercio
Leonardo de Argensola, tan bello, "Llevó tras sí los
pámpanos otubre", que ya había publicado su propio
hijo en las *Rimas* en 1634. (Claro está que no es imposible que don Francisco dejase copias autógrafas de
poemas ajenos, lo que disculparía a su sobrino). De esta
edición de Aldrete hay que desechar ya alrededor de
treinta composiciones. Pero es que además en esa edición se repiten poemas que ya estaban en la de González de Salas, aunque en versión distinta, lo que podía justificar la negligencia de Aldrete. Más difícil es
de justificar, en cambio, el hecho de que publique un
mismo poema en dos versiones, como sucede precisamente con la canción "El escarmiento", págs. 3 y 176,
con la particularidad de colocar una nota en la primera. (Véase en la p. 61 de este volumen).
Volvamos ahora al problema de las variantes o reto-
ques para demostrar que si don Francisco de Quevedo
fue uno de los poetas más arrebatados (y arrebatado-
res) de su tiempo, fue, en cambio, tan consciente de
su tarea y tan riguroso como su poco amigo don Luis
de Góngora.
En primer lugar, los autógrafos descubiertos (y algún
facsímil puede verse en este volumen), prueban ya su
insatisfacción, puesto que están llenos de tachaduras y

enmiendas. En segundo lugar, el propio González de Salas edita un soneto, el n.º 18 de nuestra selección, anotando que el poeta lo había rehecho "con mucho espíritu". En tercer lugar, las fechas de algunas correcciones están muy claras en los manuscritos. Esto sucede, por ejemplo, con la famosa "Epístola satírica y censoria", dirigida al Conde-Duque, en cuya versión primera se leen así los versos 7-12:

> ¿Habrá quien los pecados autorice
> y el púlpito y la cátedra comprados
> harán que la lisonja se eternice?
> Y bien introducidos los pecados
> ¿verán a la verdad sin voz, desnuda,
> y al interés echándola candados?

Pero en la segunda versión, copiada por el pintor Pacheco al final del año 1625, según reza el manuscrito, estos versos ofrecen correcciones muy importantes:

> Hoy, sin miedo que, libre, escandalice,
> puede hablar el ingenio, asegurado
> de que mayor poder le atemorice.
> En otros siglos pudo ser pecado
> severo estudio y la verdad desnuda
> y al dichoso temor el bien hablado.

Estas correcciones no pueden ser, cosa lógica, de González de Salas, puesto que datan de 1625, porque no es pensable que ya entonces corrigiese los poemas de su amigo.

Pero hay además otros muchos detalles para demostrar esto,[9] aunque el más decisivo es la posibilidad de encontrar algún poema manuscrito, rigurosamente auténtico, no publicado por González de Salas ni Aldrete, que presenta variantes de importancia extraordinaria, y esas variantes sólo podían ser del propio

---

[9] Véanse, por ejemplo, los que aduzco en mi citada edic., pp. LXVIII-LXXIX.

poeta. Por ejemplo, en el ms. 2.244 de nuestra Biblioteca Nacional, f. 251, se encontrarán los cuartetos siguientes:

Si te alegra, Señor, el ruido ronco
deste recibimiento que miramos,
advierte que te dan todos los ramos,
por darte el viernes más desnudo el tronco.

¿Adónde vas, Cordero, entre las fieras,
pues ya conoces su intención villana?
Todos, enfermos, te dirán "¡Hosana!",
y no quieren sanar, sino que mueras.

Hoy te reciben con los ramos bellos,
aplauso sospechoso, si se advierte;
pero otra noche, para darte muerte,
te irán con armas a buscar en ellos.

Y porque la malicia más se arguya,
de nación a su propio Rey tirana,
hoy te ofrecen las capas, y mañana
suertes verás echar sobre la tuya.

Si vas en tus discípulos fïado,
como de tu inocencia defendido,
del postrero de todos vas vendido,
y del primero, cerca de negado.

Mal en los huertos tu piedad pagamos;
tu paz con las olivas se atropella,
pues son tu muerte, y fue la causa de ella
la primer fruta y los primeros ramos.

Sin embargo, en la misma Biblioteca Nacional, en el ms. 3.706, f. 317v, este poema se encontrará totalmente rehecho, con una estupenda labor de poda y retoque, como comprobará el lector:

¿Alégrate, Señor, el ruido ronco
deste recibimiento que miramos?
Pues mira que hoy, mi Dios, te dan los ramos
por darte el viernes más desnudo el tronco.

> Hoy te reciben con los ramos bellos;
> aplauso sospechoso, si se advierte;
> pues de aquí a poco, para darte muerte,
> te irán con armas a buscar entre ellos.
>
> Y porque la malicia más se arguya,
> de nación a su proprio Rey tirana,
> hoy te ofrecen las capas, y mañana
> suertes verás echar sobre la tuya.

Si aceptamos que en estos casos sólo Quevedo ha podido retocar su obra, deberemos admitir que en otros muchos hizo lo mismo, con hallazgos tan sorprendentes como el siguiente, cuya primera versión fue impresa por Aldrete y la segunda por González de Salas:

> Amor me ocupa el seso y los sentidos [...]
>   ¡Ay, cómo van mis pasos tan perdidos
> tras dueño, si gallardo, riguroso!
> Quedaré por ejemplo lastimoso
> a todos cuantos fueren atrevidos.
>
> Amor me ocupa el seso y los sentidos [...]
>   Explayóse el raudal de mis gemidos
> por el grande distrito y doloroso
> del corazón, en sù penar dichoso,
> y mis memorias anegó en olvidos.

¿Es posible que fuese González de Salas el autor de esos cambios? Yo me resisto a creerlo, entre otras razones porque el sabio humanista no tenía, a juzgar por la prosa, la menor sensibilidad poética.

Otros problemas muy distintos plantean las versiones de romances y letrillas, por ser poesía que muchas veces se recogió de viva voz, de músicos y cantores callejeros, donde se daba ya el conocido proceso de una tradicionalización.

A partir de estas dos ediciones príncipes, reimpresas juntas muchas veces desde 1703, hay que llegar al siglo XIX para encontrar otras con nuevos poemas auténticos o con atribuciones más que disparatadas. Son las que publican Basilio Sebastián Castellanos en seis volúmenes (Madrid, 1840-1851), y don Florencio Janer en el vol. LXIX de la Biblioteca de Autores Españoles de Rivadeneyra, porque el editor se cansó de esperar durante quince años la edición que preparaba don Aureliano Fernández-Guerra, que antes había hecho los dos vols. en prosa de la misma BAE. Al morir don Aureliano, Menéndez Pelayo ordenó los papeles de su amigo y empezó a publicar las obras poéticas de don Francisco en la Sociedad de Bibliófilos Andaluces (Sevilla, 1903-1907), pero sólo vio impresos tres volúmenes. Más tarde, don Luis Valdés, heredero de Fernández Guerra, prestó a su vez el material a don Luis Astrana Marín, quien publicó en 1932 (Madrid, Aguilar) su pretenciosa edición de las *Obras completas*, con los "textos genuinos del autor, descubiertos y clasificados [...] con más de doscientas producciones inéditas del príncipe del ingenio y numerosos documentos y pormenores desconocidos". Esta edición, que prestó buenos servicios, por ser cómoda y manejable, en la que, en efecto, figuran documentos interesantes, dista mucho de ser una edición crítica: está llena de atribuciones disparatadas, de "inéditos en colección" y otras lindezas, como las de copiar poemas publicados antes y callar la fuente, aparte de no llevar casi ninguna nota que aclare una voz difícil y de taracear los textos cuando le apetecía. Mi edición de la *Obra poética* en los vols. de la Editorial Castalia, si no presume de edición crítica desde la portada, sí puede dar fe de honestidad intelectual, porque, al menos, se dice de dónde proceden los textos.

La abundante obra poética de Quevedo, una de las más extensas y logradas de la Edad de Oro, se caracteriza desde sus comienzos por su extraordinaria amplitud temática, hasta el punto de ser el poeta de mayor imaginación que conocen las letras españolas, y si a esto unimos su fabuloso dominio de la lengua, desde la más chocarrera a la más culta, obtendremos un resultado sorprendente. Si don Francisco escribe muy

joven aún el *Buscón* y los *Sueños,* un poco más tarde,
un tratado ascético y estoico, *La cuna y la sepultura*
o la *Política de Dios,* pasando por la *Hora de todos* y
la *Providencia de Dios,* aparte de sus cartas, de su
enorme pasión por la lectura y de querer competir con
los grandes humanistas de su tiempo, con las traduc-
ciones comentadas de Anacreonte y Jeremías; en poesía hará lo mismo. Escribirá sonetos filosóficos, morales,
epitafios, burlescos, satíricos, lo mismo que romances
y letrillas con los temas más peregrinos, desde una
"Matraca de los paños y telas", que envió desde San
Marcos a González de Salas, hasta un delicioso baile
con la boda de los pobres o un romance espléndido
sobre los calvos. Sólo le faltó haber escrito un par de
comedias geniales, porque la titulada *Cómo ha de ser
el privado* es un fracaso absoluto y una prueba de
su incapacidad para la creación dramática, salvo para
los entremeses.

No es difícil agrupar esta inmensa obra poética en
torno a unos temas centrales, que comienzan por su
inquietud y angustia ante la existencia, motivadas por
su posición estoico-cristiana, por ese neoestoicismo del
Barroco, cuyos postulados se enlazaban con una ascé-
tica de origen bien claro, y que unido a la situación
política dará origen a ese desengaño y a esa melan-
colía que tanto caracterizan al siglo XVII. Quevedo nos
dirá en prosa y en verso, en un soneto escalofriante
o en una carta, que "antes que sepa andar el pie, se
mueve / camino de la muerte", que "vivimos tiempo",
que todos somos "muertos de nosotros mismos", porque
las horas cavan en nuestro vivir el monumento funeral.
El viejísimo símbolo del camino de la existencia se
remoza en Quevedo con adiciones sorprendentes:

> Vivir es caminar breve jornada,
> y muerte viva es, Lico, nuestra vida,
> ayer al frágil cuerpo amanecida,
> cada instante en el cuerpo sepultada.

Nada que, siendo, es poco, y será nada
en poco tiempo, que ambiciosa olvida;
pues, de la vanidad mal persuadida,
anhela duración, tierra animada.

Siguiendo a Séneca, repetirá también, en prosa y verso,
que la muerte es "ley y no pena", que no hay por qué
temerla, ya que, a su vez, la muerte es vida, como han
dicho tantas veces desde tantos sitios:

salid a recibir la sepoltura,
acariciad la tumba y monumento:
que morir vivo es última cordura.

(N.º 1)

En cierta carta consolatoria por la muerte de un
amigo, escribirá a don Antonio Hurtado de Mendoza,
el "discreto de palacio": "Hizo mi amigo ya su personaje: diole Dios el papel corto; acabóle en pocos
años; desnudóse la ropa del cuerpo, dejóla en el vestuario de la tierra, y descansa ya del oficio trabajoso
que así (como dice San Pablo) "pasa la figura deste
mundo". ¿Murió? No; pasó a mejor vida, trocó la vida
por la muerte. ¿Murió? No; acabó de morir, que cuando nació comenzó a morir. Y cuando muriera, ley es,
y no pena, el morir; tras todos va, y todos vienen a
él. Ya sabe lo mucho que la muerte esconde [...] Desnudóse el vestido que no había menester, soltó los
grillos para volar: que eso fue dejar el cuerpo en la
sepultura". [10] Nótese cómo andan de la mano Epicteto,
Séneca y San Pablo.

Lo apasionante es comprobar cómo asumió en su
vida esa filosofía y la convirtió en extraordinarios poemas. Que no son ideas adjetivas y postizas, de moda
neoestoica, se ve muy bien en su correspondencia última y en su modo de aceptar su enfermedad y su
muerte. De ahí la autenticidad que trasmina tanto poema, con una intensidad que los aisla totalmente de

[10] *Epistolario*, pp. 256-7.

otros muchos de los poetas de su tiempo. Cuando Quevedo escribe el dramático verso "soy un fue, y un será, y un es cansado" (n.º 2) nos trasmite, sin ninguna duda, un trágico sentimiento de la vida, intensificado por esos tiempos del verbo 'ser' convertidos en sustantivos, únicos en la historia de la poesía española.

La lengua que usa en estos poemas es la más corriente de todos los tiempos, pero con una eficacia y una intensión desconocidas en la poesía barroca. Algunas veces el recurso intensificante consiste en la repetición de un verbo o sustantivo, al uso cancioneril, como en "Sólo ya el no querer es lo que quiero; / prendas de la alma son las prendas mías" (n.º 5); otras, en el uso del polisíndeton, como en "hoy pasa y es y fue con movimiento / que a la muerte me lleva despeñado" (n.º 3); en otros calcará expresiones coloquiales, como el célebre "¡Ah de la vida!... ¿Nadie me responde?" (n.º 2); al paso que en otro se trata de una especie de carta, o poco menos, como el n.º 1, el curioso soneto que principia "Señor don Juan, pues con la fiebre apenas", donde, en realidad, ha encerrado en catorce versos fragmentos de una carta dirigida a don Manuel Serrano, como puede verse en la nota correspondiente. Conoce don Francisco todos los artificios retóricos habidos y por haber, desde la antítesis, "¡Fue sueño ayer, mañana será tierra! / ¡Poco antes nada; y poco después humo!" (n.º 3), a los epítetos más corrientes, a los que dota de una eficacia estremecedora al hablar de la muerte, "yace entre negra sombra y nieve fría" (n.º 6), o aplicando esos adjetivos a la última hora, "negra y fría" (n.º 8), pasando por la alegoría, como en el soneto 7, o las aliteraciones "descanso ya de andar de mí cargado" (n.º 12, v. 64), o renovando viejas imágenes o metáforas, como en

> aguardo que desate de mis venas
> la muerte prevenida
> la alma, que anudada está en la vida,

disimulando horrores
a esta prisión de miedos y dolores,
a este polvo soberbio y presumido,
ambiciosa ceniza, sepultura
portátil, que conmigo la he traído
sin dejarme contar hora segura.

(N.º 12)

Todos esos versos tienen fuentes bien sabidas, como
los siguientes:

Antes que sepa andar el pie, se mueve
camino de la muerte, donde envío
mi vida oscura: pobre y turbio río
que negro mar con altas ondas bebe.

(N.º 20)

Esa imagen del río ha circulado bastante por la poesía
española desde Jorge Manrique a Dámaso Alonso para
que no sepamos sus antecedentes, pero nótense los adjetivos: "vida oscura", "pobre y turbio río", "negro
mar", que la convierten en algo sumamente nuevo, con
un sello bien conocido para los lectores de Quevedo.

En estos poemas no hay un solo juego de voces con-
ceptistas que desdiga de su gravedad y dramatismo, ni
metáforas audaces, ni imágenes brillantes, ni casi alusiones clásicas que distraigan la atención del lector,
como en los amorosos o satíricos. Esa lengua poética
va derecha a calar el alma, y no tiene antecedentes en
la española, salvo en algunos bellísimos sonetos del
divino Aldana, a quien tanto admiró Quevedo. Y esos
sonetos de Aldana están más llenos de coloquialismos
y anáforas que los de nuestro autor, pero también se
sostienen sobre el puro sentimiento, sin acudir a otras
fórmulas, como el uso de lo mitológico, por ejemplo.

Le sucede lo mismo con los poemas religiosos (aunque en algunos hay ya un conceptismo muy claro),
tan bellos y angustiados como los mejores de un Lope
o Unamuno, sobre todo los del *Heráclito cristiano,*

escritos en 1613, a raíz de una crisis de que da fe en
su dedicatoria, como el 13:

> ¡Cuán fuera voy, Señor, de tu rebaño,
> llevado del antojo y gusto mío!
> ¡Llévame mi esperanza el tiempo frío,
> y a mí con ella un disfrazado engaño!

Los poemas de tipo moral, por decirlo de alguna
manera, se apoyan muchas veces en antecedentes clásicos, como se encargó de decir González de Salas, y
tanto Juvenal como Persio dejaron honda huella en su
espíritu. Pero lo que don Francisco hizo fue, en realidad, una poesía sumamente corrosiva, en la que muchos contemporáneos no dejarían de percibir, bajo el
atuendo clásico, sucesos y personajes de su tiempo: ¿A
quién apuntaba Quevedo cuando escribía el poema 27,
en que "El pecar intercede por los premios, prefirién-
dose a la virtud", como reza el epígrafe? Parece evi-
dente la alusión:

> Felices son y ricos los pecados:
> ellos dan los palacios suntuosos,
> llueven el oro, adquieren los estados.

Bajo los nombres clásicos de Licino, Menandro, Matón, El Tonante, es seguro que los contemporáneos co-
locarían otros bien conocidos, porque de otro modo
esa especie de arcaización, aunque bien sabida, no tenía
eficacia. Cuando alguien leía, u oía leer

> Ya llena de sí solo la litera
> Matón, que apenas anteyer hacía
> (flaco y magro malsín) sombra, y cabía,
> sobrando sitio, en una ratonera,

no dejaría de ver algún personaje de su tiempo, aunque la verdad es que los vicios y tachas de que habla
Quevedo son universales y casi parecen intemporales,
como el soneto 37:

Oír, ver y callar remedio fuera
en tiempo que la vista y el oído
y la lengua pudieran ser sentido
y no delito que ofender pudiera.

Entre todos estos sonetos, destaca por su belleza e interés el famoso en elogio de los libros, que envió desde la Torre de Juan Abad a su amigo González de Salas, que limó exquisitamente con aciertos de suprema sensibilidad poética:

y en músicos callados contrapuntos
al sueño de la vida hablan despiertos.

(N.º 49)

En el grupo de las silvas, las dedicadas "Al reloj de arena" y "Al reloj de campanilla", aunque participan de esa moda poética de los relojes en el Barroco, como sucede siempre en Quevedo, no es difícil el hallazgo de versos sumamente originales:

Bien sé que soy aliento fugitivo;
ya sé, ya temo, ya también espero
que he de ser polvo, como tú, si muero,
y que soy vidro, como tú, si vivo.

(N.º 50, 35-6)

El "Sermón estoico de censura moral", con sus casi cuatrocientos versos, pretende ser algo así como el Focílides quevedesco, la exposición poética más extensa de sus preocupaciones de moral estoica. Con una estructura curiosa, Quevedo repasa los efectos de la avaricia, la gula, la soberbia, etc., etc., incitando a Clito, detrás de cada parte, a vivir de acuerdo con la razón. Como es lógico, tampoco es difícil el hallazgo de versos espléndidos:

A las cenizas y a los huesos llega,
palpando miedos, la avaricia ciega.

(N.º 53, 19-20)

> y de un leño, que el céfiro se sorbe,
> fabricó pasadizo a todo el orbe.

(vv. 72-73)

> los claustros de la muerte,
> duro, solicitó con hierro fuerte.

(116-17)

Mención aparte merece la tan conocida y divulgada y célebre "Epístola satírica y censoria contra las costumbres presentes de los castellanos", dirigida en 1625 al Conde-Duque y corregida más tarde. Con un principio casi espectacular: "No he de callar... ¿No ha de haber un espíritu valiente?", Quevedo, en realidad, se va a lamentar de la pérdida de las viejas virtudes castellanas: de la honestidad, de la severidad en el vestir, de la frugalidad, del heroísmo de los viejos señores castellanos, ya que los modernos sólo están ocupados en "dejar la vacada sin marido", por lo que pide que

> Ejercite sus fuerzas el mancebo
> en frentes de escuadrones, no en la frente
> del útil bruto l'asta del acebo.

(151-3)

Todo el poema respira un anhelo de heroísmo nuevo, muy del barroco español, pero se enlaza perfectamente con las ideas de Juvenal y Persio sobre Roma y su decadencia.

Dentro del grupo de los poemas en elogio de personajes, destacan por su vívida expresión sentimental los epitafios de don Pedro Téllez Girón, a quien había servido con tanta lealtad en Sicilia y Nápoles, procesado y muerto en prisión:

> ¡Y a tanto vencedor venció un proceso!
> De su desdicha su valor se precia.
> ¡Murió en prisión y muerto estuvo preso!

(N.º 66)

Muy bello es también el elogio funeral de fray Hortensio Félix Paravicino, con ese comienzo antitético tan barroco:

> El que vivo enseñó, difunto mueve,
> y el silencio predica en él difunto.
>
> (N.º 69)

Pero Quevedo es también uno de los más grandes y excelsos poetas amorosos de todos los tiempos, y es aquí, precisamente, por haber sido esa poesía tan cultivada, donde destaca más su originalidad, puesto que contaba con una tradición excelsa, desde Petrarca a Lope de Vega, pasando por Garcilaso y Herrera. Inserto en una tradición, es lógico que no deje de pagar su deuda, y los estudiosos han señalado desde la presencia del amor cortés a la de Petrarca, pasando por Platón o Marino, y desde imágenes cristalizadas por una lengua poética muy trabajada a metáforas que se enlazaban perfectamente con las de un Góngora, o voces archicultas que no aparecían en los poemas anteriores, como ya vimos. Y sin embargo, como ya he dicho, Quevedo resulta un poeta amoroso de una originalidad extraordinaria.

Es verdad que muchas veces parte de una lengua tópica, pero, como en el caso de Góngora, sobre esa lengua construye otra tan original como la de don Luis. Por ejemplo, el tópico de la serie *nieve, hielo, fuego,* que da en Garcilaso el conocido verso "más helada que nieve, Galatea", lo convertirá Quevedo en algo tan barroco e hiperbólico como "Hermosísimo invierno de mi vida". Las viejas metáforas de los dientes = perlas, labios = rubí, se leerán así en el "Retrato de Lisi que traía en una sortija" (n.º 101):

> Traigo todas las Indias en mi mano:
> perlas, que en un diamante, por rubíes,
> pronuncian con desdén sonoro yelo,

>   y razonan tal vez fuego tirano
>   relámpagos de risa carmesíes,
>   auroras, gala y presunción del cielo.

El no menos conocido tópico de acrecentar el agua de los ríos con el llanto, y la esquivez de la dama, tiene en Quevedo esta solución:

>   La gente esquivo y me es horror el día;
>   dilato en largas voces negro llanto,
>   que a sordo mar mi ardiente pena envía.
>
>   (N.º 108)

Por fortuna para la poesía española, no siempre Quevedo escribió así; al revés: procurará huir de la tradición poética para llegar hasta la expresión coloquial, como ya notó González de Salas, al comentar la voz 'harto', y nos dejará una serie de poemas amorosos cuya originalidad, belleza y sorpresa son extraordinarias. Hombre apasionadísimo (aunque tan misógino como Gracián, o más), potenciará los sentimientos con una expresión en la que el grito no es infrecuente, porque no se puede "arder sin estrépito doliente" (n.º 79), y por eso mismo comienzan unos sonetos así:

>   Dejad que a voces diga el bien que pierdo,
>   si con mi llanto a lástima os provoco.
>
>   (N.º 85)

>   No me aflige morir; no he rehusado
>   acabar de vivir, ni he pretendido
>   alargar esta muerte que ha nacido
>   a un tiempo con la vida y el cuidado.
>
>   (N.º 106)

Los más intensos poemas amorosos de don Francisco ofrecen una nota de rara modernidad por la ausencia de muchos elementos culturales de su tiempo y el hallazgo de imágenes, metáforas, y comparaciones inusitadas en la poesía española, pero no extravagantes ni peregrinas. Véanse estos ejemplos de tanta eficacia y

tan soberana belleza, escritos en la lengua más clara
y eterna:

> Yo dejo la alma atrás; llevo adelante,
> desierto y solo, el cuerpo peregrino,
> y a mí no traigo cosa semejante.
>
> (N.º 70)

> En los claustros de l'alma la herida
> yace callada; mas consume, hambrienta,
> la vida, que en mis venas alimenta
> llama por las medulas extendida.
>
> (N.º 108)

> Todo soy ruinas, todo soy destrozos.
>
> (N.º 109)

Pero don Francisco de Quevedo tampoco aquí puede
prescindir de sus obsesivas ideas sobre la muerte. Y
es precisamente esta mezcla de amor y muerte, o mejor
dicho, de cómo el amor puede llegar a ser inmortal,
lo que dará origen a un pequeño grupo de poemas
amorosos de una eficacia poética estremecedora y de
una novedad extraordinaria. El comienzo de un soneto
amoroso, como el siguiente, parece, en realidad, el de
un poema metafísico:

> ¡Qué perezosos pies, qué entretenidos
> pasos lleva la muerte por mis daños!
> El camino me alargan los engaños
> y en mí se escandalizan los perdidos...

pero cuyo primer terceto es bien revelador:

> Del vientre a la prisión vine en naciendo;
> de la prisión iré al sepulcro amando,
> y siempre en el sepulcro estaré ardiendo.
>
> (N.º 104)

Nótese que en ese terceto, el primer verso contiene
el tópico del preso de amores más el del alma aprisionada en el cuerpo, mientras que el final explica

claramente esa idea obsesiva de Quevedo, que cristali-
zará en el famoso y comentado soneto que principia
"Cerrar podrá mis ojos", en el que al final, el cuerpo
"polvo será, mas polvo enamorado", y el alma seguirá
amando en la otra ribera, porque su "llama fiel" desa-
fiará las leyes más severas. Porque como dice en otro
soneto:

> Llama que a la inmortal vida trasciende,
> ni teme con el cuerpo sepultura,
> ni el tiempo la marchita ni la ofende.

> (N.º 102)

Pero la fama de don Francisco de Quevedo, y bien
justa e injustamente (por el olvido de sus otros poemas)
se ha sustentado sobre sus composiciones burlescas y
satíricas, donde su imaginación poética llega al derro-
che y donde se hallarán las más audaces y notables
fórmulas expresivas de la poesía española de todos los
tiempos. Dámaso Alonso pudo escribir que es aquí
"donde la condensación, preñada de humores, rompe el
equilibrio idiomático: todo se prensa, se estruja. Y
del estrujón quevedesco, las funciones arquitectónicas
resultan transformadas". [11] Lo mismo en los sonetos que
en los romances o en el *Orlando,* Quevedo dicta el
mejor curso sobre la técnica conceptista, y fue una
lástima que Gracián le tuviese tan escasas simpatías,
porque pudo ilustrar su *Agudeza y Arte de ingenio*
con ejemplos tan perfectos como los de su admirado
Góngora, y más curiosos.

Siendo el conceptismo un problema de 'intención'
expresiva y el 'concepto' "un acto del entendimiento
que exprime la correspondencia que se halla entre los
objetos", según la clásica definición de Gracián, para
lograr eso, Quevedo dispone de un arsenal lingüístico
sencillamente fabuloso. Morel-Fatio escribió en una
preciosa nota rescatada por René Bouvier: "Lo conoce
todo en materia de lenguaje; en primer lugar el de

---

11 *Poesía española* (Madrid, 1950), p. 565.

los viejos autores y el de su época hasta en los matices más sutiles; sabe el argot como un pícaro del Zocodover de Toledo [...] tiene en su cabeza todos los cantares del idioma, todos sus refranes. Está provisto a tal punto, que cuando se pone a escribir, los medios de expresión acuden con tanta abundancia que no sabe en cuáles detenerse [...] Conocedor, amante del idioma, se podría decir, juega con las palabras como un tramposo con sus cubiletes, las vuelve y las revuelve, refresca su sentido, asociándolas entre sí de un modo nuevo e inesperado. Se sumerge en las profundidades del tesoro verbal y retorna a la superficie con inauditas riquezas". [12]

Quevedo conoce mejor que nadie el arte de intensificar la expresión con el uso del sustantivo funcionando como adjetivo, artificio tantas veces notado, como en estos ejemplos archiconocidos: "érase una nariz sayón y escriba" (n.º 114); "aves luquetes, átomos mezquinos" (n.º 122); "mosquito postillón, mosca barbero" (n.º 123). Incluso será capaz de utilizar la misma técnica con una voz latina: "guedeja requiem, siempre la condeno" (nº 120). Lógicamente el superlativo jugará también el más alto papel potenciador, pero don Francisco aplica el *ísimo* a voces que no lo toleran: "érase un naricísimo infinito" (n.º 114); Alejandro Magno será una "serenísima tarasca" (n.º 169). Como es lógico, abundarán hasta la saciedad los juegos de voces, pero Quevedo tendrá mucho cuidado en que ese "apuntar a dos luces" no sea demasiado fácil ni trivial, porque entonces perdería toda su sorpresa, su gracia y su originalidad, como por ejemplo:

> No es erudito, que es sepulturero,
> quien sólo entierra cuerpos noche y día,
>
> (N.º 134)

---

[12] René Bouvier, *Quevedo. Hombre del Diablo; hombre de Dios* (Buenos Aires, 1951), p. 177.

aludiendo a los eruditos de embeleco, que compran
libros —cuerpos— y los depositan o sepultan en los
estantes sin leerlos, presumiendo de buena biblioteca.
A veces el juego parte de una creación nueva, como
en este caso, en que habla un calvo:

> Si, cual calvino soy, fuera Lutero,
> contra el fuego no hay cosa que me valga.
>
> (N.º 120)

Y puesto que hay cuartos menguantes y crecientes en
la luna:

> dos maravedís de luna
> alumbraban a la tierra;
> que, por ser yo el que nacía,
> no quiso que un cuarto fuera.
>
> (N.º 155, 5-8)

Bien conocida es también su pasión por las hipérboles más desmesuradas; pero aquí también son de una
originalidad casi escandalosa y delirante. Un médico
lleva

> La losa en sortijón pronosticada
> y por boca una sala de viuda
>
> (N.º 127)

Al paso que una vieja

> Seis mil años les lleva a los candiles;
> y si cuentan su edad de cabo a cabo,
> puede el guarismo andarse a buscar miles.
>
> (N.º 113)

Y que un valentón puede traer "por mostachos, de un
vencejo el vuelo" (n.º 132); mientras que un médico
es "el martirologio de la vida" (n.º 131). A veces, sonetos enteros, como los dedicados a "Un hombre de
gran nariz", a "Una mujer puntiaguda con enaguas",
el "Epitafio a una dueña", están construidos a base

de una serie ininterrumpida de comparaciones, imágenes y metáforas hiperbólicas, desrealizadoras hasta lí-
mites extremos.

Quevedo consigue los efectos más extraordinarios
trasladando el sentido o significado de una palabra a
otra, porque en último término son iguales. Si los médicos matan y los ojos de una muchacha también son
matadores, podrá escribir con toda tranquilidad:

> Los médicos con que miras,
> los dos ojos con que matas.
>
> (N.º 160)

Partiendo del conocido tópico del cabello como red
en que quedan presos los enamorados, nada tan sencillo como escribir "esa cárcel que te peinas" (n.º 160).
Puesto que los años blanquean el cabello, nadie le
impedía escribir:

> La edad, que es lavandera de bigotes
> con las jabonaduras de los años.
>
> (N.º 130)

La conocida construcción de sustantivo + de + sustantivo o verbo o adjetivo, es usada con una gracia y
una novedad sorprendentes, como en estos ejemplos:

> ojos de vendimiar tenéis, agüela.
>
> (N.º 138)

> Hay calvas de mapamundi,
> que con mil líneas se cruzan.
>
> (N.º 158, 37-8)

> echando chispas de vino
>
> (N.º 184)

Un cornudo será

> marido de quita y pon,
> entre ciego y entre sordo.
>
> (N.º 160, 11-2)

Incluso recurrirá también a voces latinas con toda tranquilidad:

> barba de memento homo
>
> (N.º 153, 35)

Quevedo acudirá con mucha frecuencia a las frases hechas o refranes, sacándolos de quicio y aplicándolos de manera tan inusitada, que el pasmo del lector es mayúsculo. Si una joven se puede casar a ciegas, también lo podrá hacer a zurdas, como la joven que se queja y dice:

> Escarmentad en mí todas;
> que me casaron a zurdas
> con un capón de cabeza...
>
> (N.º 158)

Una vieja es más vieja que "Présteme un ochavo" (n.º 113), o *"secula seculorum* es tamaño / muy niño" comparado con sus años. Y si Cristo padeció "so el poder de Poncio Pilatos", cierto casado

> Diez años en su suegra estuvo preso [...]
> padeció so el poder de su cuñado.
>
> (N.º 137)

Si hubo un Rico avariento (San Lucas, 12, 16), el Manzanares dirá:

> Yo soy el río avariento
> que, en estos infiernos frito,
> una gota de agua sola
> para remojarme pido.
>
> (N.º 163, 25-8)

Tampoco tendrá inconveniente en romper refranes bien conocidos:

> limpias de sastre y de tienda,
> como de polvo y de paja.
>
> (N.º 169, 71-2)

> armado de tinto en blanco,
> con malla de cepa el vientre.
>
> (N.º 182, 31-2)

Ni dejará de aprovecharse de versos muy conocidos
de los romances viejos, como en el 153, que comienza
"Viejo verde, viejo verde, / más negro vas que la
tinta"; ni de parodiar el principio de los romances de
ciego, como en el saladísimo 158, "Madres, las que
tenéis hijas", o algunos versos de su bien odiado Góngora, como en el 154, vv. 27-28 "muchos siglos de capacha / en pocos años de edad", recuerdo de los conocidos "muchos siglos de hermosura ·/ en pocos años
de edad", de don Luis.

Otros recursos son también muy originales, como el
graciosísimo uso de la adversativa ironizante: "Ella
es verdad que es vieja, pero fea" (n.º 118); o bien
acudirá al viejo truco de la repetición insistente y mar-
tilleante:

> Llegaron al negro patio
> donde está el negro aposento
> en donde la negra boda
> ha de tener negro efeto.
>
> (N.º 157, 37-40)

Las creaciones de voces nuevas o a base de calcos
o de invenciones puras han sido siempre destacadas
por los estudiosos de la lengua quevedesca. Ejemplos
como los siguientes no son difíciles de encontrar:

> que porque el fuego tiene mariposas,
> queréis que el mosto tenga marivinos.
>
> (N.º 122)

> bien se puede llamar libropesía
> sed insaciable de pulmón librero.
>
> (N.º 134)

> Antes que calvicasadas
> es mejor verlas difuntas.
>
> (N.º 158, 9-10)

Pelo fue aquí, en donde calavero.

(N.º 120)

Calvillas hay vergonzantes
como descalabraduras;
pero yo llamo calvarios
a las montosas y agudas.

(N.º 158, 29-32)

Como las damitas pedigüeñas deben atender siempre al 'da' y no al 'quita', cierta vieja alcahueta aconseja así:

Dátiles de Berbería,
niña, valen mucho más
que quítales de Toledo,
que es una fruta infernal.

(N.º 164, 33-6)

Muy corriente es también el recurso de fundir lo material con lo inmaterial, fenómeno bien estudiado por Leo Spitzer, y recordado por todos. Ejemplos como los siguientes son muy abundantes:

Enjuagaduras de culpas
y caspa de los delitos
son mis corrientes y arenas

(N.º 163, 49-51)

dice el Manzanares; al paso que Diógenes tiene

acostado en un puchero
el cuerpo, y el sueño a gatas.

(N.º 169, 11-12)

Mientras cierta joven puede ser "Pecosa en las costumbres y en la cara" (n.º 133).

Sin contar con las aliteraciones, como "Con testa gacha toda charla escucho", "Vivo pajizo, no visito nicho" (n.º 121); "Tudescos moscos de los sorbos finos" (n.º 122); o las paronomasias, tan abundantes y graciosas, como en "Tengo, en queriendo dormir, / sueño de pluma y de plomo" (162), dice un aspirante a cornudo consentido; o las personificaciones más increíbles, las que le llevaron a escribir los romances de la "Matraca de los paños", "Boda y acompañamiento del campo". Por eso ve al Manzanares

> Muy hético de corriente,
> muy angosto y muy roído,
> con dos charcos por muletas...
>
> (N.º 163, 17-9)

Sin contar los juegos de rimas inusitadas, como las de *aca, aco, uca, eca,* del soneto 125, o las de *oche, ache, uche, eche*. Nada le fue ajeno, ni menos todavía la lengua de los pícaros, aquella germanía en la que escribirá sus divulgadas jácaras.

Pero, a su vez, esta lengua estaba al servicio de una imaginación delirante (la de un Goya o un Picasso, en la pintura), única también en las letras españolas de todos los tiempos, como ya he dicho antes. Quevedo es capaz de escribir sonetos, silvas, romances o letrillas sobre todo lo divino y humano: médicos, dueñas, damitas pedigüeñas, viejas, viejos teñidos, negros que se casan, disputas de paños y sedas, cornudos, boticarios, protocornudos, calvos, Don Quijote, Medoro, el Manzanares y sus descubrimientos, etc., etc. Sin embargo, unos cuantos temas rondan obsesivamente a don Francisco: el poder del dinero, las dueñas, los cornudos, los médicos y boticarios, bien conocidos ya por los estudiosos. Pero al lado de estos temas, los hay muy circunstanciales, porque don Francisco nunca dejó pasar la ocasión de divertirse a costa de lo que podía ser ridículo, como la pragmática que obligó a cortarse las guedejas, la de los coches o la que prohibía el uso de los cuellos alechugados. Rafael Alberti, como he recordado ya en otra ocasión, lo ha visto presidiendo una especie de danza de los muertos o de los vivos, las cosas y los sentimientos, en una especie de aquelarre goyesco: "presidiendo la rueda de todas las figuras, endriagos o fantasmas reales que ríen y lloran en sus sueños. Allí, agarrados de la mano y girando alrededor suyo, los barberos, los soldados, los jueces, los alguaciles, los médicos, los boticarios, las damas gordas y las flacas, las engañadas y las doncellas que no lo son, los viejos verdes, las suegras, los maridos, maduros para la lidia, los beodos, los truhanes, los embusteros, los calvos, los mediocalvos, los calvísimos, las narices, las narizotas de señoras y caballeros, las chinches, las pulgas, las flores, las legumbres, acompañados, en fin, del desengaño, la hipocresía, la envidia, la discordia, la guerra, el llanto, el olvido, y, llevando el compás con la guadaña segadora, la Muerte [...] Él conoce muy bien a cada personaje de esta danza, puede llamarlos por sus nombres, por los que tienen o por los mil que él les inventa". [13]

Pero también en Quevedo culminará la degradación del mito o de figuras, personas y personajes, desde Hero y Leandro, Alejandro Magno o don Luis de Góngora, pasando por Medoro, don Quijote o Pacheco de Narváez. Apolo, persiguiendo a Dafne, se convierte en

> Buhonero de signos y planetas,
> viene haciendo ademanes y figuras,
> cargado de bochornos y cometas.
>
> (N.º 126)

Y como nada de la poesía de su tiempo dejó de tentarle, lo que no les sucedió a Góngora y Lope, Quevedo decidió también medir sus fuerzas cultivando aquel género de romance de picardía, la jácara, que se había puesto de moda entre 1590 y 1600. El mismo éxito, o mayor aún, que lograría con el *Buscón,* alcanzó con sus romances de germanía, especialmente con el de Escarramán y la Méndez, que llegó a convertirse a lo divino y hasta ser cantado en conventos de monjas. En

13 "Don Francisco de Quevedo, poeta de la muerte", en *Revista nacional de cultura,* Caracas, año XXII (mayo-agosto, 1960), p. 11.

esas jácaras, como en los otros poemas de divertimiento, Quevedo exprime también todas las posibilidades de la lengua, añadiendo la germanesca, cuyo uso parecía nacido con su obra; con la particularidad de saber guardar un equilibrio lleno de armonía y gracia, ausente en las jácaras de otros autores, que acumulaban sin la menor habilidad poética el argot de los jaques y las coimas, como lo supo hacer también en algún capítulo del *Buscón*. En la "Relación que hace un jaque de sí y de otros" (n.º 181), puede verse perfectamente este juego lingüístico, en que no falta ni siquiera una alusión al culteranismo:

> Zampuzado en un banasto
> me tiene su majestad,
> en un callejón Noruega
> aprendiendo a gavilán.

> Gradüado de tinieblas
> pienso que me sacarán
> para ser noche de hibierno,
> o en culto algún madrigal.

Un poco más adelante se leen unos versos poco jacarandosos y muy cultos a veces:

> Bien se puede hallar persona
> más jarifa y más galán;
> empero más bien prendida
> yo dudo que se hallará.

> Todo este mundo es prisiones;
> todo es cárcel y penar:
> los dineros están presos
> en la bolsa donde están […]

> Las cercas y las murallas
> cárcel son de la ciudad;
> el cuerpo es cárcel de l'alma,
> y de la tierra, la mar;

> del mar es cárcel la orilla,
> y en el orden que hoy están,
> es un cielo de otro cielo
> una cárcel de cristal.

Mezcla de poema, canto y representación dramática con danza, son los 'bailes', emparentados con los entremeses, [14] que tan bien y con tanta gracia cultivó Quevedo. En algún caso, como en el de la "Boda de los pobres", pinta, con una gracia extraordinaria, un cuadro de costumbres que Valle-Inclán no dejaría de leer con su habitual provecho:

> Devanada en la manta,
> la irlandesa Polonia,
> con pasos tartamudos
> y con la lengua coja,
>
> resollando mosquitos [del vino]
> y chorreando monas,
> hablaba de lo caro
> con acentos de Coca.

(N.º 183, 73-6)

Mencionemos, por último, su *Poema heroico de las necedades y locuras de Orlando,* por desgracia incompleto, parodia fabulosa de los poemas italianos, tan magistralmente estudiado por E. Alarcos García, donde se dan cita las soluciones poéticas más dispares, un vocabulario cultísimo y chocarrero, junto con las hipérboles, comparaciones y metáforas más geniales que conoce la parodia poética española. Así, por ejemplo, detrás de cuatro gigantes, o "cuatro humanos cerros", que "haciendo las portadas mil andrajos", entra Angélica y

> Relámpagos de perlas fulminaba
> cuando el clavel donde la[s] guarda abría
> y a los que con la risa aprisionaba,
> con la propia prisión enriquecía.

(I, vv. 465-8)

JOSÉ MANUEL BLECUA

14 Véase la Introducción de E. Cotarelo y Mori a su *Colección de Entremeses, Loas, Bailes, Jácaras y Mojigangas desde mediados del siglo XVI a mediados del siglo XVIII* (Madrid, 1911), NBAE, vols. 17-18.

NOTICIA BIBLIOGRÁFICA

EDICIONES DE TEXTOS

*El Parnasso español, monte en dos cumbres dividido, con
las nueve musas castellanas. Donde se contienen poesías de
Don Francisco de Quevedo Villegas, Caballero de la Orden
de Santiago, i señor de la villa de la Torre de Ivan Abad.
Que con Adorno, i Censura, ilustradas i corregidas, salen
ahora de la Librería de Don Joseph Antonio González de
Salas, Caballero de la Orden de Calatraba, i Señor de la
antigua casa de los González de Vadiella.* [*Viñeta de un
libro abierto con la siguiente divisa de Persio:*
Scire tvvm nihil est nisi sciat alter.] En Madrid, Lo im-
primio En su officina del libro abierto Diego Diaz de la
Carrera, Año MDCXLVIII. A costa de Pedro Coello, Mercader de Libros.
(7 hojas + 1 lámina + 666 pp. + 9 de índices.)

*Las tres musas últimas castellanas. Segunda cumbre del
Parnasso español de Don Francisco de Quevedo y Villegas,
Cavallero de la Orden de Santiago, Señor de la Villa de la
Torre de Ivan Abad. Sacadas de la librería de Don Pedro
Aldrete Quevedo y Villegas, Colegial del mayor del Arço-
bispo de la Vniuersidad de Salamanca, Señor de la Villa
de la Torre de Ivan Abad.*
Con privilegio. — En Madrid: en la Imprenta Real.
Año de 1670. A costa de Mateo de la Bastida, Mercader
de libros, enfrente de las gradas de San Felipe.
(9 hojas s. n. + 359 págs. + 4 s. n. En 4.°)

39

Biblioteca de Autores Españoles, desde la formación del Lenguaje hasta nuestros días. Obras de Don Francisco de Quevedo Villegas. Poesías. Colección ordenada y corregida por Don Florencio Janer. Tomo tercero. Madrid. M. Rivadeneyra. 1877. (XXIII + 599 pp., 4.º mayor.)

Sociedad de Bibliófilos Andaluces. Obras completas de Don Francisco de Quevedo Villegas. Edición crítica, ordenada e ilustrada por D. Aureliano Fernández-Guerra y Orbe, de la Real Academia Española. Con notas y adiciones de D. Marcelino Menéndez y Pelayo, de la misma Academia. Tomo I: Sevilla, E. Rasco, 1897. (VIII + 591 pp., 4 hoj., 4.º) Tomo II: Sevilla, E. Rasco, 1903. (IX + 400 pp., 4.º) Tomo III: Sevilla, Francisco de O. Díaz, 1907.

Don Francisco de Quevedo Villegas. Obras Completas. Textos genuinos del autor, descubiertos, clasificados y anotados por Luis Astrana Marín. Edición crítica con más de doscientas producciones inéditas del príncipe del ingenio y numerosos documentos y pormenores desconocidos. Obras en verso. Madrid, Aguilar, S. A. Tall. gráf. Montaña, 1943. (LXXVI + 1842 pp., 4.º)

Francisco de Quevedo. Obras completas, I. Poesía Original. Edición, introducción, bibliografía y notas de José Manuel Blecua. Editorial Planeta, Barcelona, 1968. (CLVII + 1454 pp., + 2 s. n.)

Francisco de Quevedo. Obra poética. Edición de José Manuel Blecua. Editorial Castalia. Madrid, tres vols., 1969, 1970, 1971. En prensa el IV volumen.

De esta edición procede nuestra antología.

BIBLIOGRAFÍA SELECTA

Aguilera, Ignacio: "Sobre tres romances atribuidos a Quevedo", *Boletín de la Biblioteca de Menéndez Pelayo*, XXI, 1945, pp. 494-523.

Alarcos García, Emilio: "Variantes de una poesía de Quevedo", *Castilla*, I, 1940-1941, pp. 143-147.

————: *El dinero en las obras de Quevedo*, Universidad de Valladolid. Discurso de apertura del curso 1942-1943.

————: "El poema heroico de las necedades y locuras de Orlando enamorado", en *Mediterráneo*, IV, números 13-15, 1946, pp. 25-63.

————: "Quevedo y la parodia idiomática", en *Archivum*, t. V, 1955, pp. 3-38.

Alonso, Amado: "Sentimiento e intuición en la lírica" (sobre el soneto "Cerrar podrá mis ojos..."), en *La Nación*, de Buenos Aires, 3 marzo 1940, recogido en *Materia y forma en poesía*, Madrid, 1955, pp. 11-20.

Alonso, Dámaso: "El desgarrón afectivo en la poesía de Quevedo", en *Poesía española*, Madrid, 1952, pp. 531-618.

Artigas, Miguel: *Don Luis de Góngora y Argote. Biografía y estudio crítico*, Madrid, 1925.

Ayala, Francisco: "Sueño y realidad en el Barroco. Un soneto de Quevedo", *Ínsula*, núm. 184, marzo, 1962.

Benichou-Roubaud, Silvia: "Quevedo, helenista (*El Anacreón castellano*)", en la *Nueva Revista de Filología Hispánica*, XIV, 1950, pp. 51-72.

Bergamín, José: "Quevedo", en *Fronteras infernales de la poesía*, Madrid, 1959.

41

Blanco Aguinaga, C.: "Dos sonetos del siglo XVII: Amor-Locura en Quevedo y sor Juana", en *Modern Language Notes*, vol. 77, núm. 2, 1962, pp. 145-162.

———: "Cerrar podrá mis ojos... Tradición y originalidad", en *Filología* (Buenos Aires), VIII, 1962, pp. 57 y siguientes.

Blecua, José Manuel: "Un ejemplo de dificultades; el memorial 'Católica, sacra, real Majestad' ", en *Nueva Revista de Filología Hispánica*, VIII, 1954, págs. 156-173.

Bodini, Vittorio: *Sonetti amorosi e morali di Francisco de Quevedo*, Torino, 1965.

Borges, J. L.: "Grandeza y menoscabo de Quevedo", *Revista de Occidente*, 1924, pp. 249 y ss.

———: "Quevedo", en *Otras inquisiciones*, Buenos Aires, 1960, pp. 55-64.

Buchanan, Milton A.: "A Neglected Version of Quevedo's *Romance* on Orpheus", *Modern Language Notes*, XX, 1905, pp. 116-118.

Bouvier, René: *Quevedo. Hombre del diablo, hombre de Dios*, traducción de Roberto Bula Piriz, 2.ª edición, Buenos Aires, edit. Losada, 1951.

Caballero Bonald, J. M.: "La libertad en la poesía de Quevedo", *Eco* [Bogotá], diciembre, 1961, t. IV, 2, pp. 127 y siguientes.

Caravaggi, G.: "Il poema eroico de *Las necedades...* de Quevedo", en *Letterature Moderne*, 4 (Bologna), 1961, pp. 445 y ss.

Carbonell, Reyes: "Algunas notas al 'Poema heroico de las necedades y locuras de Orlando el enamorado' de Quevedo", en *Estudios* (Universidad de Duquesne, Pittsburgh, EE. UU.), I, 1952, pp. 13-19.

Castanien, D. G.: "Quevedo's 'A Cristo resucitado' ", en *Symposium* (Syracuse, EE. UU.), XIII, 1959, pp. 96-101.

———: "Quevedo's Anacreon castellano", en *Studies in Philology*, 55, 1958, pp. 568-575.

Castelltort, Ramón, Sch. P.: "Lope, Quevedo y Góngora en una encrucijada", *Analecta Calasanctiana*, núm. 6, 1961, pp. 267 y ss.

Carilla, Emilio: *Quevedo*, Tucumán, 1949.

Catalán, Diego: "Una jacarilla barroca hoy tradicional en Extremadura y en el Oriente", en *Revista de estudios extremeños*, VIII, 1952, pp. 377-387.

Consiglio, Carlo: "El poema a Lisi y su petrarquismo", en *Mediterráneo*, núms. 13-15, 1956, pp. 76-93.

Cossío, José María de: "Lección sobre un soneto de Quevedo", *Boletín de la Biblioteca de Menéndez Pelayo,* XXI, 1945, pp. 409-428.

Crosby, James O.: "Quevedo, Lope and the Royal Wedding of 1615", *Modern Language Quarterly,* vol. 17, núm. 2, 1956, pp. 104-110.

————: *The Text Tradition of the Memorial "Católica, sacra, real Majestad"*, University of Kansas Press, Lawrence, Kansas (s. a.).

————: *En torno a la poesía de Quevedo,* Madrid, 1967.

————: "La huella de González de Salas en la poesía de Quevedo editada por Aldrete", en el *Homenaje a don A. Rodríguez-Moñino,* I, Madrid, 1966, pp. 111-123.

————, y Holman, A. F.: "Nuevos manuscritos de la obra de Quevedo", *Revista de Archivos, Bibliotecas y Museos,* LXVII, I, 1959, pp. 165 y ss.

————: *Guía bibliográfica para el estudio crítico de Quevedo,* Grant & Cutler Ltd., 1976.

Cuervo, Rufino José: "Dos poesías de Quevedo a Roma", en *Revue Hispanique,* XVIII, 1908, pp. 432-38.

Deblay, L.: "Poésies inédites de Quevedo", *Revue Hispanique,* XXXIV, 1915, pp. 5-66.

Durán, Manuel: "El sentido del tiempo en Quevedo", en *Cuadernos americanos,* XIII, 1954, pp. 273-288.

————: *Quevedo,* Madrid, Edaf, 1978.

Ettinghausen, Henry: *Francisco de Quevedo and the neostoic movement,* Oxford University Press, 1972.

————: "Un nuevo manuscrito autógrafo de Quevedo", *Boletín de la Real Academia de la Lengua,* LII (1972), pp. 211-279.

Fernández Galiano, Manuel: "Notas sobre una oda incompleta de Quevedo", en *Revista de la Biblioteca, Archivo y Museo del Ayuntamiento de Madrid,* XIV, 1945, pp. 349-366, y XV, 1946, pp. 400-401.

Frankel, Hans Herman: "Quevedo's letrilla 'Flor que vuelas'...", en *Romance Philology,* VI, 1953, pp. 259-264.

Fucilla, Joseph G.: "Some imitations of Quevedo and some Poems Wrongly Attributed to Him", en *Romanic Review,* XXI, 1930, pp. 228-235.

————: "Intorno ad alcune poesie attribuite a Quevedo", en *Quaderni ibero-americani,* núm. 21, 1957, pp. 364-365.

————: *Estudios sobre el petrarquismo en España*, Madrid, 1960.

Gómez de la Serna, R.: *Quevedo*, Colección Austral, núm. 1.171.

González de la Calle, U.: *Quevedo y los dos Sénecas*, México, 1965.

Green, Otis H.: *Courtly Love in Quevedo*, University of Colorado Press, Boulder, Colorado, 1952. Traducción de Francisco Yndurain, *El amor cortés en Quevedo*, Zaragoza, 1955. (Vid. también la nota de Rafael Lapesa sobre este libro en la *Hispanic Review*, XXI, 1953, pp. 237-243.)

Hill, John M.: "Una jácara de Quevedo", en *Revue Hispanique*, LXXII, 1928, pp. 494-503.

————: *Poesías germanescas*, Bloomington, Indiana University Press, 1945.

Kellermann, Wilhelm: "Denken und dichten bei Quevedo", en *Gedächtnisschrift für Adalbert Hämel* [1953], pp. 121-154. (Cito por tirada aparte, sin año.)

Laín Entralgo, Pedro: "La vida del hombre en la poesía de Quevedo", en *Cuadernos hispano-americanos*, núm. 1, 1948, pp. 63-101. (Recogido en *Vestigios*, Madrid, 1948, pp. 17-45.)

Lázaro, Fernando: "Quevedo entre el amor y la muerte", en *Papeles de Son Armadans*, núm. 11, 1946, pp. 145-160.

————: "Sobre la dificultad conceptista", en *Estudios dedicados a D. Ramón Menéndez Pidal*, t. VI, Madrid, 1956, pp. 376 y ss.

Lida, M.ª Rosa: "Notas para las fuentes de Quevedo", en *Revista de Filología Hispánica*, t. I, 1939, pp. 369-375.

Lida, Raimundo: *Letras hispánicas*, México, 1958.

Lihani, J.: "Quevedo's *Romance sayagués* burlesco", *Studies in Philology*, 55, 1958, pp. 568-575.

Lira Urquieta, Pedro: *Sobre Quevedo y otros clásicos*, Madrid, 1958.

Martinengo, Alessandro: *Quevedo e il simbolo alchimistico*, Padova, 1967.

Millé y Jiménez, J.: "Un soneto interesante para las biografías de Lope y Quevedo", *Helios* (B. Aires), II, 1918, pp. 92-100.

Muñoz Cortés, Manuel: "Sobre el estilo de Quevedo. (Análisis del romance "Visita de Alejandro a Diógenes Cínico")", en *Mediterráneo,* núms. 13-15, 1946, pp. 108-142.

Orozco, Emilio: "El sentido pictórico del color en la poesía barroca", en *Temas del Barroco,* Granada, 1947, pp. 96-98.

Parker, Alexander A.: "La 'agudeza' en algunos sonetos de Quevedo", en *Estudios dedicados a R. Menéndez Pidal,* tomo III, 1952, pp. 345-360.

Paterson, A. K. G.: " 'Sutileza del pensar' in a Quevedo sonnet", en *Modern Language Notes,* t. 81, 1966, núm. 2.

Pérez Gómez, Antonio: "A propósito de un romance de Quevedo: 'Orfeo en los Infiernos' ", en *Bibliografía hispánica,* IX, pp. 89-90.

Prat Parral, Ignacio: *Algunos conceptos estoicos de Aulo Persio en Quevedo...* (Tesis de licenciatura, inédita, Barcelona, 1967).

Praz, Mario: "Stanley Sherburne and Ayres as translation and imitators of Italian, Spanish and French poets", *Modern Language Review,* XX, 1925, pp. 280-299, 419-431.

Price, R. M.: "A note on three satirical sonnets of Quevedo", en el *Bulletin of Hispanic Studies,* XL (1963), pp. 79 y ss.

————: "A Note on the Sources and Structure of 'Miré los muros de la patria mía' ", en *Modern Language Notes,* 1963, pp. 194-199.

Rothe, Arnold: *Quevedo und Seneca,* Genève-Paris, 1965.

Sánchez Alonso, B.: "Las poesías inéditas e inciertas de Quevedo", *Revista de la Biblioteca, Archivo y Museo del Ayuntamiento de Madrid,* IV, 1927, núm. 14.

————: "Los satíricos latinos y la sátira de Quevedo", en *Revista de Filología Española,* XI, 1924, pp. 33-62 y 113-153.

Schalk, Fritz: "Quevedo's Imitaciones de Marcial", en *Festschrift für H. Tiemann* (Hamburgo), 1959, pp. 202-212.

Serrano Poncela, S.: "Estratos afectivos en Quevedo", *Cuadernos,* núm. 34, 1959, pp. 75-82.

Sheppard, D.: "Resonancias de Quevedo en la poesía española del siglo xx", en *Kentucky Foreign Languages Quarterly,* IX, 1962, pp. 105-113.

Sobejano, Gonzalo: " 'En los claustros de l'alma'. Apuntaciones sobre la lengua poética de Quevedo", en *Spra-*

che und Geschichte. Festschrift für Harri Meier. München, 1971, pp. 459-492.

———: *Francisco de Quevedo. El escritor y la crítica,* Madrid, Taurus, 1978.

Terry, Arthur: "Quevedo and the metaphysic conceit", *Bulletin Hispanic Studies,* XXXV (1958), núm. 4, pp. 211-222.

Veres d'Ocón, Ernesto: "Notas sobre la enumeración descriptiva en Quevedo", en *Saitabi,* IX, 1949. (Tirada aparte.)

———: "La anáfora en la lírica de Quevedo", en el *Boletín castellonense de cultura,* 1949. (Tirada aparte.)

Walters, D. G.: "The Theme of Love in the *romances* de Quevedo", en *Studies of Spanish and Portuguese ballad* (London, Tamesis Books, 1972), p. 95 y ss.

Wilson, Edward M.: "Quevedo for the masses", en *Atlante,* vol. 3, núm. 4, 1955. (Tirada aparte.)

Yndurain, Francisco: *El pensamiento de Quevedo,* Universidad de Zaragoza, 1944.

ABREVIATURAS MÁS USADAS EN LAS NOTAS

Auts.   Real Academia Española. *Diccionario de la lengua castellana,* seis vols., Madrid, 1726-1739.

Correas, *Vocabulario.*   Gonzalo Correas, *Vocabulario de refranes y frases proverbiales* (1627). Texte établi et présenté par Louis Combet, Bordeaux, 1967. Pero he modernizado la personal ortografía del maestro salmantino.

Cov. *Tes.*   Sebastián de Covarrubias, *Tesoro de la lengua castellana,* edic. de Martín de Riquer, Barcelona, 1943.

Epist.   Luis Astrana Marín, *Epistolario completo de don Francisco de Quevedo-Villegas,* Madrid, 1946.

GS   Notas o apostillas de González de Salas a la edic. del *Parnaso,* Madrid, 1648.

N.º   Número del poema de la *Obra poética* de Quevedo, de la editorial Castalia.

OP   *Obras completas de don Francisco de Quevedo Villegas.* Textos genuinos del autor, descubiertos, clasificados y anotados por Luis Astrana Marín. Edición crítica [...] Obras en prosa. Madrid, 1941.

He utilizado para las citas los textos incluidos en ese volumen, excepto para las ediciones de *La vida del Buscón llamado don Pablos,* que he seguido la edic. crítica de Fernando Lázaro Carreter, Salamanca, 1965, y de *La cuna y la sepultura,* edic. de Luisa López Grijera, Madrid, 1969.

Price   *An Anthology of Quevedo's poetry,* edited by R. M. Price, Manchester University Press, 1969.

FRANCISCO DE QUEVEDO

POEMAS ESCOGIDOS

POEMAS FILOSÓFICOS, RELIGIOSOS, MORALES...

1

ENSEÑA A MORIR ANTES Y QUE LA MAYOR PARTE DE LA
MUERTE ES LA VIDA, Y ÉSTA NO SE SIENTE, Y LA MENOR,
QUE ES EL ÚLTIMO SUSPIRO, ES LA QUE DA PENA

SONETO

Señor don Juan, pues con la fiebre apenas
se calienta la sangre desmayada,
y por la mucha edad, desabrigada,
tiembla, no pulsa, entre la arteria y venas;

pues que de nieve están las cumbres llenas,   5
la boca, de los años saqueada,
la vista, enferma, en noche sepultada,
y las potencias, de ejercicio ajenas,

salid a recibir la sepoltura,
acariciad la tumba y monumento: 10
que morir vivo es última cordura.

La mayor parte de la muerte siento
que se pasa en contentos y locura,
y a la menor se guarda el sentimiento.

---

14 Comp.: "Señor don Manuel, hoy cuento yo cincuenta y
dos años, y en ellos cuento otros tantos entierros míos.
Mi infancia murió irrevocablemente; murió mi niñez,
murió mi juventud, murió mi mocedad; ya también falleció mi edad varonil. Pues ¿cómo llamo vida una vejez
que es sepulcro, donde yo propio soy entierro de cinco
difuntos que he vivido? ¿Por qué, pues, desearé vivir sepoltura de mi propia muerte, y no desearé acabar de ser
entierro de mi misma vida? Hanme desamparado las fuerzas; confiésanlo, vacilando, los pies, temblando las manos; huyóse el color del cabello, y vistióse de ceniza la
barba; los ojos, inhábiles para recibir la luz, miran noche;

2

REPRESÉNTASE LA BREVEDAD DE LO QUE SE VIVE
Y CUÁN NADA PARECE LO QUE SE VIVIÓ *

SONETO

"¡Ah de la vida!" … ¿Nadie me responde?
¡Aquí de los antaños que he vivido!
La Fortuna mis tiempos ha mordido;
las Horas mi locura las esconde.

¡Que sin poder saber cómo ni adónde   5
la salud y la edad se hayan huido!
Falta la vida, asiste lo vivido,
y no hay calamidad que no me ronde.

Ayer se fue; mañana no ha llegado;
hoy se está yendo sin parar un punto: 10
soy un fue, y un será, y un es cansado.

En el hoy y mañana y ayer, junto
pañales y mortaja, y he quedado
presentes sucesiones de difunto.

---

saqueada de los años la boca, ni puede disponer el alimento, ni gobernar la voz; las venas para calentarse, ne-
cesitan de la fiebre; las rugas han desamoldado las fac-
ciones; y el pellejo se ve disforme con el dibujo de la
calavera, que por él se trasluce. Ninguna cosa me da
más horror que el espejo en que me miro". *Epist.*, p. 317.
* González de Salas añade: "Da las mismas pensiones de
   la vida contenidas en el soneto antecedente [el que comienza "Que los años por ti vuelen tan leves"], vejez y
   enfermedad, diversa causa: ésta es el propio vivir".
1 "*¡Ah de la vida!*", calco de "¡Ah de la casa!", "¡Ah de
   la posada!", para llamar.
2 "*¡Aquí !* Calco también de "¡Aquí de los míos!", excla-
   mación para pedir auxilio. *Antaño,* "modo adverbial, que
   vale el año antecedente a el en que se está, o el año pasado. Es voz vulgar" [...] Usó Quevedo esta voz como
   substantivo". *Auts.*, que cita otros versos de don Francisco.
3 "Las ambiciones han perdido parte de mi edad". GS.
4 "Los devaneos, otra parte". GS.
7 *asiste,* está presente. Cf. el verso 3 del poema 111.

3

SIGNIFÍCASE LA PROPRIA BREVEDAD DE LA VIDA, SIN
PENSAR, Y CON PADECER, SALTEADA DE LA MUERTE

SONETO

¡Fue sueño ayer; mañana será tierra!
¡Poco antes, nada; y poco después, humo!
¡Y destino ambiciones, y presumo,
apenas punto al cerco que me cierra!

Breve combate de importuna guerra,   5
en mi defensa, soy peligro sumo;
y mientras con mis armas me consumo,
menos me hospeda el cuerpo, que me entierra.

Ya no es ayer; mañana no ha llegado;
hoy pasa, y es, y fue, con movimiento   10
que a la muerte me lleva despeñado.

Azadas son la hora y el momento
que, a jornal de mi pena y mi cuidado,
cavan en mi vivir mi monumento.

1-2 Comp.: "Buelue los ojos, si piensas que eres algo, a
lo que eras antes de nacer, y hallarás que no eres, que
es la vltima miseria. Mira que eres el que [h]a poco
que no fuiste y el que, siendo, eres poco, y el que de
aquí a poco no serás". *La cuna y la sepultura*, p. 29.
  7 Las 'armas' son los días y años que se vive, resistiendo
a la muerte. Comp.: "Pues mientras uno dice "¡Vivo!",
aguija a la muerte, y con las obras desdice y desmiente
las palabras". *Epist.*, p. 253.
 11 Comp.: "Cada día que pasó fue enfermedad del que ha
de venir, y en cada día que vive cuenta tantas enfermedades incurables como horas, tantos pasos hacia la muerte como instantes". *Epist.*, p. 316.
 14 Comp.: "¿Tú piensas que passan en valde los días? Pues
dígote que no ai hora que pase por ti, que no vaya sacando tierra de tu sepultura". *La cuna y la sepultura*,
p. 60.

4

REPITE LA FRAGILIDAD DE LA VIDA, Y
SEÑALA SUS ENGAÑOS Y SUS ENEMIGOS

SONETO

¿Qué otra cosa es verdad sino pobreza
en esta vida frágil y liviana?
Los dos embustes de la vida humana,
desde la cuna, son honra y riqueza.

El tiempo, que ni vuelve ni tropieza,   5
en horas fugitivas la devana;
y, en errado anhelar, siempre tirana,
la Fortuna fatiga su flaqueza.

Vive muerte callada y divertida
la vida misma; la salud es guerra   10
de su proprio alimento combatida.

¡Oh, cuánto, inadvertido, el hombre yerra:
que en tierra teme que caerá la vida,
y no ve que, en viviendo, cayó en tierra!

1 Véase el elogio de la pobreza en *La cuna y la sepultura,*
  pp. 45-46.
6 Comp.: "alegre le dejas pasar, hurtado de la hora, que,
  fugitiva y secreta, te lleva preciosísimo robo". *El mundo
  por de dentro,* OP, 197b.
9 *divertida,* distraída. Comp.: "Un relator, señor, con ar-
  quear las cejas, levantar la voz, dar una patada para hacer atender al alcalde divertido, hacer una acción, des-
  truye a un cristiano". *Buscón,* p. 202.

5

PREVENCIÓN PARA LA VIDA Y PARA LA MUERTE

SONETO

Si no temo perder lo que poseo,
ni deseo tener lo que no gozo,
poco de la Fortuna en mí el destrozo
valdrá, cuando me elija actor o reo.

Ya su familia reformó el deseo;   5
no palidez al susto, o risa al gozo
le debe de mi edad el postrer trozo,
ni anhelar a la Parca su rodeo.

Sólo ya el no querer es lo que quiero;
prendas de la alma son las prendas mías;   10
cobre el puesto la muerte, y el dinero.

A las promesas miro como a espías;
morir al paso de la edad espero:
pues me trujeron, llévenme los días.

6

ARREPENTIMIENTO Y LÁGRIMAS DEBIDAS AL ENGAÑO
DE LA VIDA

SONETO

Huye sin percibirse, lento, el día,
y la hora secreta y recatada
con silencio se acerca, y, despreciada,
lleva tras sí la edad lozana mía.

7 le debe] "Al deseo". GS.
3 *despreciada*] "La hora secreta". GS.

La vida nueva, que en niñez ardía,   5
la juventud robusta y engañada,
en el postrer invierno sepultada,
yace entre negra sombra y nieve fría.

No sentí resbalar, mudos, los años;
hoy los lloro pasados, y los veo   10
riendo de mis lágrimas y daños.

Mi penitencia deba a mi deseo,
pues me deben la vida mis engaños,
y espero el mal que paso, y no le creo.

7

AGRADECE, EN ALEGORÍA CONTINUADA, * A SUS TRABAJOS
SU DESENGAÑO Y SU ESCARMIENTO

SONETO

¡Qué bien me parecéis, jarcias y entenas,
vistiendo de naufragios los altares,
que son peso glorioso a los pilares
que esperé ver tras mi destierro apenas!

---

8 Comp.: "en la juventud está difunta y sepultada la niñez,
   y la juventud en la mocedad, y ésta en la edad varonil, y
   la edad varonil en la consistente, ésta en la vejez, y la
   vejez en la decrepitud: de manera, que quien más vive,
   es seis veces difunto y seis veces sepulcro de sí mismo".
   Providencia de Dios, OP, 1283b.
* La clásica y conocida alegoría de la vida como barca o
   navegación. Comp.: "Si en mar dificultoso navegaste ya
   estás en el puerto; y cuanto fue más corto tu viaje, tantas menos borrascas sufriste'. *Epist.,* p. 253. "Tu principal
   parte es el alma, que el cuerpo se te dio para nauío
   desta nauegación en que vas sujeto a que el viento dé
   con él en el vagío de la muerte". *La cuna y la sepultura,*
   p. 24.
1 *entena,* antena: "Verga o pértiga de madera pendiente
   de una garrucha, o mutón, que cruza en ángulos rectos
   al mástil de la nave, y en quien prende la vela. Ya comúnmente se dice Entena". *Auts.*

Símbolo sois de ya rotas cadenas 5
que impidieron mi vuelta, en largos mares;
mas bien podéis, santísimos lugares,
agradecer mis votos en mis penas.

.No tanto me alegrárades con hojas
en los robres antiguos, remos graves, 10
como colgados en el templo y rotos.

Premiad con mi escarmiento mis congojas;
usurpe al mar mi nave muchas naves;
débanme el desengaño los pilotos.

8

CONOCE LA DILIGENCIA CON QUE SE ACERCA LA MUERTE,
Y PROCURA CONOCER TAMBIÉN LA CONVENIENCIA DE SU
VENIDA, Y APROVECHARSE DE ESE CONOCIMIENTO

SONETO

Ya formidable y espantoso suena,
dentro del corazón, el postrer día;
y la última hora, negra y fría,
se acerca, de temor y sombras llena.

Si agradable descanso, paz serena 5
la muerte, en traje de dolor, envía,
señas da su desdén de cortesía:
más tiene de caricia que de pena.

¿Qué pretende el temor desacordado
de la que a rescatar, piadosa, viene 10
espíritu en miserias anudado?

2 Price, p. 90, indica que ese verso procede del v. 6 del
soneto de Petrarca que comienza "Lasso, ben so che que
dolorose prede": "e già l'ultimo dì nel cor mi tuona".

Llegue rogada, pues mi bien previene;
hálleme agradecido, no asustado;
mi vida acabe, y mi vivir ordene.

9

MUESTRA EL ERROR DE LO QUE SE DESEA
Y EL ACIERTO EN NO ALCANZAR FELICIDADES

SONETO

Si me hubieran los miedos sucedido
como me sucedieron los deseos,
los que son llantos hoy fueran trofeos:
¡mirad el ciego error en que he vivido!

Con mis aumentos proprios me he perdido;   5
las ganancias me fueron devaneos;
consulté a la Fortuna mis empleos,
y en ellos adquirí pena y gemido.

Perdí, con el desprecio y la pobreza,
la paz y el ocio; el sueño, amedrentado,   10
se fue en esclavitud de la riqueza.

12-14 Comp.: "tiempo es de prevenir buen recibimiento al postrero día. Llegue, pues, que pues no puedo apartarle,
no he de temerle; sólo conviene prevenirle; llevaráme".
Epist., p. 422.
   3 *trofeo*: "Fue costumbre muy usada poner el vencedor
en el mesmo lugar donde alcançó vitoria del enemigo
alguna señal para memoria della, la cual los griegos lla-
maron trofeo [...] Los primeros trofeos se erigieron en
los árboles, cortando las ramas y colgando del tronco y
de sus codillos despojos de los enemigos. Después vinieron a hazerse de piedra y ponerlos en las cumbres de
los montes o en los cerros muy altos, donde pudiessen
ser vistos desde muy lexos". Cov., *Tes.*
   5 *aumentos*: "Se llaman las conveniencias, medras y adelan-
tamientos de alguna persona, ya sea en bienes temporales,
ya en empleos y cargos honoríficos: y así comúnmente
se dice, Fulano atiende a sus aumentos, tiene valedor que
solicita sus aumentos". *Auts.*

Quedé en poder del oro y del cuidado,
sin ver cuán liberal Naturaleza
da lo que basta al seso no turbado.

10

CONTIENE UNA ELEGANTE ENSEÑANZA DE QUE TODO
LO CRIADO TIENE SU MUERTE DE LA ENFERMEDAD
DEL TIEMPO *

SONETO

Falleció César, fortunado y fuerte;
ignoran la piedad y el escarmiento
señas de su glorioso monumento:
porque también para el sepulcro hay muerte.

Muere la vida, y de la misma suerte   5
muere el entierro rico y opulento;
la hora, con oculto movimiento,
aun calla el grito que la fama vierte.

Devanan sol y luna, noche y día,
del mundo la robusta vida, ¡y lloras   10
las advertencias que la edad te envía!

* Véase el análisis de José María de Cossío en "Lección
sobre un soneto de Quevedo", en el *Boletín de la Biblioteca Menéndez Pelayo,* XXI (1945), pp. 409 y ss.
v. 4 "Mors etiam saxis marmoribusque venit", anota GS.
   Comp.:
      El mármol que, soberbio en su escultura,
      a los quïetos huesos de tu hermano
      ofrezió venerable sepoltura,
         ¿quién sabe si también fue cuerpo humano
      en otro siglo i lo pasó la muerte
      por su alterable variedad temprano?
                  Rimas de B. Leonardo de Argensola
                  (Zaragoza, 1951), pp. 349-50.
8 calla] "Verbo activo". GS.
9 "Aposición". GS.

Risueña enfermedad son las auroras;
lima de la salud es su alegría:
Licas, sepultureros son las horas.

11

SONETO

Vivir es caminar breve jornada,
y muerte viva es, Lico, nuestra vida,
ayer al frágil cuerpo amanecida,
cada instante en el cuerpo sepultada.

Nada que, siendo, es poco, y será nada   5
en poco tiempo, que ambiciosa olvida;
pues, de la vanidad mal persuadida,
anhela duración, tierra animada.

Llevada de engañoso pensamiento
y de esperanza burladora y ciega,   10
tropezará en el mismo monumento.

Como el que, divertido, el mar navega,
y, sin moverse, vuela con el viento,
y antes que piense en acercarse, llega.

1 Comp.: "el partir es el nacer, el vivir el caminar, la
venta es el mundo, y en saliendo della es una jornada,
y breve, desde él a la pena o la gloria". *El sueño del
infierno*, OP, 173a.
11 *divertido*, distraído, como en el poema 4, v. 9.

12

EL ESCARMIENTO *

CANCIÓN

¡Oh tú, que, inadvertido, peregrinas
de osado monte cumbres desdeñosas,
que igualmente vecinas
tienen a las estrellas sospechosas,
o ya confuso vayas   5
buscando el cielo, que robustas hayas
te esconden en las hojas,
o la alma aprisionada de congojas
alivies y consueles,
o con el vario pensamiento vueles,   10
delante desta peña tosca y dura,
que, de naturaleza aborrecida,
invidia de aquel prado la hermosura,
detén el paso y tu camino olvida,
y el duro intento que te arrástra deja,   15
mientras vivo escarmiento te aconseja!

En la que escura ves, cueva espantosa,
sepulcro de los tiempos que han pasado,
mi espíritu reposa,
dentro en mi propio cuerpo sepultado,   20

---

* Dice Aldrete en el prólogo que "haviendo después de su
última prisión de León, vuelto [don Francisco] a la Torre
de Juan Abad, antes de irse a Villanueva de los Infantes
a curar de las apostemas que desde la prisión se le habían hecho en los pechos, ocho meses antes de su muerte,
compuso la primera canción que va impresa en este libro
[que es la versión primera] en donde predice su muerte,
publica su desengaño y da documentos para que todos le
tengamos. Puede servirle de inscripción sepulcral". Aldrete
publica más adelante otra versión definitiva.
20 Comp.: "Pues el cuerpo no es más que una sepultura, y
el expirar es salir el alma deste sepulcro". *Epist.*, p. 257.
"Es el cuerpo vestidura de la ignorancia [...], velo opaco,
muerte viva, cadaver sensitivo, sepulcro portàtil". *Ibid.*,
p. 257.

pues mis bienes perdidos
sólo han dejado en mí fuego y gemidos,
vitorias de aquel ceño,
que, con la muerte, me libró del sueño
de bienes de la tierra,   25
y gozo blanda paz tras dura guerra,
hurtado para siempre a la grandeza,
al envidioso polvo cortesano,
al inicuo poder de la riqueza,
al lisonjero adulador tirano.   30
¡Dichoso yo, que fuera de este abismo,
vivo, me soy sepulcro de mí mismo!

ˎ Estas mojadas, nunca enjutas, ropas,
estas no escarmentadas y deshechas
velas, proas y popas,   35
estos hierros molestos, estas flechas,
estos lazos y redes
que me visten de miedo las paredes,
lamentables despojos,
desprecio del naufragio de mis ojos,   40
recuerdos despreciados,
son, para más dolor, bienes pasados.
Fue tiempo que me vio quien hoy me llora
burlar de la verdad y de escarmiento,
y ya, quiérelo Dios, llegó la hora   45
que debo mi discurso a mi tormento.
Ved cómo y cuán en breve el gusto acaba,
pues suspira por mí quien me envidiaba.

Aun a la muerte vine por rodeos;
que se hace de rogar, o da sus veces   50
a mis propios deseos;
mas ya que son mis desengaños jueces,
aquí, sólo conmigo,
la angosta senda de los sabios sigo,

_____

46 *discurso*: "Facultad racional con que se infieren unas cosas de otras, sacándolas por consecuencia de sus princi-
pios". *Auts.*

donde gloriosamente   55
desprecio la ambición de lo presente.
No lloro lo pasado,
ni lo que ha de venir me da cuidado;
y mi loca esperanza, siempre verde,
que sobre el pensamiento voló ufana,   60
de puro vieja aquí su color pierde,
y blanca puede estar de puro cana.
Aquí, del primer hombre despojado,
descanso ya de andar de mí cargado.

Estos que han de beber, fresnos hojosos,   65
la roja sangre de la dura guerra;
estos olmos hermosos,
a quien esposa vid abraza y cierra,
de la sed de los días,
guardan con sombras las corrientes frías;   70
y en esta dura sierra,
los agradecimientos de la tierra,
con mi labor cansada,
me entretienen la vida fatigada.
Orfeo del aire el ruiseñor parece,   75
y ramillete músico el jilguero;
consuelo aquél en su dolor me ofrece;
éste, a mi mal, se muestra lisonjero;
duermo, por cama, en este suelo duro,
si menos blando sueño, más seguro.   80

No solicito el mar con remo y vela,
ni temo al Turco la ambición armada;
no en larga centinela
al sueño inobediente, con pagada
sangre y salud vendida,   85
soy, por un pobre sueldo, mi homicida;
ni a Fortuna me entrego,

---

59 Recuérdese que el color verde era símbolo de la esperanza.
64 Compárese con el principio del soneto "Cargado voy de
   mí, veo delante", p. 180.
83 La voz *centinela* podía funcionar con concordancia masculina o femenina.

con la codicia y la esperanza ciego,
por cavar, diligente,
los peligros preciosos del Oriente;   90
no de mi gula amenazada vive
la fénix en Arabia, temerosa,
ni a ultraje de mis leños apercibe
el mar su inobediencia peligrosa:
vivo como hombre que viviendo muero,   95
por desembarazar el dia postrero.

Llenos de paz serena mis sentidos,
y la corte del alma sosegada,
sujetos y vencidos
apetitos de ley desordenada,   100
por límite a mis penas
aguardo que desate de mis venas
la muerte prevenida
la alma, que anudada está en la vida,
disimulando horrores   105
a esta prisión de miedos y dolores,
a este polvo soberbio y presumido,
ambiciosa ceniza, sepultura
portátil, que conmigo la he traído,
sin dejarme contar hora segura.   110
Nací muriendo y he vivido ciego,
y nunca al cabo de mi muerte llego.

Tú, pues, ¡oh caminante!, que me escuchas,
si pretendes salir con la victoria
del monstro con quien luchas,   115
harás que se adelante tu memoria
a recibir la muerte,
que, obscura y muda, viene a deshacerte.
No hagas de otro caso,
pues se huye la vida paso a paso,   120
y, en mentidos placeres,

93 *leños,* barcos.
106 Comp.: "Del vientre a la prisión vive en naciendo",
p. 179.

muriendo naces y viviendo mueres.
Cánsate ya, ¡oh mortal!, de fatigarte
en adquirir riquezas y tesoro;
que últimamente el tiempo ha de heredarte, 125
y al fin te dejarán la plata y oro.
Vive para ti solo, si pudieres;
pues sólo para ti, si mueres, mueres.

13

SALMO II *

¡Cuán fuera voy, Señor, de tu rebaño,
llevado del antojo y gusto mío!
¡Llévame mi esperanza el tiempo frío,
y a mí con ella un disfrazado engaño!

Un año se me va tras otro año, 5
y yo más duro y pertinaz porfío,
por mostrarme más verde mi albedrío
la torcida raíz do está mi daño.

Llámasme, gran Señor; nunca respondo.
Sin duda mi respuesta sólo aguardas, 10
pues tanto mi remedio solicitas.

Mas, ¡ay!, que sólo temo en mar tan hondo,
que lo que en castigarme agora aguardas,
con doblar los castigos lo desquitas.

---

128 Comp.: "Vivamos con todos; mas para nosotros, pues
moriremos para nosotros". *Epicteto y Phocilides*, dedicatoria a don Juan de Herrera.
* Pertenece, lo mismo que los números 14-24 al *Heráclito
cristiano.*

14

SALMO IX

Cuando me vuelvo atrás a ver los años
que han nevado la edad florida mía;
cuando miro las redes, los engaños
donde me vi algún día,
más me alegro de verme fuera dellos,   5
que un tiempo me pesó de padecellos.
Pasa veloz del mundo la figura,
y la muerte los pasos apresura;
la vida nunca para,
ni el Tiempo vuelve atrás la anciana cara.   10
Nace el hombre sujeto a la Fortuna,
y en naciendo comienza la jornada
desde la tierna cuna
a la tumba enlutada;
y las más veces suele un breve paso   15
distar aqueste oriente de su ocaso.
Sólo el necio mancebo,
que corona de flores la cabeza,
es el que sólo empieza
siempre a vivir de nuevo.   20
Pues si la vida es tal, si es desta suerte,
llamarla vida agravio es de la muerte.

15

SALMO XII

¿Quién dijera a Cartago
que, en tan poca ceniza, el caminante,
con pies soberbios, pisaria sus muros?
¿Qué presagio pudiera ser bastante
a persuadir a Troya el fiero estrago,   5

venganza infame de los griegos duros?
¿De qué alta y divina profecía
la gran Jerusalén no se burlaba?
¿A qué verdad no amenazó desprecio
Roma, cuando triunfaba,   10
segura de llorar el postrer día,
con tanto César, Mario, Bruto y Decio?
Y ya de tantas vanas confianzas
apenas se defiende la memoria
de las escuras manos del olvido.   15
¡Qué burladas están las esperanzas
que así se prometieron tanta gloria!
¡Cómo se ha reducido
toda su fama a un eco!
Adonde fue Sagunto es campo seco: 20
contenta está con yerba aquella tierra,
que al cielo amenazó con ira y guerra.
Descansan Creso y Craso,
vueltos menudo polvo, en frágil vaso.
De Alejandro y Darío   25
duermen los blancos huesos sueño frío:
porque con todo juega la Fortuna
cuanto ven en la tierra sol y luna.
Y así, creyendo noble desengaño,
vengo a contar que tengo tantas vidas   30
como tiene momentos cada un año,
y, con voces del ánimo nacidas,
viendo acabado tanto reino fuerte,
agradezco a la muerte,
con temor excesivo,   35
todas las horas que en el mundo vivo,
si vive alguna dellas
quien las pasa en temores de perdellas.

16

SALMO XIV

Nególe a la razón el apetito
el debido respeto,
y es lo peor que piensa que un delito
tan grave puede a Dios estar secreto,
cuya sabiduría   5
la escuridad del corazón del hombre,
desde el cielo mayor, la lee más claro.
Yace esclava del cuerpo el alma mía,
tan olvidada ya del primer nombre,
que no teme otra cosa   10
sino perder aqueste estado infame,
que debiera temer tan solamente,
pues la razón más viva y más forzosa
que me consuela y fuerza a que la llame,
aunque no se arrepiente,   15
es que está ya tan fea,
que se ha de arrepentir cuando se vea.
Sólo me da cuidado
ver que esta conversión tan conocida
ha de venir a ser agradecida,   20
más que a mi voluntad, a mi pecado,
pues ella no es tan buena
que desprecie por mala tanta pena;
y aunque él es vil, y de dolor tan lleno
que al infierno le igualo,   25
sólo tiene de bueno
el dar conocimiento de que es malo.

17

SALMO XV *

Pise, no por desprecio, por grandeza,
minas el avariento fatigado;
viva amando, medroso y desvelado,
en precioso dolor, pobre riqueza.

Ose contrahacer en su cabeza   5
zodíaco y esferas de ilustrado
cintillo, de planetas coronado,
que en Oriente mintió Naturaleza.

El escultor a Deucalión imite,
cuando anime las piedras de su casa;   10
el pincel a los muertos resucite.

Que en mi cabaña, con mi lumbre escasa,
poco tendrá la Muerte que me quite
y la Fortuna en que ponerme tasa.

---

* En *Parnaso* lleva el siguiente epígrafe: "Desprecio del
aparato vano y superfluo".
7 *cintillo*: "el que se pone en el sombrero en lugar de la
toquilla, con algunas pieças de oro". Cov., *Tes.*
10 Deucalión y Pirra fueron los únicos que se salvaron del
diluvio decretado por Júpiter. Cuando se retiraban las
aguas, fueron a consultar a la diosa Temis, quien les
respondió: "Atad vuestras cinturas y arrojad por detrás
los huesos de vuestra gran madre". Deucalión entendió
que las piedras eran los huesos de la Tierra, la gran madre; las cogieron, las arrojaron por detrás, y las que
tiraba Deucalión se transformaron en hombres y las de
Pirra, en mujeres.

18

SALMO XVI *

Ven ya, miedo de fuertes y de sabios:
irá la alma indignada con gemido
debajo de las sombras, y el olvido
beberán por demás mis secos labios.

Por tal manera Curios, Decios, Fabios   5
fueron; por tal ha de ir cuanto ha nacido;
si quieres ser a alguno bien venido,
trae con mi vida fin a mis agravios.

Esta lágrima ardiente con que miro
el negro cerco que rodea a mis ojos,   10
naturaleza es, no sentimiento.

---

* En *Parnaso*: "Llama también a la muerte, como en la
composición anterior, pero de otra manera". Por su interés la copio seguidamente, aunque tampoco huelga la nota
de GS que dice: "Tomó sabor el principio de este soneto de aquellas palabras de Virgilio: *Vitaque cum* gemitu
fugit indignata sub umbras". Que añade: "Este soneto
refingió después casi todo, con mucho espíritu, deste
modo".

LLAMA A LA MUERTE

Ven ya, miedo de fuertes y de sabios;
huya el cuerpo indignado con gemido
debajo de las sombras, y el olvido
beberán por demás mis secos labios.

5   Fallecieron los Curios y los Fabios,
y no pesa una libra, reducido
a cenizas, el rayo amanecido
en Macedonia a fulminar agravios.

Desata de este polvo y de este aliento
10   el nudo frágil en que está animada
sombra que sucesivo anhela el viento.

¿Por qué emperezas el venir rogada,
a que me cobre deuda el monumento,
pues es la humana vida larga, y nada?

3 Al atravesar el alma el Leteo iba olvidando todo.

Con el aire primero este suspiro
empecé; y hoy le acaban mis enojos,
porque me deba todo al monumento.

19

SALMO XVII *

Miré los muros de la patria mía,
si un tiempo fuertes, ya desmoronados,
de la carrera de la edad cansados,
por quien caduca ya su valentía.

Salíme al campo: vi que el sol bebía   5
los arroyos del yelo desatados,
y del monte quejosos los ganados,
que con sombras hurtó su luz al día.

Entré en mi casa; vi que, amancillada,
de anciana habitación era despojos;   10
mi báculo, más corvo y menos fuerte;

---

* En *Parnaso,* "Enseña cómo todas las cosas avisan de la muerte".
   Price, p. 97, anota que los antecedentes se hallan en Séneca, *Epis. Morales,* I, XII: "Quocumque me verti, argumenta senectutis meae video" y "Debeo hoc suburbano meo, quod mihi senectus mea, quoqumque adverteram, apparuit". (Véase también su artículo "A note on the Sources and Structure of 'Miré los muros de la patria mía'", en *Modern Languages Notes,* LXXVIII (1963), pp. 149-199.)
1 *patria,* aquí, Madrid, que había derribado sus puertas y sus murallas. Por eso, Góngora, en 1610, comienza un soneto "Nilo no sufre márgenes, ni muros / Madrid, oh peregrino, tú que pasas". *Obras completas,* edic. de J. e I. Millé, p. 489.
9-10 Comp.: "¿A qué volvéis los ojos que no os acuerde de la muerte? Vuestro vestido que se gasta, la casa que se cae, el muro que se envejece?". *El sueño del infierno,* OP, p. 183a.

vencida de la edad sentí mi espada.
Y no hallé cosa en que poner los ojos
que no fuese recuerdo de la muerte.

20

SALMO XVIII *

Todo tras sí lo lleva el año breve
de la vida mortal, burlando el brío
al acero valiente, al mármol frío,
que contra el Tiempo su dureza atreve.

Antes que sepa andar el pie, se mueve   5
camino de la muerte, donde envío
mi vida oscura: pobre y turbio río
que negro mar con altas ondas bebe.

Todo corto momento es paso largo
que doy, a mi pesar, en tal jornada,   10
pues, parado y durmiendo, siempre aguijo.

Breve suspiro, y último, y amargo,
es la muerte, forzosa y heredada:
mas si es ley, y no pena, ¿qué me aflijo?

14 Es recuerdo también de Ovidio, *Tristes*, I, XI, 32: "Quo-
    cumque adspicio nihil est, nisi mortis imago".
 * En *Parnaso*: "Que la vida es siempre breve y fugitiva.
    Concluye el discurso con una sentencia estoica".
5-6 Comp.: "No sabe la boca hablar, y grita; no sabe el
    pie andar en el camino de la vida, y sabe caminar en
    el de la muerte". *Epist.*, p. 317. "Cierto es que el hombre
    desde que nace empieza a morir, y que el pie recien na-
    cido, que no puede dar paso en la vida, le da en la
    muerte". *Providencia de Dios,* OP, p. 1273b.
 8 "El mar bebe el río". GS.
11 Price, p. 98, señala la fuente en Séneca: "quod vigilantes
    dormentesque eodem gradu facimus".
14 Es idea que procede de Séneca y que don Francisco repite
    muchas veces: "omnia mors poscit. Lex est, non poena,
    perire". (*Epigramas,* 7, 7). Comp.: "¿Murió? No; acabó
    de morir, que cuando nació comenzó a morir. Y cuando
    muriera, ley es, y no pena, el morir". *Epist.*, p. 257.

21

SALMO XIX *

¡Cómo de entre mis manos te resbalas!
¡Oh, cómo te deslizas, edad mía!
¡Qué mudos pasos traes, oh muerte fría,
pues con callado pie todo lo igualas!

Feroz, de tierra el débil muro escalas,   5
en quien lozana juventud se fía;
mas ya mi corazón del postrer día
atiende el vuelo, sin mirar las alas.

¡Oh condición mortal! ¡Oh dura suerte!
¡Que no puedo querer vivir mañana   10
sin la pensión de procurar mi muerte!

Cualquier instante de la vida humana
es nueva ejecución, con que me advierte
cuán frágil es, cuán mísera, cuán vana.

22

SALMO XXII **

Pues hoy pretendo ser tu monumento,
porque me resucites del pecado,
habítame de gracia, renovado
el hombre antiguo en ciego perdimiento.

"Querer tú vivir siempre, fuera haber agravio a los que
murieron para que vivieses y a los que aguardan a que te
vayas para venir: que ella, llevando a unos da lugar a
otros; y assí es lei, y no pena, la muerte". *La cuna y la
sepultura*, p. 58.
* "Conoce las fuerzas del tiempo y el ser ejecutivo cobra-
dor de la muerte", en *Parnaso*.
** En *Parnaso*, "Reconocimiento propio y ruego piadoso antes de comulgar".

Si no, retratarás tu nacimiento   5
en la nieve de un ánimo obstinado
y en corazón pesebre, acompañado
de brutos apetitos que en mí siento.

Hoy te entierras en mí, siervo villano,
sepulcro, a tanto güésped, vil y estrecho,   10
indigno de tu Cuerpo soberano.

Tierra te cubre en mí, de tierra hecho;
la conciencia me sirve de gusano;
mármor para cubrirte da mi pecho.

23

SALMO XXVII

Bien te veo correr, tiempo ligero,
cual por mar ancho despalmada nave,
a más volar, como saeta o ave
que pasa sin dejar rastro o sendero.

Yo, dormido, en mis daños persevero,   5
tinto de manchas y de culpas grave;
aunque es forzoso que me limpie y lave
llanto y dolor, aguardo el dia postrero.

Éste no sé cuándo vendrá; confío
que ha de tardar, y es ya quizá llegado,   10
y antes será pasado que creído.

Señor, tu soplo aliente mi albedrío
y limpie el alma, el corazón llagado
cure, y ablande el pecho endurecido.

24

SALMO XXVIII

Amor me tuvo alegre el pensamiento,
y en el tormento, lleno de esperanza,
cargándome con vana confianza
los ojos claros del entendimiento.

Ya del error pasado me arrepiento;   5
pues cuando llegue al puerto con bonanza,
de cuanta gloria y bienaventuranza
el mundo puede darme, toda es viento.

Corrido estoy de los pasados años,
que reducir pudiera a mejor uso   10
buscando paz, y no siguiendo engaños.

Y así, mi Dios, a Ti vuelvo confuso,
cierto que has de librarme destos daños;
pues conozco mi culpa y no la excuso.

25

ENSEÑA CÓMO NO ES RICO EL QUE TIENE MUCHO CAUDAL *

SONETO

Quitar codicia, no añadir dinero,
hace ricos los hombres, Casimiro:
puedes arder en púrpura de Tiro
y no alcanzar descanso verdadero.

---

* Añade GS: "El primer verso es de Epicuro, citado por
Séneca. El primer terceto, de San Pedro Crisólogo, sermón 22. El postrer verso, de Séneca".
2 Comp.: "Epicuro dijo: "Si quieres ser rico, no añadas
dinero, quita cudicia". *De los remedios...*, OP, p. 892a.

Señor te llamas; yo te considero,   5
cuando el hombre interior que vives miro,
esclavo de las ansias y el suspiro,
y de tus proprias culpas prisionero.

Al asiento de l'alma suba el oro;
no al sepulcro del oro l'alma baje,   10
ni le compita a Dios su precio el lodo.

Descifra las mentiras del tesoro;
pues falta (y es del cielo este lenguaje)
al pobre, mucho; y al avaro, todo.

26

UN DELITO IGUAL SE REPUTA DESIGUAL SI SON DIFERENTES
LOS SUJETOS QUE LE COMETEN, Y AUN LOS DELITOS,
DESIGUALES *

SONETO

Si de un delito proprio es precio en Lido
la horca, y en Menandro la diadema,
¿quién pretendes, ¡oh Júpiter!, que tema
el rayo a las maldades prometido?

Cuando fueras un robre endurecido,   5
y no del cielo majestad suprema,
gritaras, tronco, a la injusticia extrema,
y, dios de mármol, dieras un gemido.

Sacrilegios pequeños se castigan;
los grandes en los triunfos se coronan,   10
y tienen por blasón que se los digan.

* González de Salas añade: "Es imitación de Juvenal, sát.
13, y de Séneca, epist. 87".
1 *delito proprio*, delito igual. *Precio*, premio. Comp.: "Los
domingos se corren lanzas en el Retiro, y su Alteza las
corre con precios". *Epist.* 404.

Lido robó una choza, y le aprisionan;
Menandro un reino, y su maldad obligan
con nuevas dignidades que le abonan.

27

EL PECAR INTERCEDE POR LOS PREMIOS,
PREFIRIÉNDOSE A LA VIRTUD *

SONETO

Si gobernar provincias y legiones
ambicioso pretendes, ¡oh Licino!,
procura que el favor y el desatino
aseguren de infames tus acciones.

No merezca ninguno las prisiones   5
mejor que tú; pues cuanto más vecino
al suplicio te vieres, el destino
más te apresurará las elecciones.

Felices son y ricos los pecados:
ellos dan los palacios suntuosos,   10
llueven el oro, adquieren los estados.

Alábanse los hombres virtuosos;
mas, para lo que viven alabados,
quien los alaba elige los viciosos.

* "Es de Juvenal, sát. 1". GS.

28

QUE DESENGAÑOS SON LA VERDADERA RIQUEZA

SONETO

¿Cuándo seré infeliz sin mi gemido?
¿Cuándo sin el ajeno fortunado?
El desprecio me sigue desdeñado;
la invidia, en dignidad constituido.

U del bien u del mal vivo ofendido;   5
y es ya tan insolente mi pecado,
que, por no confesarme castigado,
acusa a Dios con llanto inadvertido.

Temo la muerte, que mi miedo afea;
amo la vida, con saber es muerte: 10
tan ciega noche el seso me rodea.

Si el hombre es flaco y la ambición es fuerte,
caudal que en desengaños no se emplea,
cuanto se aumenta, Caridón, se vierte.

10 Comp.: "Todo, señor don Manuel, lo hacemos al revés:
tememos la muerte, y queremos más muerte; deseamos
que no se llegue, y queremos que no se acabe. Toda
nuestra ansia es vivir la muerte". *Epist.*, p. 318.

29

POR MÁS PODEROSO QUE SEA EL QUE AGRAVIA,
DEJA ARMAS PARA LA VENGANZA *

SONETO

Tú, ya, ¡oh ministro!, afirma tu cuidado
en no injuriar al mísero y al fuerte;
cuando les quites oro y plata, advierte
que les dejas el hierro acicalado.

Dejas espada y lanza al desdichado,   5
y poder y razón para vencerte;
no sabe pueblo ayuno temer muerte;
armas quedan al pueblo despojado.

Quien ve su perdición cierta, aborrece,
más que su perdición, la causa della;   10
y ésta, no aquélla, es más quien le enfurece.

Arma su desnudez y su querella
con desesperación, cuando le ofrece
venganza del rigor quien le atropella.

* "Juvenal, en la sát. 8, prestó espíritu a estos versos". GS.
  Son los vv. 121-4.
1-8 Comp.: "Porque la multitud hambrienta ni sabe temer,
  ni tiene qué; y aquel que los quita quanto adquirieron
  de oro, y plata, y hacienda, los deja la voz para el grito,
  los ojos para el llanto, el puñal y las armas". *Política de
  Dios,* edic. de J. O. Crosby (Madrid, Castalia, 1966),
  p. 209.
6 *razón,* justas razones.
12 Price afirma, p. 83, que he corregido 'Ama' por 'Arma',
  pero lo cierto es que en la primera edic. figura 'Arma'.

30

A LA VIOLENTA Y INJUSTA PROSPERIDAD *

SONETO

Ya llena de sí solo la litera
Matón, que apenas anteyer hacía
(flaco y magro malsín) sombra, y cabía,
sobrando sitio, en una ratonera.

Hoy, mal introducida con la esfera   5
su casa, al sol los pasos le desvía,
y es tropezón de estrellas; y algún día,
si fuera más capaz, pocilga fuera.

Cuando a todos pidió, le conocimos;
no nos conoce cuando a todos toma;   10
y hoy dejamos de ser lo que ayer dimos.

Sóbrale tanto cuanto falta a Roma;
y no nos puede ver, porque le vimos:
lo que fue esconde; lo que usurpa asoma.

* "Es de Juvenal, sát. 1 [vv. 30-33]. Y con la permissión
satírica se desliza al donaire". GS.
5-7 Es decir, se ha construido una casa tan alta, que se
introduce en la esfera celeste, desvía los rayos del sol y
hace tropezar a las estrellas.

31

ADVIERTE EL LLANTO FINGIDO Y EL VERDADERO CON EL AFECTO DE LA CODICIA *

SONETO

Lágrimas alquiladas del contento
lloran difunto al padre y al marido;
y el perdido caudal ha merecido
solamente verdad en el lamento.

Codicia, no razón ni entendimiento,   5
gobierna los afectos del sentido:
quien pierde hacienda dice que ha perdido;
no el que convierte en logro el monumento.

Los sacrosantos bultos adorados
ven sus muslos raídos, por el oro;   10
sus barbas y cabellos, arrancados.

Y el ser los dioses masa de tesoro,
los tiene al fuego y cuño condenados,
y al Tonante, fundido en cisne y toro.

---

* "Es de Juvenal, sát. 13 [129-134 y 147-154]: *Ploratur la-
crymis amissa pecunia veris*", etc. GS.
1 *lágrimas alquiladas*, las de las plañideras contratadas.
10 "*Qui radat inaurati femur Herculis*, etc.". GS.
14 "Ó ya esté representado Cisne o ya Toro". GS.

32

AL AMBICIOSO VALIMIENTO QUE SIEMPRE
ANHELA A SUBIR MÁS *

SONETO

Descansa, mal perdido en alta cumbre,
donde a tantas alturas te prefieres;
si no es que acocear las nubes quieres,
y en la región del fuego beber lumbre.

Ya te padece, grave pesadumbre,   5
tu ambición propria; peso y carga eres
de la Fortuna, en que viviendo mueres:
¡y esperas que podrá mudar costumbre!

El vuelo de las lágrimas que miras
debajo de las alas con que vuelas,   10
en tu caída cebarán sus iras.

Harto crédito has dado a las cautelas.
¿Cómo puedes lograr a lo que aspiras,
si, al tiempo de expirar, soberbio anhelas?

---

* "Toda es metafórica simulación, continuada también en la
figura de las águilas, que son otros ambiciosos inferiores,
que aguardan a que caiga el superior para cebarse en
él". GS.
12 *cautelas,* engaños.

33

MORALIDAD ÚTIL CONTRA LOS QUE HACEN ADORNO PROPRIO DE LA AJENA DESNUDEZ *

SONETO

Desabrigan en altos monumentos
cenizas generosas, por crecerte,
y altas rüinas, de que te haces fuerte,
más te son amenaza que cimientos.

De venganzas del tiempo, de escarmientos,   5
de olvidos y desprecios de la muerte,
de túmulo funesto, osas hacerte
arbitro de los mares y los vientos.

Recuerdos y no alcázares fabricas;
otro vendrá después que de sus torres   10
alce en tus huesos fábricas más ricas.

De ajenas desnudeces te socorres,
y procesos de mármol multiplicas:
temo que con tu llanto el suyo borres.

34

A UN AMIGO QUE RETIRADO DE LA CORTE PASÓ SU EDAD

SONETO

Dichoso tú, que, alegre en tu cabaña,
mozo y viejo espiraste la aura pura,
y te sirven de cuna y sepoltura
de paja el techo, el suelo de espadaña.

---

* "Estudia esta enseñanza en la fábrica del castillo de Cartagena, que para edificarle deshicieron unos sepulcros de romanos". GS.

En esa soledad, que, libre, baña   5
callado sol con lumbre más segura,
la vida al día más espacio dura,
y la hora, sin voz, te desengaña.

No cuentas por los cónsules los años;
hacen tu calendario tus cosechas;   10
pisas todo tu mundo sin engaños.

De todo lo que ignoras te aprovechas;
ni anhelas premios, ni padeces daños,
y te dilatas cuanto más te estrechas.

35

ADVERTENCIA A ESPAÑA DE QUE ANSÍ COMO SE HA HECHO
SEÑORA DE MUCHOS, ANSÍ SERÁ DE TANTOS ENEMIGOS
INVIDIADA Y PERSEGUIDA, Y NECESITA DE CONTINUA
PREVENCIÓN POR ESA CAUSA *

SONETO

Un godo, que una cueva en la montaña
guardó, pudo cobrar las dos Castillas;
del Betis y Genil las dos orillas,
los herederos de tan grande hazaña.

A Navarra te dio justicia y maña;   5
y un casamiento, en Aragón, las sillas
con que a Sicilia y Nápoles humillas,
y a quien Milán espléndida acompaña.

7 la vida] "Hypallage". GS.
9 Alude al cómputo de los años romanos por consulados.
14 te dilatas] "En la vida". GS.
* Apostilla González de Salas: "Séneca, epíst. 88: *Quod*
unus populus eripuerit omnibus, facilius uni ab omnibus
eripi posse". Véase también Dámaso Alonso, *Poesía espa-*
ñola (Madrid, 1952), p. 535.
6 Alude a los Reyes Católicos.

Muerte infeliz en Portugal arbola
tus castillos. Colón pasó los godos   10
al ignorado cerco de esta bola.

Y es más fácil, ¡oh España!, en muchos modos,
que lo que a todos les quitaste sola
te puedan a ti sola quitar todos.

36

PINTA EL ENGAÑO DE LOS ALQUIMISTAS *

SONETO

¿Podrá el vidro llorar partos de Oriente?
¿Cabrá su habilidad en los crisoles?
¿Será la tierra adúltera a los soles,
por concebir de un horno siempre ardiente?

¿Destilarás en baños a Occidente?   5
¿Podrán lo mismo humos que arreboles?
¿Abreviarán por ti los españoles
el precioso naufragio de su gente?

Osas contrahacer su ingenio al día;
pretendes que le parle docta llama   10
los secretos de Dios a tu osadía.

9 *arbolar*: "Levantar en alto alguna cosa, y propriamente
  se dice de las que se levantan instantáneamente: como
  arbolar una bandera, un pendón, etc.". *Auts.*
10 Se refiere a la muerte del rey don Sebastián, en 1580,
  que, por no dejar sucesor, permitió a Felipe II la anexión
  de Portugal.
* Véase A. Martinengo, *Quevedo e il simbolo alchimistico,*
  Padova, 1967.
1 *partos de Oriente,* el oro, por el sol.
5 Alude al oro de las Indias, y por eso utiliza el verbo
  'abreviarán' en el v. 7. Es decir, los españoles no se
  verán obligados a cruzar el océano para alcanzar el oro,
  ya que lo fabricarán los alquimistas.

Doctrina ciega y ambiciosa fama
el oro miente en la ceniza fría,
y cuando le promete le derrama.

37

CONVENIENCIAS DE NO USAR DE LOS OJOS, DE LOS OÍDOS Y DE LA LENGUA

SONETO

Oír, ver y callar remedio fuera
en tiempo que la vista y el oído
y la lengua pudieran ser sentido
y no delito que ofender pudiera.

Hoy, sordos los remeros con la cera,   5
golfo navegaré que (encanecido
de huesos, no de espumas) con bramido
sepulta a quien oyó voz lisonjera.

Sin ser oído y sin oír, ociosos
ojos y orejas, viviré olvidado   10
del ceño de los hombres poderosos.

Si es delito saber quién ha pecado,
los vicios escudriñen los curiosos:
y viva yo ignorante y ignorado.

38

RETIRO DE QUIEN EXPERIMENTA CONTRARIA LA SUERTE,
YA PROFESANDO VIRTUDES, Y YA VICIOS *

SONETO

Quiero dar un vecino a la Sibila
y retirar mi desengaño a Cumas,
donde, en traje de nieve con espumas,
líquido fuego oculto mar destila.

El son de la tijera que se afila   5
oyen alegres mis desdichas sumas;
corta a su vuelo la ambición las plumas,
pues ya la Parca corta lo que hila.

Fui malo por medrar: fui castigado
de los buenos; fui bueno: fui oprimido   10
de los malos, y preso, y desterrado.

Contra mí solo atento el mundo ha sido,
y pues sólo fue inútil mi pecado,
cual si fuera virtud, padezca olvido.

---

* "Empieza con el principio de la sátira 3 de Juvenal, re-
tirándose un amigo suyo a Cumas, patria de la Sibila
Cumea:
  Laudo tamen vacuis quod sedem figere Cumis
  destinet atque unum civem donare Sibilae, etc."
4 "Por la vecindad de Baias". GS.
5 Alude a la tijera de Cloto, una de las Parcas, como aclara
  en el v. 8.

39

ENSEÑA NO SER SEGURA POLÍTICA REPREHENDER ACCIONES,
AUNQUE MALAS SEAN, PUES ELLAS TIENEN GUARDADO
SU CASTIGO *

SONETO

Raer tiernas orejas con verdades
mordaces, ¡oh Licino!, no es seguro:
si desengañas, vivirás obscuro,
y escándalo serás de las ciudades.

No las hagas, ni enojes, las maldades,   5
ni mormures la dicha del perjuro:
que si gobierna y duerme Palinuro,
su error castigarán las tempestades.

El que, piadoso, desengaña amigos
tiene mayor peligro en su consejo   10
que en su venganza el que agravió enemigos.

Por esto a la maldad y al malo dejo.
Vivamos, sin ser cómplices, testigos;
advierta al mundo nuevo el mundo viejo.

---

* "Es imitación de Persio, sát. 2: *Sed quid opus teneras
mordaci radere vero auriculus,* etc.". GS.
7 Palinuro, piloto de Eneas, cayó al mar por haberse dormido.

40

ADVIERTE CONTRA EL ADULADOR QUE LO DULCE QUE DICE
NO ES POR DELEITAR AL QUE LO ESCUCHA, SINO
POR INTERÉS PROPRIO SUYO, Y AMENAZA
A QUIEN LE DA CRÉDITO

SONETO

Con acorde concento, o con rüidos
músicos, ensordeces al gusano,
para que los enojos del verano
no atienda, ni del cielo los bramidos.

No es piedad confundirle los sentidos;   5
codicia sí, guardándole, tirano,
para que su mortaja con su mano
hile y, en su mortaja, tus vestidos.

Nació paloma, y, en tu seno, el vuelo
perdió; gusano, arrastra despreciado,   10
y osas llamar tu vil cautela celo.

Tal fin tendrá cualquiera desdichado
a quien estorba oír la voz del cielo,
con músico alboroto, su pecado.

---

1 *concento*: "canto acordado, harmonioso y dulce, que resulta de diversas voces concertadas". *Auts.*
v. 2 Los días de tormenta, acostumbraban a ensordecer a los
gusanos; pero cierto especialista no deja de apostillar con
cierta sonrisa: "cuanto a los truenos, comúnmente veo
reírse a todos los que dicen que les hace mal y para
remedio de ellos les tañen atambores, porque les parece
que no teniendo oídos, no pueden oír el trueno". González de las Casas en su *Arte nuevo para criar la seda*
(edic. que aparece detrás de la *Agricultura* de A. de Herrera, Madrid, 1790), p. 392a.
6 guardándole] "El que le guarda". GS.
10 arrastra] "Hácele verbo neutro, esto es *Va arrastrando*".
GS.

41

LAS CAUSAS DE LA RUINA DEL IMPERIO ROMANO

SONETO

En el precio, el favor; y la ventura,
venal; el oro, pálido tirano;
el erario, sacrílego y profano;
con togas, la codicia y la locura;

en delitos, patíbulo la altura;   5
más suficiente el más soberbio y vano;
en opresión, el sufrimiento humano;
en desprecio, la sciencia y la cordura,

promesas son, ¡oh Roma!, dolorosas
del precipicio y ruina que previenes   10
a tu imperio y sus fuerzas poderosas.

El laurel que te abraza las dos sienes
llama al rayo que evita, y peligrosas
y coronadas por igual las tienes.

42

LA TEMPLANZA, ADORNO PARA LA GARGANTA
MÁS PRECIOSO QUE LAS PERLAS DE MAYOR VALOR

SONETO

Esta concha que ves presuntuosa,
por quien blasona el mar índico y moro,
que en un bostezo concibió un tesoro
del sol y el cielo, a quien se miente esposa;

1-4 Comp.: "El origen y generación de la concha que cría
las perlas no es muy diferente del que tienen las con-

esta pequeña perla y ambiciosa,   5
que junta su soberbia con el oro,
es defecto del nácar, no decoro,
y mendiga beldad, aunque preciosa.

Bastaba que la gula el mar pescara,
sin que avaricia en él tendiera redes   10
con que la vanidad alimentara.

Floris, mejor con la templanza puedes
adornar tu garganta, que con rara
perdición rica, que del Ponto heredes.

43

COMPREHENDE LA OBEDIENCIA DEL MAR, Y LA INOBEDIENCIA
DEL CODICIOSO EN SUS AFECTOS

SONETO

La voluntad de Dios por grillos tienes,
y ley de arena tu coraje humilla,
y, por besarla, llegas a la orilla,
mar obediente, a fuerza de vaivenes.

Con tu soberbia undosa te detienes   5
en la humildad, bastante a resistilla;
a tu saña tu cárcel maravilla,
rica, por nuestro mal, de nuestros bienes.

---

chas de las ostras. Éstas, quando el tiempo del año
apto para engendrar las mueve, se abren ellas mismas
como borzando, y dízese que se llenan de un rocío, con
que engendran, y después de preñadas paren, y que su
parto son perlas, las quales son según el rocío que reci-
bieron". Cov. *Tes.*
14 *Ponto,* mar.
4 Comp.: "¿Quién vio la soberbia del mar, amotinada
con cóleras rabiosas del viento, llegar a la orilla, formidable a los montes, y besar humilde la ley que le escribió
en la arena...?". *Providencia de Dios,* p. 1243b.

¿Quién dio al robre y a l'haya atrevimiento
de nadar, selva errante deslizada,   10
y al lino de impedir el paso al viento?

Codicia, más que el Ponto desfrenada,
persuadió que, en el mar, el avariento
fuese inventor de muerte no esperada.

44

CONTRA LOS HIPÓCRITAS Y FINGIDA VIRTUD DE MONJAS
Y BEATAS, EN ALEGORÍA DEL COHETE

SONETO

No digas, cuando vieres alto el vuelo
del cohete, en la pólvora animado,
que va derecho al cielo encaminado,
pues no siempre quien sube llega al cielo.

Festivo rayo que nació del suelo,   5
en popular aplauso confiado,
disimula el azufre aprisionado;
traza es la cuerda, y es rebozo el velo.

Si le vieres en alto radïante,
que con el firmamento y sus centellas   10
equivoca su sitio y su semblante,

¡oh, no le cuentes tú por una dellas!
Mira que hay fuego artificial farsante,
que es humo y representa las estrellas.

8 *traza*: "se toma assimismo por el modo, apariencia o
figura de alguna cosa". *Auts.*
14 Plauciano, privado de Severo, dice en el *Discurso de
todos los diablos,* OP., p. 249b : "Fui cohete, subí aprisa,
y ardiendo y con ruido en lo alto, me calificó por estrella
la vista ; duré poco y bajé desmintiendo mis luces en
humo y ceniza".

45

DESENGAÑO DE LA EXTERIOR APARIENCIA
CON EL EXAMEN INTERIOR Y VERDADERO

SONETO

¿Miras este gigante corpulento
que con soberbia y gravedad camina?
Pues por de dentro es trapos y fajina,
y un ganapán le sirve de cimiento.

Con su alma vive y tiene movimiento,   5
y adonde quiere su grandeza inclina;
mas quien su aspecto rígido examina,
desprecia su figura y ornamento.

Tales son las grandezas aparentes
de la vana ilusión de los tiranos: 10
fantásticas escorias eminentes.

¿Veslos arder en púrpura, y sus manos
en diamantes y piedras diferentes?
Pues asco dentro son, tierra y gusanos.

---

3 *fajina*: "es la leña menuda para encender la gruesa.
También llaman faginas las hojarascas, digo hojas secas
[...] Y debaxo deste nombre se entiende toda broça de
hojas secas y espadañas". Cov., *Tes*.
4 *ganapán*: "este nombre tienen los que ganan su vida y
el pan que comen (que vale sustento) a llevar a cuestas
y sobre sus ombros las cargas, hechos unos atlantes. Son
ordinariamente hombres de muchas fuerças". Cov., *Tes*.
11 *escoria*: "Toda cosa y vil desechada y de ningún valor
llamamos escoria". Cov., *Tes*.

46

DESASTRE DEL VALIDO QUE CAYÓ AUN EN SUS ESTATUAS *

SONETO

¿Miras la faz que al orbe fue segunda
y en el metal vivió rica de honores
cómo, arrastrada, sigue los clamores,
en las maromas de la plebe inmunda?

No hay fragua que sus miembros no los funda   5
en calderas, sartenes y asadores;
y aquel miedo y terror de los señores
sólo de humo en la cocina abunda.

El rostro que adoraron en Seyano,
despedazado en garfios, es testigo   10
de la instabilidad del precio humano.

Nadie le conoció, ni fue su amigo;
y sólo quien le infama de tirano
no acompañó el horror de su castigo.

---

* González de Salas anota: "Es muy precisa expresión de
Juvenal en la sát. 10 [vv. 61-69]: *Ardet adoratum populo
caput*, etc.".
4 *maromas*: "las cuerdas gruesas, de las quales principal-
mente usan los marineros [...] También usan dellas en la
tierra para subir con máquinas grandes pesos". Cov., *Tes*.
9 Seyano, favorito de Tiberio (+ 37 d. J. C.), fue ensal-
zado como el propio Emperador, pero habiendo conspirado
para apoderarse del trono, fue condenado a muerte.
Comp.: "¿Qué tengo yo que ver con eso —dijo Seyano—, que supe y disimulé menos que Tiberio, y habiéndole
obligado con mis servicios, me mandó adorar y me hizo
estatuas y las concedió privilegios sagrados? [...] Tiberio
me hizo prender y despedazar [...], con garfios me arras-
traron las quijadas por las calles". *Discurso de todos los
diablos*, OP., p. 248b.
11 *precio*: premio. Vid. la nota al v. 1 del poema 26.

47

ENSEÑA QUE, AUNQUE TARDE, ES MEJOR RECONOCER
EL ENGAÑO DE LAS PRETENSIONES Y RETIRARSE
A LA GRANJERÍA DEL CAMPO

SONETO

Cuando esperando está la sepoltura
por semilla mi cuerpo fatigado,
doy mi sudor al reluciente arado
y sigo la robusta agricultura.

Disculpa tiene, Fabio, mi locura,   5
si me quieres creer escarmentado:
probé la pretensión con mi cuidado,
y hallo que es la tierra menos dura.

Recojo en fruto lo que aquí derramo,
y derramaba allá lo que cogía: 10
quien se fía de Dios sirve a buen amo.

Más quiero depender del sol y el día,
y de la agua, aunque tarde, si la llamo,
que de l'áulica infiel astrología.

2 Comp.: "No defraudemos la agricultura de la muerte:
semilla es nuestro cuerpo para la cosecha del postrero
día". *Epist.*, p. 424. "La tierra de que fue hecho [el cuer-
po] le guarda como madre; recíbele como semilla para
que renazca de la putrefacción". *Epist.*, p. 318.

48

A UN JUEZ MERCADERÍA

SONETO

Las leyes con que juzgas, ¡oh Batino!,
menos bien las estudias que las vendes;
lo que te compran solamente entiendes;
más que Jasón te agrada el Vellocino.

El humano derecho y el divino,   5
cuando los interpretas, los ofendes,
y al compás que la encoges o la extiendes,
tu mano para el fallo se previno.

No sabes escuchar ruegos baratos,
y sólo quien te da te quita dudas;   10
no te gobiernan textos, sino tratos.

Pues que de intento y de interés no mudas,
o lávate las manos con Pilatos,
o, con la bolsa, ahórcate con Judas.

---

4 *Vellocino*: el oro. (Alude a la conocida expedición
de Jasón y de los Argonautas en busca del vellocino de
oro.)
8 Alusión al cohecho, extendiendo y encogiendo la mano.
En Quevedo es obsesiva la animadversión contra jueces,
letrados y escribanos.

49

DESDE LA TORRE *

SONETO

Retirado en la paz de estos desiertos,
con pocos, pero doctos libros juntos,
vivo en conversación con los difuntos
y escucho con mis ojos a los muertos.

Si no siempre entendidos, siempre abiertos,   5
o enmiendan, o fecundan mis asuntos;
y en músicos callados contrapuntos
al sueño de la vida hablan despiertos.

Las grandes almas que la muerte ausenta,
de injurias de los años, vengadora,   10
libra, ¡oh gran don Iosef!, docta la emprenta.

En fuga irrevocable huye la hora;
pero aquélla el mejor cálculo cuenta
que en la lección y estudios nos mejora.

* Añade González de Salas: "Algunos años antes de su prisión última me envió este excelente soneto desde la Torre".
2 "Alude con donaire a que casi siempre los tuvo repartidos en diferentes partes". GS.
3 Price, p. 95, indica que la fuente es Séneca, *Epist. Morales*, II, p. 36: "Cum libellis mihi plurimus sermo est".
4 Comp.: "Razonan conmigo los libros, cuyas palabras sigo con los ojos". *Epist.*, p. 421.
7 "Entiende que también los poetas". GS. *Contrapunto*: "es una concordancia harmoniosa de voces contrapuestas: esto es, el debido uso (según este arte) de especies consonantes. Dícense contrapuestas, porque estas especies, que la música llama perfectas, se usan siempre yendo una voz contra otra, de suerte, que si la voz baxa sube, la alta ha de baxar, y haciendo contrario movimiento la baxa, la alta ha de subir". *Auts.*
13 "*Numera meliore lapillo*". GS. (Persio, II, 1). *Cálculo*: "la piedra pequeña, por las quales los Romanos antiguos ajustaban los números". Véase J. O. Crosby, *En torno a la poesía de Quevedo* (Madrid, 1967), p. 41.
14 *lección*, lectura.

50

EL RELOJ DE ARENA

SILVA

¿Qué tienes que contar, reloj molesto,
en un soplo de vida desdichada
que se pasa tan presto;
en un camino que es una jornada,
breve y estrecha, de éste al otro polo,   5
siendo jornada que es un paso solo?
Que, si son mis trabajos y mis penas,
no alcanzarás allá, si capaz vaso
fueses de las arenas
en donde el alto mar detiene el paso.   10
Deja pasar las horas sin sentirlas,
que no quiero medirlas,
ni que me notifiques de esa suerte
los términos forzosos de la muerte.
No me hagas más guerra;   15
déjame, y nombre de piadoso cobra,
que harto tiempo me sobra
para dormir debajo de la tierra.

Pero si acaso por oficio tienes
el contarme la vida,   20
presto descansarás, que los cuidados
mal acondicionados,
que alimenta lloroso
el corazón cuitado y lastimoso,
y la llama atrevida   25
que Amor, ¡triste de mí!, arde en mis venas
(menos de sangre que de fuego llenas),
no sólo me apresura
la muerte, pero abréviame el camino;

5 *de éste al otro polo,* del nacer al morir.

pues, con pie doloroso,   30
mísero peregrino,
doy cercos a la negra sepultura.
Bien sé que soy aliento fugitivo;
ya sé, ya temo, ya también espero
que he de ser polvo, como tú, si muero,   35
y que soy vidro, como tú, si vivo.

51

RELOJ DE CAMPANILLA

SILVA

El metal animado,
a quien mano atrevida, industrïosa,
secretamente ha dado
vida aparente en máquina preciosa,
organizando atento   5
sonora voz a docto movimiento;
en quien, desconocido
espíritu secreto, brevemente
en un orbe ceñido,
muestra el camino de la luz ardiente,   10
y con rueda importuna
los trabajos del sol y de la luna,
y entre ocasos y auroras
las peregrinaciones de las horas;
máquina en que el artífice, que pudo   15
contar pasos al sol, horas al día,
mostró más providencia que osadía,
fabricando en metal disimuladas
advertencias sonoras repetidas,
pocas veces creídas,   20
muchas veces contadas;
tú, que estás muy preciado

32 *cercos*: "En Germanía significa vuelta y rodeo". *Auts.*

de tener el más cierto, el más limado,
con diferente oído,
atiende a su intención y a su sonido.   25

La hora irrevocable que dio, llora;
prevén la que ha de dar; y la que cuentas,
lógrala bien, que en una misma hora
te creces y te ausentas.
Si le llevas curioso,   30
atiéndele prudente,
que los blasones de la edad desmiente;
y en traje de reloj llevas contigo,
del mayor enemigo,
espía desvelada y elegante,   35
a ti tan semejante,
que, presumiendo de abreviar ligera
la vida al sol, al cielo la carrera,
fundas toda esta máquina admirada
en una cuerda enferma y delicada,   40
que, como la salud en el más sano,
se gasta con sus ruedas y su mano.

Estima sus recuerdos,
teme sus desengaños,
pues ejecuta plazos de los años,   45
y en él te da secreto,
a cada sol que pasa, a cada rayo,
la muerte un contador, el tiempo un ayo.

---

35 La voz *espía* funcionaba con concordancia masculina
o femenina. Comp.: "Vienen acompañando, según he
oído decir, a una espía francesa". *Buscón*, p. 85.
48 *contador*: "genéricamente se toma por persona que es
diestra en la Aritmética, y tiene prontitud y expedición
en executar las cuentas". *Auts.*

52

SILVA

Estas que veis aquí pobres y escuras
ruinas desconocidas,
pues aun no dan señal de lo que fueron;
estas piadosas piedras más que duras,
pues del tiempo vencidas,   5
borradas de la edad, enmudecieron
letras en donde el caminante, junto,
leyó y pisó soberbias del difunto;
estos güesos, sin orden derramados,
que en polvo hazañas de la muerte escriben,   10
ellos fueron un tiempo venerados
en todo el cerco que los hombres viven.
Tuvo cetro temido
la mano, que aun no muestra haberlo sido;
sentidos y potencias habitaron   15
la cavidad que ves sola y desierta;
su seso altos negocios fatigaron;
¡y verla agora abierta,
palacio, cuando mucho, ciego y vano
para la ociosidad de vil gusano!   20
Y si tan bajo huésped no tuviere,
horror tendrá que dar al que la viere.
¡Oh muerte, cuánto mengua en tu medida
la gloria mentirosa de la vida!
Quien no cupo en la tierra al habitalla,   25
se busca en siete pies y no se halla.
Y hoy, al que pisó el oro por perderle,
mal agüero es pisarle, miedo verle.
Tú confiesas, severa, solamente

cuánto los reyes son, cuánto la gente.   30
No hay grandeza, hermosura, fuerza o arte
que se atreva a engañarte.
Mira esta majestad, que persuadida
tuvo a la eternidad la breve vida,
cómo aquí, en tu presencia,   35
hace en su confesión la penitencia.
Muere en ti todo cuanto se recibe,
y solamente en ti la verdad vive:
que el oro lisonjero siempre engaña,
alevoso tirano, al que acompaña.   40
¡Cuántos que en este mundo dieron leyes,
perdidos de sus altos monumentos,
entre surcos arados de los bueyes
se ven, y aquellas púrpuras que fueron!
Mirad aquí el terror a quien sirvieron: 45
respetó el mundo necio
lo que cubre la tierra con desprecio.
Ved el rincón estrecho que vivía
la alma en prisión obscura, y de la muerte
la piedad, si se advierte,   50
pues es merced la libertad que envía.
Id, pues, hombres mortales;
id, y dejaos llevar de la grandeza;
y émulos a los tronos celestiales,
vuestra naturaleza   55
desconoced, dad crédito al tesoro,
fundad vuestras soberbias en el oro;
cuéstele vuestra gula desbocada
su pueblo al mar, su habitación al viento.
Para vuestro contento   60
no críe el cielo cosa reservada,
y las armas continuas, por hacerlas
famosas y por gloria de vestirlas,
os maten más soldados con sufrirlas,
que enemigos después con padecerlas.   65
Solicitad los mares,
para que no os escondan los lugares,
en donde, procelosos,

amparan la inocencia
de vuestra peregrina diligencia, 70
en parte religiosos.
Tierra que oro posea,
sin más razón, vuestra enemiga sea.
No sepan los dos polos playa alguna
que no os parle por ruegos la Fortuna. 75
Sirva la libertad de las naciones
al título ambicioso en los blasones;
que la muerte, advertida y veladora,
y recordada en el mayor olvido,
traída de la hora, 80
presta vendrá con paso enmudecido
y, herencia de gusanos,
hará la posesión de los tiranos.
Vivo en muerte lo muestra
este que frenó el mundo con la diestra; 85
acuérdase de todos su memoria;
ni por respeto dejará la gloria
de los reyes tiranos,
ni menos por desprecio a los villanos.
¡Qué no está predicando 90
aquel que tanto fue, y agora apenas
defiende la memoria de haber sido,
y en nuevas formas va peregrinando
del alta majestad que tuvo ajenas!
Reina en ti propio, tú que reinar quieres, 95
pues provincia mayor que el mundo eres.

79 *recordada*, despertada.

53

SERMÓN ESTOICO DE CENSURA MORAL

SONETO

¡Oh corvas almas, oh facinorosos
espíritus furiosos!
¡Oh varios pensamientos insolentes,
deseos delincuentes,
cargados sí, mas nunca satisfechos;   5
alguna vez cansados,
ninguna arrepentidos,
en la copia crecidos,
y en la necesidad desesperados!
De vuestra vanidad, de vuestro vuelo,   10
¿qué abismo está ignorado?
Todos los senos que la tierra calla,
las llanuras que borra el Oceano
y los retiramientos de la noche,
de que no ha dado el sol noticia al día,   15
los sabe la codicia del tirano,
Ni horror, ni religión, ni piedad, juntos,
defienden de los vivos los difuntos.
A las cenizas y a los huesos llega,
palpando miedos, la avaricia ciega.   20
Ni la pluma a las aves,
ni la garra a las fieras,
ni en los golfos del mar, ni en las riberas
el callado nadar del pez de plata,
les puede defender del apetito;   25

---

1 "Tomólo de Persio, sát. 2: *O curvae in terris animae*,
etc. *Quasi pecudum*. Pacuvius: *Incurvi cervicum pecus*."
GS. Comp.: "Oh corvas almas, inclinadas al suelo, que
con oración logrera y ruego mercader os atrevisteis a
Dios". *Sueño del infierno*, OP., p. 188a. *Facinorosos*, fa-
cinerosos, forma muy grata a Quevedo. Comp.: "A Cristo
prendieron por ladrón y facinoroso". *Epist.*, p. 131.
8 *copia*, abundancia.

y el orbe, que infinito
a la navegación nos parecía,
es ya corto distrito
para las diligencias de la gula,
pues de esotros sentidos acumula   30
el vasallaje, y ella se levanta
con cuanto patrimonio
tienen, y los confunde en la garganta.
Y antes que las desórdenes del vientre
satisfagan sus ímpetus violentos,   35
yermos han de quedar los elementos,
para que el orbe en sus angustias entre.

Tú, Clito, entretenida, mas no llena,
honesta vida gastarás contigo;
que no teme la invidia por testigo,   40
con pobreza decente, fácil cena.
Más flaco estará, ¡oh Clito!,
pero estará más sano,
el cuerpo desmayado que el ahíto;
y en la escuela divina,   45
el ayuno se llama medicina,
y esotro, enfermedad, culpa y delito.

El hombre, de las piedras descendiente
(¡dura generación, duro linaje!),
osó vestir las plumas;   50
osó tratar, ardiente,
las líquidas veredas; hizo ultraje
al gobierno de Eolo;
desvaneció su presunción Apolo,
y en teatro de espumas,   55
su vuelo desatado,
yace el nombre y el cuerpo justiciado,
y navegan sus plumas.
Tal has de padecer, Clito, si subes
a competir lugares con las nubes.   60

49 Alude al mito de Deucalión, como dice más adelante
González de Salas. Véase la nota 10 del poema 17.

De metal fue el primero
que al mar hizo guadaña de la muerte:
con tres cercos de acero
el corazón humano desmentía.
Éste, con velas cóncavas, con remos,   65
(¡oh muerte!, ¡oh mercancía!),
unió climas extremos;
y rotos de la tierra
los sagrados confines,
nos enseñó, con máquinas tan fieras,   70
a juntar las riberas;
y de un leño, que el céfiro se sorbe,
fabricó pasadizo a todo el orbe,
adiestrando el error de su camino
en las señas que hace, enamorada,   75
la piedra imán al Norte,
de quien, amante, quiere ser consorte,
sin advertir que, cuando ve la estrella,
desvarían los éxtasis en ella.

Clito, desde la orilla   80
navega con la vista el Oceano:
óyele ronco, atiéndele tirano,
y no dejes la choza por la quilla;
pues son las almas que respira Tracia
y las iras del Noto,   85
muerte en el Ponto, música en el soto.

Profanó la razón, y disfamóla,
mecánica codicia diligente,
pues al robo de Oriente destinada,

---

74 *adiestrando,* guiando.
79 Comp.: "Halló en la piedra imán los amores con el
   Norte, y en los éxtasis de la aguja dividió las guías de
   camino tan borrado de noticias y señales". *Providencia
   de Dios,* OP., p. 1249.
84 "*Impellunt animae linteae Traciae*", etc. Horatius, lib. 4,
   cd. 12". GS. Pero recuerda el libro III de la *Eneida,*
   vv. 13-48, cuando Eneas cuenta cómo al arrancar un
   árbol de Tracia, de la corteza fluyen gotas de sangre y
   al intentar arrancar otro, oye la voz de Polidoro, quien
   le dice que huya de aquel litoral, "morada de la avaricia".

y al despojo precioso de Occidente,   90
la vela desatada,
el remo sacudido,
de más riesgos que ondas impelido,
de Aquilón enojado,
siempre de invierno y noche acompañado,   95
del mar impetüoso
(que tal vez justifica el codicioso)
padeció la violencia,
lamentó la inclemencia,
y por fuerza piadoso,   100
a cuantos votos dedicaba a gritos,
previno en la bonanza
otros tantos delitos,
con la esperanza contra la esperanza.
Éste, al sol y a la luna,   105
que imperio dan, y templo, a la Fortuna,
examinando rumbos y concetos,
por saber los secretos
de la primera madre
que nos sustenta y cría,   110
de ella hizo miserable anatomía.
Despedazóla el pecho,
rompióle las entrañas,
desangróle las venas,
que de estimado horror estaban llenas;   115
los claustros de la muerte,
duro, solicitó con hierro fuerte.
¿Y espantará que tiemble algunas veces,
siendo madre y robada
del parto, a cuanto vive, preferido?   120
No des la culpa al viento detenido,
ni al mar por proceloso:
de ti tiembla tu madre, codicioso.
Juntas grande tesoro,

---

107 *rumbo*: "una figura de cosmógraphos en forma de estrella, en la qual forman los vientos y sirve a los marineros en la carta de marear". Cov., *Tes. Concetos*, conceptos, ideas.

y en Potosí y en Lima   125
ganas jornal al cerro y a la sima.
Sacas al sueño, a la quietud, desvelo;
a la maldad, consuelo;
disculpa, a la traición; premio, a la culpa;
facilidad, al odio y la venganza,   130
y, en pálido color, verde esperanza,
y, debajo de llave,
pretendes, acuñados,
cerrar los dioses y guardar los hados,
siendo el oro tirano de buen nombre,   135
que siempre llega con la muerte al hombre;
mas nunca, si se advierte,
se llega con el hombre hasta la muerte.

Sembraste, ¡oh tú, opulento!, por los vasos,
con desvelos de la arte,   140
desprecios del metal rico, no escasos;
y en discordes balanzas,
la materia vencida,
vanamente podrás después preciarte
que induciste en la sed dos destemplanzas,   145
donde tercera, aún hoy, delicia alcanzas.
Y a la Naturaleza, pervertida
con las del tiempo intrépidas mudanzas,
transfiriendo al licor en el estío
prisión de invierno frío,   150
al brindis luego el apetito necio
del murrino y cristal creció ansí el precio:
que fue pompa y grandeza
disipar los tesoros
por cosa, ¡oh vicio ciego!,   155
que pudiese perderse toda, y luego.

131 Es decir, "sacas esmeraldas".
152 *murrino*, de 'murrha', material mineral de que hacían
vasos preciosos. González de Salas anota: "Plinius, proe-
mio, lib. 33: "*Murrhina et christalina ex eadem terra
effodimus,* etc. *Haec vera luxuriae gloria existimata est,
habere quod posset statim totum perire*".

Tú, Clito, en bien compuesta
pobreza, en paz honesta,
cuanto menos tuvieres,
desarmarás la mano a los placeres,   160
la malicia a la invidia,
a la vida el cuidado,
a la hermosura lazos,
a la muerte embarazos,
y en los trances postreros,   165
solicitud de amigos y herederos.
Deja en vida los bienes,
que te tienen, y juzgas que los tienes.
Y las últimas horas
serán en ti forzosas, no molestas,   170
y al dar la cuenta excusarás respuestas.

Fabrica el ambicioso
ya edificio, olvidado
del poder de los días;
y el palacio, crecido,   175
no quiere darse, no, por entendido
del paso de la edad sorda y ligera,
que, fugitiva, calla,
y en silencio mordaz, mal advertido,
digiere la muralla,   180
los alcázares lima,
y la vida del mundo, poco a poco,
o la enferma o lastima.

Los montes invencibles,
que la Naturaleza   185
eminentes crió para sí sola
(paréntesis de reinos y de imperios),
al hombre inaccesibles,
embarazando el suelo
con el horror de puntas desiguales,   190

186-196 Comp.: "hallando aquellos metales y piedras a quien
por veneno precioso, para esconderle, echó la naturaleza
encima los montes". *Providencia de Dios*, OP., p. 1249b.

que se oponen, erizo bronco, al cielo,
después que les sacó de sus entrañas
la avaricia, mostrándola a la tierra,
mentida en el color de los metales,
cruda y preciosa guerra,   195
osó la vanidad cortar sus cimas
y, desde las cervices,
hender a los peñascos las raíces;
y erudito ya el hierro,
porque el hombre acompañe   200
con magnífico adorno sus insultos,
los duros cerros adelgaza en bultos;
y viven los collados
en atrios y en alcázares cerrados,
que apenas los cubría   205
el campo eterno que camina el día.
Desarmaron la orilla,
desabrigaron valles y llanuras
y borraron del mar las señas duras;
y los que en pie estuvieron,   210
y eminentes rompieron
la fuerza de los golfos insolentes,
y fueron objeción, yertos y fríos,
de los atrevimientos de los ríos,
agora navegados,   215
escollos y collados,
los vemos en los pórticos sombríos,
mintiendo fuerzas y doblando pechos,
aun promontorios sustentar los techos.
Y el rústico linaje,   220
que fue de piedra dura,
vuelve otra vez viviente en escultura.

---

199 *erudito,* sabio, hábil. Se refiere a los que cortan y tra-
   bajan el mármol que se ve en los atrios y alcázares del
   v. 204.
206 "El cielo". GS.
213 *objeción,* obstáculo.
222 "Alude al origen de los hombres después del diluvio de
   Deucalión y Pyrrha, a que también aludió arriba [v. 48]:
   "El hombre de las piedras descendiente". GS.

Tú, Clito, pues le debes
a la tierra ese vaso de tu vida,
en tan poca ceniza detenida,   225
y en cárceles tan frágiles y breves
hospedas alma eterna,
no presumas, ¡oh Clito!, oh, no presumas
que la del alma casa, tan moderna
y de tierra caduca,   230
viva mayor posada que ella vive,
pues que en horror la hospeda y la recibe.
No sirve lo que sobra,
y es grande acusación la grande obra;
sepultura imagina el aposento,   235
y el alto alcázar vano monumento.

Hoy al mundo fatiga,
hambrienta y con los ojos desvelados,
la enfermedad antiga
que a todos los pecados   240
adelantó en el cielo su malicia,
en la parte mejor de su milicia.
Invidia, sin color y sin consuelo,
mancha primera que borró la vida
a la inocencia humana,   245
de la quietud y la verdad tirana;
furor envejecido,
del bien ajeno, por su mal, nacido;
veneno de los siglos, si se advierte,
y miserable causa de la muerte.   250
Este furor eterno,
con afrenta del sol, pobló el infierno,
y debe a sus intentos ciegos, vanos,
la desesperación sus ciudadanos.
Ésta previno, avara,   255
al hombre las espinas en la tierra,
y el pan, que le mantiene en esta guerra,
con sudor de sus manos y su cara.

245 Alusión a Caín y Abel.
257 *pan,* trigo.

Fue motín porfiado
en la progenie de Abraham eterna, 260
contra el padre del pueblo endurecido,
que dio por ellos el postrer gemido.
La invidia no combate
los muros de la tierra y mortal vida,
si bien la salud propria combatida 265
deja también; sólo pretende palma
de batir los alcázares de l'alma;
y antes que las entrañas
sientan su artillería,
aprisiona el discurso, si porfía. 270
Las distantes llanuras de la tierra
a dos hermanos fueron
angosto espacio para mucha guerra.
Y al que Naturaleza
hizo primero, pretendió por dolo 275
que la invidia mortal le hiciese solo.

Tú, Clito, doctrinado
del escarmiento amigo,
obediente a los doctos desengaños,
contarás tantas vidas como años; 280
y acertará mejor tu fantasía
si conoces que naces cada día.
Invidia los trabajos, no la gloria;
que ellos corrigen, y ella desvanece,
y no serás horror para la Historia, 285
que con sucesos de los reyes crece.
De los ajenos bienes
ten piedad, y temor de los que tienes;
goza la buena dicha con sospecha,
trata desconfiado la ventura, 290
y póstrate en la altura.
Y a las calamidades
invidia la humildad y las verdades,
y advierte que tal vez se justifica
la invidia en los mortales, 295
y sabe hacer un bien en tantos males:

culpa y castigo que tras sí se viene,
pues que consume al proprio que la tiene.

La grandeza invidiada,
la riqueza molesta y espiada,   300
el polvo cortesano,
el poder soberano,
asistido de penas y de enojos,
siempre tienen quejosos a los ojos,
amedrentado el sueño,   305
la consciencia con ceño,
la verdad acusada,
la mentira asistente,
miedo en la soledad, miedo en la gente,
la vida peligrosa,   310
la muerte apresurada y belicosa.

¡Cuán raros han bajado los tiranos,
delgadas sombras, a los reinos vanos
del silencio severo,
con muerte seca y con el cuerpo entero!   315
Y vio el yerno de Ceres
pocas veces llegar, hartos de vida,
los reyes sin veneno o sin herida.
Sábenlo bien aquellos
que de joyas y oro   320
ciñen medroso cerco a los cabellos.
Su dolencia mortal es su tesoro;
su pompa y su cuidado, sus legiones.
Y el que en la variedad de las naciones
se agrada más, y crece   325
los ambiciosos títulos profanos,
es, cuanto más se precia de monarca,
más ilustre desprecio de la Parca.

El africano duro
que en los Alpes vencer pudo el invierno,   330

---

315 *"Et sicca morte Tyrani,* etc." GS. (Es de Juvenal).
316 Es Plutón, que raptó a Proserpina, hija de Ceres.

y a la Naturaleza
de su alcázar mayor la fortaleza;
de quien, por darle paso al señorío,
la mitad de la vista cobró el frío,
en Canas, el furor de sus soldados,   335
con la sangre de venas consulares,
calentó los sembrados,
fue susto del imperio,
hízole ver la cara al captiverio,
dio noticia del miedo su osadía   340
a tanta presunción de monarquía.
Y peregrino, desterrado y preso
poco después por desdeñoso hado,
militó contra sí desesperado.
Y vengador de muertes y vitorias,   345
y no invidioso menos de sus glorias,
un anillo piadoso,
sin golpe ni herida,
más temor quitó en Roma que en él vida.
Y ya, en urna ignorada,   350
tan grande capitán y tanto miedo
peso serán apenas para un dedo.

Mario nos enseñó que los trofeos
llevan a las prisiones,
y que el triunfo que ordena la Fortuna,   355
tiene en Minturnas cerca la laguna.
Y si te acercas más a nuestros días,
¡oh Clito!, en las historias
verás, donde con sangre las memorias
no estuvieren borradas,   360

334 "Perdió entonces un ojo Aníbal". GS.
347 Aníbal se suicidó, en efecto, tomando un veneno que
    llevaba siempre consigo, pero los historiadores no están
    de acuerdo sobre si lo ocultaba en un anillo o en el
    cañón de una pluma, como dice Tito Livio.
356 "Porque la sexta vez cónsul Mario, en guerra civil ven-
    cido por Sila, huyendo de la muerte, se escondió en una
    laguna, cerca de la ciudad de Minturnas. Appiano Ale-
    jand[rino]". GS.

que de horrores manchadas
vidas tantas están esclarecidas,
que leerás más escándalos que vidas.

Id, pues, grandes señores,
a ser rumor del mundo;   365
y comprando la guerra,
fatigad la paciencia de la tierra,
provocad la impaciencia de los mares
con desatinos nuevos,
sólo por emular locos mancebos;   370
y a costa de prolija desventura,
será la aclamación de su locura.

Clito, quien no pretende levantarse
puede arrastrar, mas no precipitarse.
El bajel que navega   375
orilla, ni peligra ni se anega.
Cuando Jove se enoja soberano,
más cerca tiene el monte que no el llano,
y la encina en la cumbre
teme lo que desprecia la legumbre.   380
Lección te son las hojas,
y maestros las peñas.
Avergüénzate, ¡oh Clito!,
con alma racional y entendimiento,
que te pueda en España   385
llamar rudo discípulo una caña;
pues si no te moderas,
será de tus costumbres, a su modo,
verde reprehensión el campo todo.

370 "Las expediciones de Bacco y Alejandro". GS.

54

EPÍSTOLA SATÍRICA Y CENSORIA CONTRA LAS COSTUMBRES
PRESENTES DE LOS CASTELLANOS, ESCRITA A DON GASPAR
DE GUZMÁN, CONDE DE OLIVARES, EN SU VALIMIENTO

No he de callar, por más que con el dedo,
ya tocando la boca, o ya la frente,
silencio avises, o amenaces miedo.

¿No ha de haber un espíritu valiente?
¿Siempre se ha de sentir lo que se dice?   5
¿Nunca se ha de decir lo que se siente?

Hoy, sin miedo que, libre, escandalice,
puede hablar el ingenio, asegurado
de que mayor poder le atemorice.

En otros siglos pudo ser pecado   10
severo estudio y la verdad desnuda,
y romper el silencio el bien hablado.

Pues sepa quien lo niega, y quien lo duda,
que es lengua la verdad de Dios severo,
y la lengua de Dios nunca fue muda.   15

Son la verdad y Dios, Dios verdadero,
ni eternidad divina los separa,
ni de los dos alguno fue primero.

Si Dios a la verdad se adelantara,
siendo verdad, implicación hubiera   20
en ser, y en que verdad de ser dejara.

---

3 "Es especie de prosopopeya, y la misma voz lo dice, sig-
nificando *personae fictio*". GS.
16 Comp.: "Porque la sabiduría verdadera está en la verdad,
y la Verdad es solo vna, y essa Verdad una es Dios solo,
que por esso le llaman Dios verdadero, y fuera d'El todo
es opinión y los más cuerdos sospechan". *La cuna y la
sepultura*, p. 83.
20 *implicación*: "oposición o contradicción de términos que
se destruyen unos a otros". *Auts.*

La justicia de Dios es verdadera,
y la misericordia, y todo cuanto
es Dios, todo ha de ser verdad entera.

Señor Excelentísimo, mi llanto   25
ya no consiente márgenes ni orillas:
inundación será la de mi canto.

Ya sumergirse miro mis mejillas,
la vista por dos urnas derramada
sobre las aras de las dos Castillas.   30

Yace aquella virtud desaliñada,
que fue, si rica menos, más temida,
en vanidad y en sueño sepultada.

Y aquella libertad esclarecida,
que en donde supo hallar honrada muerte,   35
nunca quiso tener más larga vida.

Y pródiga de l'alma, nación fuerte,
contaba, por afrentas de los años,
envejecer en brazos de la suerte.

Del tiempo el ocio torpe, y los engaños   40
del paso de las horas y del día,
reputaban los nuestros por extraños.

Nadie contaba cuánta edad vivía,
sino de qué manera: ni aun un'hora
lograba sin afán su valentía.   45

La robusta virtud era señora,
y sola dominaba al pueblo rudo;
edad, si mal hablada, vencedora.

37 *"Prodiga gens animae,* etc.". GS.
39 Comp.:

> De España vienen hombres y deidades [...]
> que cuentan por afrenta las edades
> y el no morir sin aguardar la muerte".
> *Orlando,* I, 145-8

El temor de la mano daba escudo
al corazón, que, en ella confiado,   50
todas las armas despreció desnudo.

Multiplicó en escuadras un soldado
su honor precioso, su ánimo valiente,
de sola honesta obligación armado.

Y debajo del cielo, aquella gente,   55
si no a más descansado, a más honroso
sueño entregó los ojos, no la mente.

Hilaba la mujer para su esposo
la mortaja, primero que el vestido;
menos le vio galán que peligroso.   60

Acompañaba el lado del marido
más veces en la hueste que en la cama;
sano le aventuró, vengóle herido.

Todas matronas, y ninguna dama:
que nombres del halago cortesano   65
no admitió lo severo de su fama.

Derramado y sonoro el Oceano
era divorcio de las rubias minas
que usurparon la paz del pecho humano.

Ni los trujo costumbres peregrinas   70
el áspero dinero, ni el Oriente
compró la honestidad con piedras finas.

Joya fue la virtud pura y ardiente;
gala el merecimiento y alabanza;
sólo se cudiciaba lo decente.   75

55 "*Sub aetheris axae*. Virg. lib. 8". GS.
62 Sánchez Alonso ve aquí reminiscencias de Juvenal, V,
vv. 287-91.
68 Alude al oro de las Indias.
71 "*Asper numnus*. Persius, id est recens non levis usu". GS.
(Quevedo traduce *asper*, que significa "recién acuñado,
nuevo", por 'áspero'.)

No de la pluma dependió la lanza,
ni el cántabro con cajas y tinteros
hizo el campo heredad, sino matanza.

Y España, con legítimos dineros,
no mendigando el crédito a Liguria,   80
más quiso los turbantes que los ceros.

Menos fuera la pérdida y la injuria,
si se volvieran Muzas los asientos;
que esta usura es peor que aquella furia.

Caducaban las aves en los vientos,   85
y expiraba decrépito el venado:
grande vejez duró en los elementos.

Que el vientre, entonces bien diciplinado,
buscó satisfación, y no hartura,
y estaba la garganta sin pecado.   90

Del mayor infanzón de aquella pura
república de grandes hombres, era
una vaca sustento y armadura.

No habia venido al gusto lisonjera
la pimienta arrugada, ni del clavo   95
la adulación fragrante forastera.

Carnero y vaca fue principio y cabo,
y con rojos pimientos, y ajos duros,
tan bien como el señor, comió el esclavo.

---

77 *caja* : "llamamos caxa al que entre compañías de tratan-
tes recibe y recoge el dinero por todos. Libro de caxa
el que tiene cuenta y razón deste tal recibo y gasto".
Cov., *Tes.*
80 *Liguria,* Génova. Los banqueros genoveses habían sustitui-
do a los Fúcar en tiempos de Felipe II. Abundan muchísimo las referencias literarias, especialmente del propio
Quevedo, como se irá viendo.
81 Es decir : más luchó contra los moros que se preocupó
de los negocios.
83 *asientos,* las anotaciones en los libros de caja.

Bebió la sed los arroyuelos puros;   100
después mostraron del carquesio a Baco
el camino los brindis mal seguros.

El rostro macilento, el cuerpo flaco
eran recuerdo del trabajo honroso,
y honra y provecho andaban en un saco.   105

Pudo sin miedo un español velloso
llamar a los tudescos bacanales,
y al holandés, hereje y alevoso.

Pudo acusar los celos desiguales
a la Italia; pero hoy, de muchos modos,   110
somos copias, si son originales.

Las descendencias gastan muchos godos,
todos blasonan, nadie los imita:
y no son sucesores, sino apodos.

Vino el betún precioso que vomita   115
la ballena, o la espuma de las olas,
que el vicio, no el olor, nos acredita.

Y quedaron las huestes españolas
bien perfumadas, pero mal regidas,
y alhajas las que fueron pieles solas.   120

Estaban las hazañas mal vestidas,
y aún no se hartaba de buriel y lana
la vanidad de fembras presumidas.

---

101 *carquesio*: "Vaso para sacrificar a Bacco. Virgil. lib. 5:
Hic duo rite mero libans carchessia Bacco". GS.
113 Es una de las mil alusiones a los que pretendían descender de los godos y presumir de hidalgos o nobles.
122 *buriel*, paño pardo que usaban "los labradores en los
días de fiesta, y otros hazen dél los lutos. Entre los antiguos era tenido por paño muy basto, del qual se vestían
los pobres". Cov., *Tes*.

A la seda pomposa siciliana,
que manchó ardiente múrice, el romano   125
y el oro hicieron áspera y tirana.

Nunca al duro español supo el gusano
persuadir que vistiese su mortaja,
intercediendo el Can por el verano.

Hoy desprecia el honor al que trabaja,   130
y entonces fue el trabajo ejecutoria,
y el vicio gradüó la gente baja.

Pretende el alentado joven gloria
por dejar la vacada sin marido,
y de Ceres ofende la memoria.   135

Un animal a la labor nacido,
y símbolo celoso a los mortales,
que a Jove fue disfraz, y fue vestido;

que un tiempo endureció manos reales,
y detrás de él los cónsules gimieron,   140
y rumia luz en campos celestiales,

¿por cuál enemistad se persuadieron
a que su apocamiento fuese hazaña,
y a las mieses tan grande ofensa hicieron?

¡Qué cosa es ver un infanzón de España   145
abreviado en la silla a la jineta,
y gastar un caballo en una caña!

---

125 *múrice*: "cierta especie de marisco [... con que] hacían
   los antiguos una tinta que servía para teñir las ropas del
   color de la púrpura". *Auts.*
128 "La mortaja del gusano". GS. Es decir, la seda.
129 "Obligando a ello el calor del verano". GS. (*Can*, la
   canícula).
141 Alude al signo de Tauro. Nótese, de paso, el culteranismo del verso.
143 *apocamiento*, de 'apocar', con el sentido de "abatir, des-
   truir y castigar", que ofrece *Auts.*
146 *jineta*: manera de cabalgar, de origen árabe, con silla
   pequeña y estribos cortos, "que no baxan de la barriga
   del caballo", según Covarrubias.

Que la niñez al gallo le acometa
con semejante munición apruebo;
mas no la edad madura y la perfeta.   150

Ejercite sus fuerzas el mancebo
en frentes de escuadrones; no en la frente
del útil bruto l'asta del acebo.

El trompeta le llame diligente,
dando fuerza de ley el viento vano,   155
y al son esté el ejército obediente.

¡Con cuánta majestad llena la mano
la pica, y el mosquete carga el hombro,
del que se atreve a ser buen castellano!

Con asco, entre las otras gentes, nombro   160
al que de su persona, sin decoro,
más quiere nota dar, que dar asombro.

Jineta y cañas son contagio moro;
restitúyanse justas y torneos,
y hagan paces las capas con el toro.   165

Pasadnos vos de juegos a trofeos,
que sólo grande rey y buen privado
pueden ejecutar estos deseos.

Vos, que hacéis repetir siglo pasado,
con desembarazarnos las personas   170
y sacar a los miembros de cuidado;

---

149 Quevedo alude a dos juegos de gallos: el que se llamaba
"correr gallos", que *Auts.* explica: "al gallo colgado de la
cuerda se le ha de cortar la cabeza con la espada", y
el divertimiento "de Carnestolendas, que se executa ordinariamente enterrando un gallo, dexando solamente fuera
la cabeza y pescuezo, y vendándole a uno los ojos, parte
desde alguna distancia a buscarle con la espada en la
mano, y el lance consiste en herirle o cortarle la cabeza
con ella. Otros le corren continuamente hasta que le al-
canzan o le cansan, hiriéndole del mismo modo". *Auts.*
166 Para *trofeos,* véase la nota en el poema 9, v. 3.

vos distes libertad con las valonas,
para que sean corteses las cabezas,
desnudando el enfado a las coronas.

Y pues vos enmendastes las cortezas, 175
dad a la mejor parte medicina:
vuélvanse los tablados fortalezas.

Que la cortés estrella, que os inclina
a privar sin intento y sin venganza,
milagro que a la invidia desatina, 180

tiene por sola bienaventuranza
el reconocimiento temeroso,
no presumida y ciega confianza.

Y si os dio el ascendiente generoso
escudos, de armas y blasones llenos, 185
y por timbre el martirio glorïoso,

mejores sean por vos los que eran buenos
Guzmanes, y la cumbre desdeñosa
os muestre, a su pesar, campos serenos.

Lograd, señor, edad tan venturosa; 190
y cuando nuestras fuerzas examina
persecución unida y belicosa,

la militar valiente disciplina
tenga más platicantes que la plaza:
descansen tela falsa y tela fina. 195

172-3 Alusión a la pragmática del 22 de marzo de 1623
    sobre la reforma de trajes en la que se prohibían deter-
    minados cuellos. Quevedo escribió más de un poema sa-
    tírico sobre ella, como el que principia "Rey que desen-
    carcelas los gaznates", n.º 607.
177 *tablado*: "el cadahalso hecho de tablas desde el qual se
    ven los toros y otras fiestas públicas". Cov., *Tes.*
186 Alude a Guzmán el Bueno, como explica seguidamente.
194 *platicantes,* practicantes.
195 *tela*: "la que se arma de tablas para justar". Cov., *Tes.*

124   FRANCISCO DE QUEVEDO

Suceda a la marlota la coraza,
y si el Corpus con danzas no los pide,
velillos y oropel no hagan baza.

El que en treinta lacayos los divide,
hace suerte en el toro, y con un dedo   200
la hace en él la vara que los mide.

Mandadlo ansí, que aseguraros puedo
que habéis de restaurar más que Pelayo;
pues valdrá por ejércitos el miedo,
y os verá el cielo administrar su rayo.   205

55

ABOMINA EL ABUSO DE LA GALA EN LOS DICIPLINANTES *

Deja la procesión, súbete al paso,
Iñigo; toma puesto en la coluna,
pues va azotando a Dios tu propio paso.

Las galas que se quitan sol y luna
te vistes, y, vilísimo gusano,   5
afrentas las estrellas una a una.

El hábito sacrílego y profano
en el rostro de Cristo juntar quieres
con la infame saliva y con la mano.

---

196 *marlota*: "vestido de moros, a modo de sayo vaquero".
Cov., *Tes.*
197 Para las danzas y fiestas del Corpus, véase F. George
Very, *The Spanish Corpus Christi procession*, Valencia,
1962.
198 *velillo*: "se llama también una tela muy sutil, delgada
y rala, que suele texerse con algunas flores de hilo de
plata. Llámase así porque los velos se hacen regularmente
de esta tela". *Auts.*
* Aldrete añade: "Con que alguno ha quedado ya persua-
dido, y se azota retirado; y se podría esperar el mesmo
efecto en muchos que lean ésta".
1 *paso,* el de Semana Santa.

Con tu sangre le escupes y le hieres;   10
con el beso de Judas haces liga,
y por escarnecer su muerte, mueres.

No es acción de piedad, sino enemiga,
a sangre y fuego perseguir a Cristo,
y quieres que tu pompa se lo diga.   15

No fue de los demonios tan bienquisto
el que le desnudó para azotalle,
como en tu cuerpo el traje que hemos visto,

pues menos de cristiano que de talle,
preciado con tu sangre malhechora,   20
la suya azotas hoy de calle en calle.

El sayón que de púrpura colora
sus miembros soberanos te dejara
el vil oficio, si te viera agora.

Él, mas no Jesucristo, descansara,   25
pues mudara verdugo solamente,
que más festivamente le azotara.

El bulto del sayón es más clemente:
él amaga el azote levantado,
tú le ejecutas, y el Señor le siente.   30

Menos vienes galán que condenado,
pues de la Cruz gracejas con desprecio,
bailarín y Narciso del pecado.

En tu espalda le hieres tú más recio
que el ministro en las suyas, y contigo   35
comparado, se muestra menos necio.

Él es de Dios, mas no de sí enemigo;
tú de Dios y de ti, pues te maltratas,
teniendo todo el cielo por castigo.

---

28 *el bulto,* la efigie, la escultura del sayón en el paso.

Vestido de ademanes y bravatas, 40
nueva afrenta, te añades a la historia
de la pasión de Cristo, que dilatas.

¿No ves que solamente la memoria
de aquella sangre en que la Virgen pura
hospedó los imperios de la gloria, 45

el cerco de la Cruz en sombra obscura
desmaya la viveza de su llama
y apaga de la luna la hermosura?

La noche por los cielos se derrama,
vistiendo largo luto al firmamento; 50
el fuego llora, el Oceano brama,

gime y suspira racional el viento,
y, a falta de afligidos corazones,
los duros montes hacen sentimiento.

Y tú, cuyos delitos y traiciones 55
causan este dolor, das parabienes
de su misma maldad a los sayones.

Recelo que a pedir albricias vienes
desta fiereza al pueblo endurecido,
preciado de visajes y vaivenes. 60

Más te valiera nunca haber nacido
que aplaudir los tormentos del Cordero,
de quien te vemos lobo, no valido.

La habilidad del diablo considero
en hacer que requiebre con la llaga, 65
y por bien azotado, un caballero;

y en ver que el alma entera aquél le paga,
que capirote y túnica le aprueba,
mientras viene quien más cadera haga.

68 *capirote* : "cobertura de la cabeça, y ay muchas diferen-
cias dellos". Cov., *Tes*.

Y es invención de condenarse nueva   70
llevar la penitencia del delito
al mismo infierno que el delito lleva.

Desaliñado llaman al contrito,
pícaro al penitente y al devoto,
y sólo tiene séquito el maldito.   75

Dieron crédito al ruido y terremoto
los muertos, y salieron lastimados;
y cuando el templo ve su velo roto,

el velo, en que nos muestras tus pecados
transparentes, se borda y atavía,   80
de la insolencia pública preciados.

Considera que llega el postrer día
en que de este cadáver que engalanas,
con asco y miedo, la alma se desvía;

y que de las cenizas que profanas,   85
subes al tribunal, que no recibe
en cuenta calidad y excusas vanas.

Allí verás cómo tu sangre escribe
proceso criminal contra tu vida,
donde es fiscal Verdad, que siempre vive.   90

Hallarás tu conciencia prevenida
del grito a que cerraste las orejas,
cuando en tu pecho predicó escondida.

Los suspiros, las ansias y las quejas
abrirán contra ti la negra boca   95
por el llanto de Cristo, que festejas.

¿Con qué [razón] podrá tu frente loca
invocar los azotes del Cordero,
si de ellos grande número te toca?

77 S. Mateo, 27, 51-53.

A los que Cristo recibió primero,   100
juntos verás los que después le diste
en competencia del ministro fiero.

A su Madre Santísima añadiste
el octava dolor, y en sus entrañas
cuchillo cada abrojo tuyo hiciste.   105

Acusaránte abiertas las montañas,
las piedras rotas, y a tan gran porfía
atenderán las furias más extrañas.

Y presto sobre ti verás el día
de Dios, y en tu castigo el desengaño   110
de tan facinorosa hipocresía.

La justicia de Dios reinará un año,
y en dos casas verás tus disparates
llorar su pena o padecer su daño:

cristiano y malo, irás a los orates;   115
al Santo Oficio irás, si no lo fueres,
porque si no te enmiendas, te recates.

Y, crüenta oblación de las mujeres,
vivirás sacrificio de unos ojos
que te estiman, al paso que te hieres   120
y te llevan el alma por despojos.

---

104 *el octava dolor,* porque las terminaciones en *or* admitían
    —y admiten— concordancias femeninas, como en "la
    calor", "la olor".
116 Es decir, irás a la casa de locos —orates—, o al Santo
    Oficio, si no fueres orate.

56

EN LA MUERTE DE CRISTO, CONTRA LA DUREZA
DEL CORAZÓN DEL HOMBRE

SONETO

Pues hoy derrama noche el sentimiento
por todo el cerco de la lumbre pura,
y amortecido el sol en sombra obscura
da lágrimas al fuego y voz al viento;

pues de la muerte el negro encerramiento   5
descubre con temblor la sepultura,
y el monte, que embaraza la llanura
del mar cercano, se divide atento,

de piedra es, hombre duro, de diamante
tu corazón, pues muerte tan severa   10
no anega con tus ojos tu semblante.

Mas no es de piedra, no; que si lo fuera,
de lástima de ver a Dios amante,
entre las otras piedras se rompiera.

57

CONSIDERACIÓN DE LA PALABRA "IGNOSCE ILLIS, QUIA
NESCIUNT QUID FACIUNT" ("PERDÓNALOS, QUE NO SABEN
LO QUE HACEN"), UNA DE ELLAS, Y QUE DIJO
JESUCRISTO EN LA CRUZ

SONETO

Vinagre y hiel para su labios pide,
y perdón para el pueblo que le hiere:
que como sólo porque viva, muere,
con su inmensa piedad sus culpas mide.

Señor que al que le deja no despide,   5
que al siervo vil que le aborrece quiere,
que porque su traidor no desespere,
a llamarle su amigo se comide,

ya no deja ignorancia al pueblo hebreo
de que es Hijo de Dios, si, agonizando,   10
hace de amor, por su dureza, empleo.

Quien por sus enemigos, expirando,
pide perdón, mejor en tal deseo
mostró ser Dios, que el sol y el mar bramando.

58

A UNA IGLESIA MUY POBRE Y OBSCURA,
CON UNA LÁMPARA DE BARRO

SONETO

Pura, sedienta y mal alimentada,
medrosa luz, que, en trémulos ardores,
hace apenas visibles los horrores
en religiosa noche derramada,

arde ante ti, que un tiempo, de la nada,   5
encendiste a la aurora resplandores,
y pobre y Dios, en templo de pastores,
barata y fácil devoción te agrada.

Piadosas almas, no ruego logrero,
aprecia tu justicia con metales,   10
que falta aliento contra ti al dinero.

Crezcan en tu pobreza los raudales,
que den alegre luz a Dios severo,
y se verá en tu afecto cuánto vales.

59

SILVA

De tu peso vencido,
verde honor del verano,
yaces en este llano
del tronco antiguo y noble desasido.
Dando venganza estás de ti a los vientos,   5
cuyas líquidas iras despreciabas,
cuando de ellos con ellas murmurabas,
imitando a mis quejas los acentos.
Humilde agora entre las yerbas suenas,
cosa que de tu altura   10
nunca temer pudieron las arenas;
y ofendida del tiempo tu hermosura,
ocupa en la ribera
el lugar que ocupó tu propia sombra.
Menos gastos tendrá la primavera   15
en vestir este valle
después que faltas a su verde alfombra.
¿Qué hará el jilguero dulce cuando halle
su patria con tus hojas en el suelo?
¿Y la parlera fuente,   20
que aun ignorante de prisión de yelo,
exenta de la sed del sol corría?
Sin duda llorará con su corriente
la licencia que has dado en ella al día.
Tendrá un retrato menos   25
Pisuerga que mostrar al caminante
en sus cristales puros.
Cualquier pájaro amante
desiertos dejará tus brazos duros,
y vengo a poner duda   30
si, para que te habite en llanto tierno,

a la tórtola basta el ser vïuda.
Y porque tengo miedo que el invierno
pondrá necesidad a algún villano,
tal, que se atreva con ingrata mano   35
a encomendarte al fuego,
yo te quiero llevar a mi cabaña,
por lo que mi cansancio, estando ciego,
a tu sombra le debe.
Descansarás el báculo de caña   40
con que mi vida tristes años mueve;
y ojalá que yo fuera
rey, como soy pastor de la ribera,
que, cetro antes que báculo cansado,
no canas sustentaras, sino estado.   45

60

A UNA FUENTE

SILVA

¡Qué alegre que recibes
con toda tu corriente
al sol, en cuya luz bulles y vives,
hija de antiguo bosque, sacra fuente!
¡Ay, cómo de sus rubios rayos fías   5
tu secreto caudal, tus aguas frías!
Blasonas confiada en el verano,
y haces bravatas al hibierno cano;
no le maltrates, porque en tal camino
ha de volver, aunque se va enojado,   10
y mira que tu nuevo sol dorado
también se ha de volver como se vino.
De paso va por ti la primavera
y el hibierno; ley es de la alta esfera:
huéspedes son; no son habitadores   15
en ti los meses que revuelve el cielo.
Seca con el calor, amas el yelo,

y presa con el yelo, los calores.
Confieso que su lumbre te desata
de cárcel transparente,   20
que es cristal suelto y pareció de plata;
pero temo que ardiente,
viene más a beberte que a librarte,
y más debes quejarte
del que empobrece tu corriente clara,   25
que no del yelo, que, piadoso, viendo
que te fatigas de ir siempre corriendo,
porque descanses, te congela y para.

61

AL PINCEL

SILVA

Tú, si en cuerpo pequeño,
eres, pincel, competidor valiente
de la Naturaleza:
hácete el arte dueño
de cuanto crece y siente.   5
Tuya es la gala, el precio y la belleza;
tú enmiendas de la Muerte
la invidia, y restituyes ingenioso
cuanto borra cruel. Eres tan fuerte,
eres tan poderoso,   10
que en desprecio del Tiempo y de sus leyes,
y de la antigüedad ciega y escura,
del seno de la edad más apartada
restituyes los príncipes y reyes,
la ilustre majestad y la hermosura   15
que huyó de la memoria sepultada.

Por ti, por tus conciertos
comunican los vivos con los muertos;
y a lo que fue en el día,
a quien para volver niega la Hora   20

camino y paso, eres pies y guía,
con que la ley del mundo se mejora.
Por ti el breve presente,
que aun ve apenas la espalda del pasado,
que huye de la vida arrebatado,   25
le comunica y trata frente a frente.

Los Césares se fueron
a no volver; los reyes y monarcas
el postrer paso irrevocable dieron;
y, siendo ya desprecio de las Parcas,   30
en manos de Protógenes y Apeles,
con nuevo parto de ingeniosa vida,
segundos padres fueron los pinceles.
¿Qué ciudad tan remota y escondida
dividen altos mares,   35
que, por merced, pincel, de tus colores,
no la miren los ojos,
gozando su hermosura en sus despojos?
Que en todos los lugares
son, con sólo mirar, habitadores.   40
Y los golfos temidos,
que hacen oír al cielo sus bramidos,
sin estrella navegan,
y a todas partes sin tormenta llegan.

Tú dispensas las leguas y jornadas,   45
pues todas las provincias apartadas,
con blando movimiento
en sus círculos breves,
las camina la vista en un momento;
y tú solo te atreves   50
a engañar los mortales de manera,
que, del lienzo y la tabla lisonjera,
aguardan los sentidos que les quitas,
cuando hermosas cautelas acreditas.

---

31 Protógenes, amigo de Apeles, pintor griego de la segunda
mitad del siglo IV a. de J. C.
54 *hermosas cautelas,* hermosos engaños, fingimientos.

Viose más de una vez Naturaleza   55
de animar lo pintado cudiciosa;
confesóse invidiosa
de ti, docto pincel, que la enseñaste,
en sutil lino estrecho,
cómo hiciera mejor lo que había hecho.   60
Tú solo despreciaste
los conciertos del año y su gobierno,
y las leyes del día,
pues las flores de abril das en hibierno,
y en mayo, con la nieve blanca y fría,   65
los montes encaneces.

   Ya se vio muchas veces,
¡oh pincel poderoso!, en docta mano
mentir almas los lienzos de Ticiano.
Entre sus dedos vimos   70
nacer segunda vez, y más hermosa,
aquella sin igual gallarda Rosa,
que tantas veces de la fama oímos.
Dos le hizo de una,
y dobló lisonjero su cuidado   75
al que, fiado en bárbara fortuna,
traía, por diadema, media luna
del cielo, a quien ofende coronado.

   Contigo Urbino y Ángel tales fueron,
que hasta sus pensamientos engendraron,   80
pues, cuando los pintaron,
vida y alma les dieron.
Y el famoso español que no hablaba,
por dar su voz al lienzo que pintaba.
Por ti Richi ha podido,   85

72 Es Rosa Solimana, llamada también Roxolana, muerta en
   1561. Lope de Vega, en *La Dorotea,* III, esc. II, elogia
   también ese retrato del Tiziano, hoy perdido.
84 Juan Fernández de Navarrete (Logroño, 1526-1579), llamado "El Mudo".
85 El célebre pintor italiano Juan Bautista Ricci (1545-1620).

docto, cuanto ingenioso,
en el rostro de Lícida hermoso,
con un naipe nacido,
criar en sus cabellos
oro, y estrellas en sus ojos bellos; 90
en sus mejillas, flores,
primavera y jardín de los amores;
y en su boca, las perlas,
riendo de quien piensa merecerlas.
Así que fue su mano, 95
con trenzas, ojos, dientes y mejillas,
Indias, cielo y verano,
escondiendo aun más altas maravillas,
o de invidioso de ellas
o de piedad del que llegase a vellas. 100

Por ti el lienzo suspira
y sin sentidos mira.
Tú sabes sacar risa, miedo y llanto
de la ruda madera, y puedes tanto,
que cercas de ira negra las entrañas 105
de Aquiles, y amenazas con sus manos
de nuevo a los troyanos,
que, sin peligro y con ingenio, engañas.
Vemos por ti en Lucrecia
la desesperación, que el honor precia; 110
de su sangre cubierto
el pecho, sin dolor alguno abierto.
Por ti el que ausente de su bien se aleja
lleva (¡oh piedad inmensa!) lo que deja.
En ti se deposita 115
lo que la ausencia y lo que el tiempo quita.

Ya fue tiempo que hablaste,
y fuiste a los egipcios lengua muda.
Tú también enseñaste

---

110 Abundan mucho los cuadros con el tema del suicidio
de Lucrecia.

en la primera edad, sencilla y ruda, 120
alta filosofía
en doctos hieroglíficos obscuros;
y los misterios puros
de ti la religión ciega aprendía.
Y tanto osaste (bien que fue dichoso 125
atrevimiento el tuyo, y religioso)
que de aquel Ser, que sin principio empieza
todas las cosas a que presta vida,
siendo sólo capaz de su grandeza,
sin que fuera de sí tenga medida; 130
de Aquel que siendo padre
de único parto con fecunda mente,
sin que en sustancia división le cuadre,
expirando igualmente
de amor correspondido, 135
el espíritu ardiente procedido;
de éste, pues, te atreviste
a examinar hurtada semejanza,
que de la devoción santa aprendiste.

Tú animas la esperanza 140
y con sombra la alientas,
cuando lo que ella busca representas.
Y a la fe verdadera,
que mueve al cielo las veloces plantas,
la vista le adelantas 145
de lo que cree y espera.
Con imágenes santas
la caridad sus actos ejercita
en la deidad que tu artificio imita.

A ti deben los ojos 150
poder gozar mezclados
los que presentes son, y los pasados.
Tuya la gloria es y los despojos,
pues, breve punta, en los colores crías

cuanto el sol en el suelo,   155
y cuanto en él los días,
y cuanto en ellos trae y lleva el cielo.

62

LETRILLA LÍRICA *

Flor que cantas, flor que vuelas,
y tienes por facistol
el laurel, ¿para qué al sol,
con tan sonoras cautelas,
le madrugas y desvelas?   5
Digasmé,
dulce jilguero, ¿por qué?

Dime, cantor ramillete,
lira de pluma volante,
silbo alado y elegante,   10
que en el rizado copete
luces flor, suenas falsete,
¿por qué cantas con porfía
invidias que llora el día
con lágrimas de la aurora,   15
si en la risa de Lidora
su amanecer desconsuelas?

Flor que cantas, flor que vuelas,
y tienes por facistol
el laurel, ¿para qué al sol,   20
con tan sonoras cautelas,
le madrugas y desvelas?
Digasmé,
dulce jilguero, ¿por qué?

---

* Véase H. H. Frankel, "Quevedo's letrilla "Flor que vuelas" en *Romance Philology*, VI (1953), pp. 259-264, y
J. G. Fucilla, "Riflessi dell'*Adone* di G. B. Marino nelle
poesie di Quevedo", en *Romania: Scritti offerti a Fran-
cesco Piccolo* (Nápoles, 1962), pp. 279-287.

En un átomo de pluma   25
¿cómo tal concento cabe?
¿Cómo se esconde en una ave
cuanto el contrapunto suma?
¿Qué dolor hay que presuma
tanto mal de su rigor,   30
que no suspenda el dolor
al iris breve que canta,
llena tan chica garganta
de Orfeos y de vigüelas?
Flor que cantas, flor que vuelas,   35
y tienes por facistol
el laurel, ¿para qué al sol,
con tan sonoras cautelas,
le madrugas y desvelas?
Digasmé,   40
dulce jilguero, ¿por qué?

Voz pintada, canto alado,
poco al ver, mucho al oído,
¿dónde tienes escondido
tanto instrumento templado?   45
Recata de mi cuidado
tus músicas y alegrías,
que las malas compañías
te volverán los cantares
en lágrimas y pesares,   50
por más que a sirena anhelas.
    Flor que cantas, flor que vuelas,
y tienes por facistol
el laurel, ¿para qué al sol,
con tan sonoras cautelas,   55
le madrugas y desvelas?
Digasmé,
dulce jilguero, ¿por qué?

28 *contrapunto,* véase la nota al v. 7 del poema 49.
32 *iris breve,* pequeño arco iris.

63

LETRILLA LÍRICA

Rosal, menos presunción
donde están las clavellinas,
pues serán mañana espinas
las que agora rosas son.

¿De qué sirve presumir,   5
rosal, de buen parecer,
si aun no acabas de nacer
cuando empiezas a morir?
Hace llorar y reír
vivo y muerto tu arrebol   10
en un día o en un sol:
desde el Oriente al ocaso
va tu hermosura en un paso,
y en menos tu perfección.
Rosal, menos presunción   15
donde están las clavellinas,
pues serán mañana espinas
las que agora rosas son.

No es muy grande la ventaja
que tu calidad mejora: 20
si es tus mantillas la aurora,
es la noche tu mortaja.
No hay florecilla tan baja
que no te alcance de días,
y de tus caballerías,   25
por descendiente de la alba,
se está riendo la malva,
cabellera de un terrón.

25 *caballerías*, pretensiones de nobleza, por los caballos del
Sol, como aclara el verso siguiente.

Rosal, *menos presunción*
donde están las clavellinas, 30
pues serán mañana espinas
las que agora rosas son.

64

A ROMA SEPULTADA EN SUS RUINAS *

SONETO

Buscas en Roma a Roma, ¡oh, peregrino!,
y en Roma misma a Roma no la hallas:
cadáver son las que ostentó murallas,
y tumba de sí proprio el Aventino.

Yace donde reinaba el Palatino; 5
y limadas del tiempo, las medallas
más se muestran destrozo a las batallas
de las edades que blasón latino.

Sólo el Tibre quedó, cuya corriente,
si ciudad la regó, ya, sepoltura, 10
la llora con funesto son doliente.

¡Oh, Roma!, en tu grandeza, en tu hermosura,
huyó lo que era firme, y solamente
lo fugitivo permanece y dura.

32 González de Salas dice: "Muchas otras [letrillas], que se
encomendaron a la voz de los músicos, se podrán repetir
de los proprios".
* Véase sobre este soneto el artículo de R. J. Cuervo "Dos
poesías de Quevedo a Roma", en la *Revue Hispanique*,
XVIII (1908), pp. 431 y ss.; y el de María Rosa Lida
de Malkiel, "Para las fuentes de Quevedo", en la *Nueva
Revista de Filología Hispánica*, I (1939), pp. 370 y ss.
Pero tanto Ronsard como Quevedo partieron de un epi-
grama del humanista polaco Nicola Sep Szarynski, publicado en *Delitia italorum poetarum* (Francoforte, 1608),
que es la fuente de los versos primeros y últimos:

Qui Roma in media quaeris, novus advena, Romam
et Roma in media Romam non invenies [...]

65

SONETO

Llueven calladas aguas en vellones
blancos las nubes mudas; pasa el día,
mas no sin majestad, en sombra fría,
y mira el sol, que esconde, en los balcones.

No admiten el invierno corazones   5
asistidos de ardiente valentía:
que influye la española monarquía
fuerza igualmente en toros y rejones.

El blasón de Jarama, humedecida,
y ardiendo, la ancha frente en torva saña,   10
en sangre vierte la purpúrea vida.

Y lisonjera al grande rey de España,
la tempestad, en nieve obscurecida,
aplaudió al brazo, al fresno y a la caña.

---

*...Disce hinc quid possit Fortunas immota labescunt
et quae perpetuo sunt agitata manent.*

Véase Ramiro Ortiz, *Fortuna labilis. Storia di un motivo poetico da Ovidio al Leonardo* (Bucarest, 1927),
p. 111.
* Añade González de Salas: "Es imitación de Martial. lib.
4, epig. 3". Pero, en realidad, sólo el primer verso tiene
un leve parecido, siendo muy superior el de don Francisco:
*Adspice quam densum tacitarum vellus aquarum
defluat in vultus Caesaris, inque sinus...*

66

INSCRIPCIÓN EN EL TÚMULO DE DON PEDRO GIRÓN,
DUQUE DE OSUNA, VIRREY Y CAPITÁN GENERAL
DE LAS DOS SICILIAS *

SONETO

De la Asia fue terror, de Europa espanto,
y de la África rayo fulminante;
los golfos y los puertos de Levante
con sangre calentó, creció con llanto.

Su nombre solo fue vitoria en cuanto   5
reina la luna en el mayor turbante;
pacificó motines en Brabante:
que su grandeza sola pudo tanto.

Divorcio fue del mar y de Venecia,
su desposorio dirimiendo el peso   10
de naves, que temblaron Chipre y Grecia.

¡Y a tanto vencedor venció un proceso!
De su desdicha su valor se precia:
¡murió en prisión, y muerto estuvo preso!

---

* El célebre Duque de Osuna murió en prisión el 25 de
septiembre de 1624.
10 Quevedo alude además a la conocida fiesta del día de la
Asunción, en que cada Dux, en alta mar, lanzaba a las
aguas un anillo de oro desde la popa del Bucintoro, y
decía, en medio de las bendiciones: "Desposamus te,
mare, in signum veri perpetuique dominii". Véase el trabajo de Encarnación García de Dini "Trayectoria del
mito de Venecia en la literatura española de la Edad
Barroca", en *Venezia nella Letteratura spagnola e altri
studi barocchi* (Padova, 1973), p. 72.

67

EPITAFIO DEL SEPULCRO Y CON LAS ARMAS
DEL PROPRIO

HABLA EL MÁRMOL

SONETO

Memoria soy del más glorioso pecho
que España en su defensa vio triunfante;
en mí podrás, amigo caminante,
un rato descansar del largo trecho.

Lágrimas de soldados han deshecho   5
en mí las resistencias de diamante;
yo cierro al que el ocaso y el levante
a su victoria dio círculo estrecho.

Estas armas, vïudas de su dueño,
que visten en funesta valentía   10
este, si humilde, venturoso leño,

del grande Osuna son; él las vestía,
hasta que, apresurado el postrer sueño,
le ennegreció con noche el blanco día.

68

ELOGIO FUNERAL A DON MELCHOR DE BRACAMONTE,
HIJO DE LOS CONDES DE PEÑARANDA, GRAN SOLDADO,
SIN PREMIO

SONETO

Siempre, Melchor, fue bienaventurada
tu vida en tantos trances en el suelo;
y es bienaventurada ya en el cielo,
en donde sólo pudo ser premiada.

Sin ti quedó la guerra desarmada 5
y el mérito agraviado sin consuelo,
la nobleza y valor en llanto y duelo
y la satisfación mal disfamada.

Cuanto no te premiaron, mereciste,
y el premio en tu valor acobardaste, 10
y el excederle fue lo que tuviste.

El cargo que en el mundo no alcanzaste,
es el que yace, el huérfano y el triste:
que tú de su desdén te coronaste.

69

FUNERAL ELOGIO AL PADRE MAESTRO FR. HORTENSIO FÉLIX PARAVICINO Y ARTEAGA, PREDICADOR DE SU MAJESTAD *

SONETO

El que vivo enseñó, difunto mueve,
y el silencio predica en él difunto:
en este polvo mira y llora junto
la vista cuanto al púlpito le debe.

Sagrado y dulce, el coro de las nueve 5
enmudece en su voz el contrapunto:
faltó la admiración a todo asunto,
y el fénix que en su pluma se renueve.

Señas te doy del docto y admirable
Hortensio, tales, que callar pudiera 10
el nombre religioso y venerable.

---

* El padre fray Hortensio Félix Paravicino, célebre predi-
cador y poeta, amigo de el Greco y Góngora, murió el
12 de diciembre de 1613.
5 *coro de las nueve*, las Musas.

La Muerte aventurara, si le oyera,
a perder el blasón de inexorable,
y si no fuera sorda, le perdiera.

POEMAS AMOROSOS

70

AMANTE AUSENTE DEL SUJETO AMADO DESPUÉS DE LARGA NAVEGACIÓN

SONETO

Fuego a quien tanto mar ha respetado
y que, en desprecio de las ondas frías,
pasó abrigado en las entrañas mías,
después de haber mis ojos navegado,

merece ser al cielo trasladado,   5
nuevo esfuerzo del sol y de los días;
y entre las siempre amantes jerarquías,
en el pueblo de luz, arder clavado.

Dividir y apartar puede el camino;
mas cualquier paso del perdido amante   10
es quilate al amor puro y divino.

Yo dejo la alma atrás; llevo adelante,
desierto y solo, el cuerpo peregrino,
y a mí no traigo cosa semejante.

---

7 "En el firmamento". GS.
11 *quilate* : "metaphóricamente vale el grado de perfección en qualquier cosa no material". *Auts.*

71

SONETO

La mocedad del año, la ambiciosa
vergüenza del jardín, el encarnado
oloroso rubí, Tiro abreviado,
también del año presunción hermosa;

la ostentación lozana de la rosa,   5
deidad del campo, estrella del cercado;
el almendro, en su propria flor nevado,
que anticiparse a los calores osa,

reprehensiones son, ¡oh Flora!, mudas
de la hermosura y la soberbia humana,   10
que a las leyes de flor está sujeta.

Tu edad se pasará mientras lo dudas;
de ayer te habrás de arrepentir mañana,
y tarde y con dolor serás discreta.

72

COMPARA EL CURSO DE SU AMOR CON EL DE UN ARROYO

SONETO

Torcido, desigual, blando y sonoro,
te resbalas secreto entre las flores,
hurtando la corriente a los calores,
cano en la espuma y rubio con el oro.

---

3 *Tiro abreviado*, que condensa toda la púrpura de Tiro.
6 *cercado*: "jardín, huerto u otro lugar ceñido, u cerrado
con tapias". *Auts.*

En cristales dispensas tu tesoro,   5
líquido plectro a rústicos amores;
y templando por cuerdas ruiseñores,
te ríes de crecer con lo que lloro.

De vidro, en las lisonjas, divertido,
gozoso vas al monte; y, despeñado,   10
espumoso encaneces con gemido.

No de otro modo el corazón cuitado,
a la prisión, al llanto se ha venido
alegre, inadvertido y confiado.

73

FINGE DENTRO DE SÍ UN INFIERNO,
CUYAS PENAS PROCURA MITIGAR, COMO ORFEO,
CON LA MÚSICA DE SU CANTO, PERO SIN PROVECHO

SONETO

A todas partes que me vuelvo veo
las amenazas de la llama ardiente,
y en cualquiera lugar tengo presente
tormento esquivo y burlador deseo.

La vida es mi prisión, y no lo creo;   5
y al son del hierro, que perpetuamente
pesado arrastro, y humedezco ausente,
dentro en mí proprio pruebo a ser Orfeo.

6-7 Probablemente, como apunta Price, p. 103, Quevedo recor-
daba los vv. 84-6 de la Canción IV de Garcilaso:

y en medio del trabajo y la fatiga
estoy cantando yo, y está sonando
de mis atados pies el grave hierro.

Hay en mi corazón furias y penas;
en él es el Amor fuego y tirano,   10
y yo padezco en mí la culpa mía.

¡Oh dueño sin piedad que tal ordenas,
pues, del castigo de enemiga mano,
no es precio ni rescate l'armonía!

74

AMANTE QUE HACE LECCIÓN
PARA APRENDER A AMAR DE MAESTROS IRRACIONALES *

SONETO

Músico llanto, en lágrimas sonoras,
llora monte doblado en cueva fría,
y destilando líquida armonía,
hace las peñas cítaras canoras.

Ameno y escondido a todas horas,   5
en mucha sombra alberga poco día;
no admite su silencio compañía:
sólo a ti, solitario, cuando lloras.

9 *furias*. Quizá Quevedo está jugando con el doble valor de
la palabra. Las Furias "fingen los poetas aver sido tres
hijas de Acheronte y la Noche [...] éstas dezían perseguir al que avía cometido algún enorme delito, y allá
dentro de su conciencia le fatigavan y le atormentavan".
Cov., *Tes.*
* Dice González de Salas: "Refirióme don Francisco que
en Génova tiene un caballero una huerta, y en ella una
gruta hecha de la Naturaleza, en un cerro, de cuya bruta
techumbre menudamente se destila por muchas partes una
fuente, con ruido apacible. Sucedió, pues, que dentro de
ella oyó gemir un pájaro, que llaman solitario, y que al
entrar él se salió, y en esta ocasión escribió este soneto".
8 *solitario*: "ave algo mayor que el gorrión. Su color es
negro con unas pintas blancas mui menudas, sembradas
por todas las espaldas. Llámase assi porque por la mayor
parte vuela solo [...] Su canto es muy suave". *Auts.*
Comp.: "Las cualidades del pájaro solitario son cinco:
la primera, que se va a lo más alto; la segunda, que

Son tu nombre, color y voz doliente
señas, más que de pájaro, de amante;   10
puede aprender dolor de ti un ausente.

Estudia en tu lamento y tu semblante
gemidos este monte y esta fuente,
y tienes mi dolor por estudiante.

75

A AMINTA, QUE TENIENDO UN CLAVEL EN LA BOCA,
POR MORDERLE, SE MORDIÓ LOS LABIOS Y SALIÓ SANGRE

SONETO

Bastábale al clavel verse vencido
del labio en que se vio (cuando, esforzado
con su propria vergüenza, lo encarnado
a tu rubí se vio más parecido),

sin que, en tu boca hermosa, dividido   5
fuese de blancas perlas granizado,
pues tu enojo, con él equivocado,
el labio por clavel dejó mordido;

si no cuidado de la sangre fuese,
para que, a presumir de tiria grana,   10
de tu púrpura líquida aprendiese.

Sangre vertió tu boca soberana,
porque, roja victoria, amaneciese
llanto al clavel y risa a la mañana.

---

no sufre compañía, aunque sea de su naturaleza; la tercera, que pone el pico en el aire; la cuarta, que no tiene determinado color; la quinta, que canta suavemente". *Vida y obras de San Juan de la Cruz,* BAC (Madrid, 1960), p. 1202.

76

A UNA DAMA BIZCA Y HERMOSA *

SONETO

Si a una parte miraran solamente
vuestros ojos, ¿cuál parte no abrasaran?
Y si a diversas partes no miraran,
se helaran el ocaso o el Oriente.

El mirar zambo y zurdo es delincuente; 5
vuestras luces izquierdas lo declaran,
pues con mira engañosa nos disparan
facinorosa luz, dulce y ardiente.

Lo que no miran ven, y son despojos
suyos cuantos los ven, y su conquista 10
da a l'alma tantos premios como enojos.

¿Qué ley, pues, mover pudo al mal jurista
a que, siendo monarcas los dos ojos,
los llamase vizcondes de la vista?

77

A UNA DAMA TUERTA Y MUY HERMOSA

SONETO

Para agotar sus luces la hermosura
en un ojo no más de vuestra cara,
grande ejemplar y de belleza rara
tuvo en el sol, que en una luz se apura.

---

* "Tiene parte de donaire, respondiendo a un letrado". GS.
7 *mira*, la pieza que sirve para precisar la puntería.

Imitáis, pues, aquella arquitectura   5
de la vista del cielo, hermosa y clara;
que muchos ojos, y de luz avara,
sola la noche los ostenta obscura.

Si en un ojo no más, que en vos es día,
tienen cuantos le ven muerte y prisiones,   10
al otro le faltara monarquía.

Aún faltan a sus rayos corazones,
victorias a su ardiente valentía
y al triunfo de sus luces aún naciones.

78

LLANTO, PRESUNCIÓN, CULTO Y TRISTEZA AMOROSA

SONETO

Esforzaron mis ojos la corriente
de este, si fértil, apacible río;
y cantando frené su curso y brío:
¡tanto puede el dolor en un ausente!

Miréme incendio en esta clara fuente   5
antes que la prendiese yelo frío,
y vi que no es tan fiero el rostro mío
que manche, ardiendo, el oro de tu frente.

Cubrió nube de incienso tus altares,
coronélos de espigas en manojos,   10
sequé, crecí con llanto y fuego a Henares.

Hoy me fuerzan mi pena y tus enojos
(tal es por ti mi llanto) a ver dos mares
en un arroyo, viendo mis dos ojos.

79

QUEJARSE EN LAS PENAS DE AMOR DEBE SER PERMITIDO
Y NO PROFANA EL SECRETO

SONETO

Arder sin voz de estrépito doliente
no puede el tronco duro inanimado;
el robre se lamenta, y, abrasado,
el pino gime al fuego, que no siente.

¿Y ordenas, Floris, que en tu llama ardiente 5
quede en muda ceniza desatado
mi corazón sensible y animado,
víctima de tus aras obediente?

Concédame tu fuego lo que al pino
y al robre les concede voraz llama: 10
piedad cabe en incendio que es divino.

Del volcán que en mis venas se derrama,
diga su ardor el llanto que fulmino;
mas no le sepa de mi voz la Fama.

80

ADMÍRASE DE QUE FLORA, SIENDO TODA FUEGO Y LUZ,
SEA TODA HIELO

SONETO

Hermosísimo invierno de mi vida,
sin estivo calor constante yelo,
a cuya nieve da cortés el cielo
púrpura en tiernas flores encendida;

2 *estivo,* estío.

esa esfera de luz enriquecida,   5
que tiene por estrella al dios de Delo,
¿cómo en la elemental guerra del suelo
reina de sus contrarios defendida?

Eres Scitia del alma que te adora,
cuando la vista, que te mira, inflama;   10
Etna, que ardientes nieves atesora.

Si lo frágil perdonas a la fama,
eres al vidro parecida, Flora,
que siendo yelo, es hijo de la llama.

81

AMANTE AGRADECIDO A LAS LISONJAS MENTIROSAS
DE UN SUEÑO

SONETO

¡Ay, Floralba! Soñé que te... ¿Dirélo?
Sí, pues que sueño fue: que te gozaba.
¿Y quién, sino un amante que soñaba,
juntara tanto infierno a tanto cielo?

Mis llamas con tu nieve y con tu yelo,   5
cual suele opuestas flechas de su aljaba,
mezclaba Amor, y honesto las mezclaba,
como mi adoración en su desvelo.

Y dije: "Quiera Amor, quiera mi suerte,
que nunca duerma yo, si estoy despierto,   10
y que si duermo, que jamás despierte".

Mas desperté del dulce desconcierto;
y vi que estuve vivo con la muerte,
y vi que con la vida estaba muerto.

6 *dios de Delo,* Apolo, el Sol.
9 Escitia, región del NE. de Europa y el NO. de Asia.

82

A FLORI, QUE TENÍA UNOS CLAVELES ENTRE
EL CABELLO RUBIO

SONETO

Al oro de tu frente unos claveles
veo matizar, cruentos, con heridas;
ellos mueren de amor, y a nuestras vidas
sus amenazas les avisan fieles.

Rúbricas son piadosas y crueles,   5
joyas facinorosas y advertidas,
pues publicando muertes florecidas,
ensangrientan al sol rizos doseles.

Mas con tus labios quedan vergonzosos
(que no compiten flores a rubíes)   10
y pálidos después, de temerosos.

Y cuando con relámpagos te ríes,
de púrpura, cobardes, si ambiciosos,
marchitan sus blasones carmesíes.

---

6 "Que advierten". GS. Añade: "Son participios nuestros que
significan acción y pasión, como los de los latinos 'entendido', el que entiende y lo que es entendido".
8 ensangrientan, por el color, las ondas del pelo rubio.
Dosel: "la cortina con su cielo, que ponen a los reyes
y después a los titulados y [...] prelados". Cov., *Tes.*
12 Véase el v. 13 del soneto 101, "relámpagos de risa carmesíes". Comp.: "Ya daba un relámpago de cara con un
bamboleo de manto, ya se hacía brújula mostrando un solo
ojo". *El mundo por de dentro, OP.,* 204a.

83

SONETO AMOROSO

A fugitivas sombras doy abrazos;
en los sueños se cansa el alma mía;
paso luchando a solas noche y día
con un trasgo que traigo entre mis brazos.

Cuando le quiero más ceñir con lazos,   5
y viendo mi sudor, se me desvía,
vuelvo con nueva fuerza a mi porfía,
y temas con amor me hacen pedazos.

Voyme a vengar en una imagen vana
que no se aparta de los ojos míos;   10
búrlame, y de burlarme corre ufana.

Empiézola a seguir, fáltanme bríos;
y como de alcanzarla tengo gana,
hago correr tras ella el llanto en ríos.

84

SONETO AMOROSO *

Más solitario pájaro ¿en cuál techo
se vio jamás, ni fiera en monte o prado?
Desierto estoy de mí, que me ha dejado
mi alma propia en lágrimas deshecho.

---

8 *tema*: "vale también porfía, obstinación o contumacia en
un propósito". *Auts.*
* Imitación libre del soneto CCXXVI de Petrarca, "Passer
mai solitario in alcun tetto". Vid. J. G. Fucilla, *Estudios
sobre el petrarquismo en España* (Madrid, 1950), p. 196,
y nota 5.

Lloraré siempre mi mayor provecho;   5
penas serán y hiel cualquier bocado;
la noche afán, y la quietud cuidado,
y duro campo de batalla el lecho.

El sueño, que es imagen de la muerte,
en mí a la muerte vence en aspereza,   10
pues que me estorba el sumo bien de verte.

Que es tanto tu donaire y tu belleza,
que, pues Naturaleza pudo hacerte,
milagro puede hacer Naturaleza.

85

SONETO AMOROSO

Dejad que a voces diga el bien que pierdo,
si con mi llanto a lástima os provoco;
y permitidme hacer cosas de loco:
que parezco muy mal amante y cuerdo.

La red que rompo y la prisión que muerdo   5
y el tirano rigor que adoro y toco,
para mostrar mi pena son muy poco,
si por mi mal de lo que fui me acuerdo.

Óiganme todos: consentid siquiera
que, harto de esperar y de quejarme,   10
pues sin premio viví, sin juicio muera.

De gritar solamente quiero hartarme.
Sepa de mí, a lo menos, esta fiera
que he podido morir, y no mudarme.

---

8 Es traducción del conocido verso de Petrarca "e duro
campo di battaglia il letto", del soneto anterior, que antes
había aparecido exactamente igual al de Quevedo en el
soneto XVII de Garcilaso, v. 8.
9 El conocido tópico del "Somnium imago mortis", tan
traído y llevado por la poesía de la Edad de Oro.

86

SONETO AMOROSO

¿Qué imagen de la muerte rigurosa,
qué sombra del infierno me maltrata?
¿Qué tirano cruel me sigue y mata
con vengativa mano licenciosa?

¿Qué fantasma, en la noche temerosa,   5
el corazón del sueño me desata?
¿Quién te venga de mí, divina ingrata,
más por mi mal que por tu bien hermosa?

¿Quién, cuando, con dudoso pie y incierto,
piso la soledad de aquesta arena,   10
me puebla de cuidados el desierto?

¿Quién el antiguo son de mi cadena
a mis orejas vuelve, si es tan cierto,
que aun no te acuerdas tú de darme pena?

87

EL SUEÑO

SILVA

¿Con qué culpa tan grave,
sueño blando y süave,
pude en largo destierro merecerte
que se aparte de mí tu olvido manso?
Pues no te busco yo por ser descanso,   5
sino por muda imagen de la muerte.
Cuidados veladores
hacen inobedientes mis dos ojos
a la ley de las horas;

no han podido vencer a mis dolores   10
las noches, ni dar paz a mis enojos;
madrugan más en mí que en las auroras
lágrimas a este llano,
que amanece a mi mal siempre temprano;
y tanto, que persuade la tristeza   15
a mis dos ojos que nacieron antes
para llorar que para verte, sueño.
De sosiego los tienes ignorantes,
de tal manera que, al morir el día
con luz enferma, vi que permitía   20
el sol que le mirasen en poniente.
Con pies torpes, al punto, ciega y fría,
cayó de las estrellas blandamente
la noche tras las pardas sombras mudas,
que el sueño persuadieron a la gente.   25
Escondieron las galas a los prados
y quedaron desnudas
estas laderas, y sus peñas, solas;
duermen ya, entre sus montes recostados,
los mares y las olas.   30
Si con algún acento
ofenden las orejas,
es que, entre sueños, dan al cielo quejas
del yerto lecho y duro acogimiento,
que blandos hallan en los cerros duros.   35
Los arroyuelos puros
se adormecen al son del llanto mío,
y, a su modo, también se duerme el río.
Con sosiego agradable
se dejan poseer de ti las flores;   40
mudos están los males;
no hay cuidado que hable:
faltan lenguas y voz a los dolores,
y en todos los mortales
yace la vida envuelta en alto olvido.   45
Tan sólo mi gemido
pierde el respeto a tu silencio santo;
yo tu quietud molesto con mi llanto

y te desacredito
el nombre de callado con mi grito.   50
Dame, cortés mancebo, algún reposo;
no seas digno del nombre de avariento,
en el más desdichado y firme amante
que lo merece ser por dueño hermoso:
débate alguna pausa mi tormento.   55
Gózante en las cabañas
y debajo del cielo
los ásperos villanos;
hállate en el rigor de los pantanos
y encuéntrate en las nieves y en el yelo   60
el soldado valiente,
y yo no puedo hallarte, aunque lo intente,
entre mi pensamiento y mi deseo.
Ya, pues, con dolor creo
que eres más riguroso que la tierra,   65
más duro que la roca,
pues te alcanza el soldado envuelto en guerra,
y en ella mi alma por jamás te toca.
Mira que es gran rigor. Dame siquiera
lo que de ti desprecia tanto avaro   70
por el oro en que alegre considera,
hasta que da la vuelta el tiempo claro:
lo que habia de dormir en blando lecho,
y da el enamorado a su señora,
y a ti se te debía de derecho.   75
Dame lo que desprecia de ti agora,
por robar, el ladrón; lo que desecha
el que invidiosos celos tuvo y llora.
Quede en parte mi queja satisfecha:
tócame con el cuento de tu vara;   80
oirán siquiera el ruido de tus plumas
mis desventuras sumas;
que yo no quiero verte cara a cara,
ni que hagas más caso
de mí que hasta pasar por mí de paso;   85

80 *cuento*, contera.

o que a tu sombra negra, por lo menos,
si fueres a otra parte peregrino,
se le haga camino
por estos ojos de sosiego ajenos.
Quítame, blando sueño, este desvelo,   90
o de él alguna parte,
y te prometo, mientras viere el cielo,
de desvelarme sólo en celebrarte.

88

HIMNO A LAS ESTRELLAS

SILVA

A vosotras, estrellas,
alza el vuelo mi pluma temerosa,
del piélago de luz ricas centellas;
lumbres que enciende triste y dolorosa
a las exequias del difunto día,   5
güérfana de su luz, la noche fría;

ejército de oro,
que, por campañas de zafir marchando,
guardáis el trono del eterno coro
con diversas escuadras militando;   10
Argos divino de cristal y fuego,
por cuyos ojos vela el mundo ciego;

señas esclarecidas
que, con llama parlera y elocuente
por el mudo silencio repartidas,   15
a la sombra servís de voz ardiente;
pompa que da la noche a sus vestidos,
letras de luz, misterios encendidos;

---

11 Argos, que tenía cien ojos, a quien Juno le confió el
cuidado de Ío, convertida en vaca; pero Mercurio supo
adormecerle y le cortó la cabeza. Entonces, Juno, tomando sus ojos, los esparció en la cola del pavo, en cuya
ave fue Argos transformado.

de la tiniebla triste
preciosas joyas, y del sueño helado   20
galas, que en competencia del sol viste;
espías del amante recatado,
fuentes de luz para animar el suelo,
flores lucientes del jardín del cielo,

vosotras, de la luna   25
familia relumbrante, ninfas claras,
cuyos pasos arrastran la Fortuna,
con cuyos movimientos muda caras,
árbitros de la paz y de la guerra,
que, en ausencia del sol, regís la tierra;   30

vosotras, de la suerte
dispensadoras, luces tutelares
que dais la vida, que acercáis la muerte,
mudando de semblante, de lugares;
llamas, que habláis con doctos movimientos,   35
cuyos trémulos rayos son acentos;

vosotras, que, enojadas,
a la sed de los surcos y sembrados
la bebida negáis, o ya abrasadas
dais en ceniza el pasto a los ganados,   40
y si miráis benignas y clementes,
el cielo es labrador para las gentes;

vosotras, cuyas leyes
guarda observante el tiempo en toda parte,
amenazas de príncipes y reyes,   45
si os aborta Saturno, Jove o Marte;
ya fijas vais, o ya llevéis delante
por lúbricos caminos greña errante,

si amasteis en la vida
y ya en el firmamento estáis clavadas,   50
pues la pena de amor nunca se olvida,

---

48 *lúbrico*: "lo mismo que resbaladizo". *Auts.* Véase otro
ejemplo en el poema 100, v. 3.

y aun suspiráis en signos transformadas,
con Amarilis, ninfa la más bella,
estrellas, ordenad que tenga estrella.

Si entre vosotras una   55
miró sobre su parto y nacimiento
y della se encargó desde la cuna,
dispensando su acción, su movimiento,
pedidla, estrellas, a cualquier que sea,
que la incline siquiera a que me vea.   60

Yo, en tanto, desatado
en humo, rico aliento de Pancaya,
haré que, peregrino y abrasado,
en busca vuestra por los aires vaya;
recataré del sol la lira mía   65
y empezaré a cantar muriendo el día.

Las tenebrosas aves,
que el silencio embarazan con gemido,
volando torpes y cantando graves,
más agüeros que tonos al oído,   70
para adular mis ansias y mis penas,
ya mis musas serán, ya mis sirenas.

89

PASIONES DE AUSENTE ENAMORADO

Este amor que yo alimento
de mi propio corazón,
no nace de inclinación,
sino de conocimiento.

---

62 *Pancaya,* comarca de la Arabia, citada por los poetas,
   según los cuales producía mirra, incienso y otros perfu-
   mes.
69 Es claro recuerdo del verso 40 del *Polifemo* de Góngora:
   "gimiendo tristes y volando graves".

Que amor de cosa tan bella,   5
y gracia que es infinita,
si es elección, me acredita;
si no, acredita mi estrella.

Y ¿qué deidad me pudiera
inclinar a que te amara,   10
que ese poder no tomara
para sí, si le tuviera?

Corrido, señora, escribo
en el estado presente,
de que, estando de ti ausente,   15
aun parezca que estoy vivo.

Pues ya en mi pena y pasión,
dulce Tirsis, tengo hechas
de las plumas de tus flechas
las alas del corazón.   20

Y sin poder consolarme,
ausente, y amando firme,
más hago yo en no morirme
que hará el dolor en matarme.

Tanto he llegado a quererte,   25
que siento igual pena en mí,
del ver, no viéndote a ti,
que adorándote, no verte.

27-28 Son fórmulas típicas de la poesía cancioneril de fines del
siglo xv, divulgadas por las muchas ediciones del famoso
Cancionero general, de Hernando del Castillo, cuya influen-
cia fue extraordinaria en la poesía de la Edad de Oro.

Si bien recelo, señora,
que a este amor serás infiel,   30
pues ser hermosa y cruel
te pronostica traidora.

Pero traiciones dichosas
serán, Tirsis, para mí,
por ver dos caras en ti,   35
que han de ser por fuerza hermosas.

Y advierte que en mi pasión
se puede tener por cierto
que es decir ausente y muerto,
dos veces una razón.   40

90

LETRILLA LÍRICA

[¿Qué puede ser?]

Que un corazón lastimado,
a quien ha dado el Amor
por premio eterno dolor,
por alimento el cuidado;   5
constante, que no obstinado,
sólo tema en mal tan grave
que se acabe o que le acabe;
ved lo que llega a temer:
¿qué puede ser?   10

Que muestre tanto desdén
hermosura celestial,
que a sí misma se haga mal,

31-32 Comp.:

> Mas sólo temo, señora,
> que no tienes de ser fiel:
> que ser hermosa y cruel
> te profetizan traidora.

N.º 419, vv. 17-20

por sólo no hacerme bien;
que invidien los que la ven   15
mi pena, y que yo la estime,
y que nadie se lastime
cuando me ven padecer,
¿qué puede ser?

Que esté ardiendo en rayos rojos   20
y en vivo llanto deshecho;
que, estando abrasado el pecho,
agua derramen mis ojos;
que maltrate sus despojos
quien venció con tanta gloria;   25
que en despreciar su victoria
muestre todo su poder,
¿qué puede ser?

Que me llamen "sin ventura"
es lo que más he sentido,   30
habiendo yo merecido
penar por tanta hermosura;
que llamen mi amor locura,
porque amo sin esperar,
sabiendo que es agraviar   35
esperar sin merecer,
¿qué puede ser?

Que me muestre yo contento
de este mal que no se entiende;
que estime a quien más me ofende,   40
cuando crece mi tormento;
que me acredite avariento
de su rigor y mi mal,
siendo sólo liberal
del penar y padecer,   45
¿qué puede ser?

Que no se quiera apiadar,
y que esté yo en su cadena
tan contento con mi pena

como ella en verme penar;   50
que venga yo a desear
al dolor, que es mi homicida,
más vida que no a mi vida,
por no verle fenecer,
¿qué puede ser?   55

CANTA SOLA A LISI Y LA AMOROSA
PASIÓN DE SU AMANTE

91

RETRATO NO VULGAR DE LISIS

SONETO

Crespas hebras, sin ley desenlazadas,
que un tiempo tuvo entre las manos Midas;
en nieve estrellas negras encendidas,
y cortésmente en paz de ella guardadas.

Rosas a abril y mayo anticipadas,   5
de la injuria del tiempo defendidas;
auroras en la risa amanecidas,
con avaricia del clavel guardadas.

Vivos planetas de animado cielo,
por quien a ser monarca Lisi aspira,   10
de libertades, que en sus luces ata.

Esfera es racional, que ilustra el suelo,
en donde reina Amor cuanto ella mira,
y en donde vive Amor cuanto ella mata.

2 Es decir, tan rubios como el oro de Midas.
8 "Para significar que era pequeña la boca". GS.

92

PADECE ARDIENDO Y LLORANDO SIN QUE LE REMEDIE
LA OPOSICIÓN DE LAS CONTRARIAS CALIDADES

SONETO

Los que ciego me ven de haber llorado
y las lágrimas saben que he vertido,
admiran de que, en fuentes dividido
o en lluvias, ya no corra derramado.

Pero mi corazón arde admirado   5
(porque en tus llamas, Lisi, está encendido)
de no verme en centellas repartido,
y en humo negro y llamas desatado.

En mí no vencen largos y altos ríos
a incendios, que animosos me maltratan,   10
ni el llanto se defiende de sus bríos.

La agua y el fuego en mí de paces tratan;
y amigos son, por ser contrarios míos;
y los dos, por matarme, no se matan.

93

COMUNICACIÓN DE AMOR INVISIBLE POR LOS OJOS

SONETO

Si mis párpados, Lisi, labios fueran,
besos fueran los rayos visüales
de mis ojos, que al sol miran caudales
águilas, y besaran más que vieran.

---

4 *águila*: "Fingen los poetas ser la armígera del dios Júpiter,
que le ministra los rayos [...] por quanto, según algunos

Tus bellezas, hidrópicos, bebieran, 5
y cristales, sedientos de cristales;
de luces y de incendios celestiales,
alimentando su morir, vivieran.

De invisible comercio mantenidos,
y desnudos de cuerpo, los favores 10
gozaran mis potencias y sentidos;

mudos se requebraran los ardores;
pudieran, apartados, verse unidos,
y en público, secretos, los amores.

94

AFECTOS VARIOS DE SU CORAZÓN
FLUCTUANDO EN LAS ONDAS DE LOS CABELLOS DE LISI *

SONETO

En crespa tempestad del oro undoso,
nada golfos de luz ardiente y pura
mi corazón, sediento de hermosura,
si el cabello deslazas generoso.

Leandro, en mar de fuego proceloso, 5
su amor ostenta, su vivir apura;
Ícaro, en senda de oro mal segura,
arde sus alas por morir glorioso.

---

autores, entre todas las demás aves, ella sola no es herida
del rayo, y los del sol mira de hito en hito". Cov., *Tes.*
* Sobre este soneto, véanse los artículos de A. Parker, "La
'agudeza' en algunos sonetos de Quevedo", en *Estudios
dedicados a D. Ramón Menéndez Pidal*, III (Madrid,
1952), pp. 351 y ss., y A. Terry, "Quevedo and the
metaphysical conceit", *BHS*, XXXV (1958), pp. 215 y ss.
5 Leandro] "El corazón. Da supuesto en todas las acciones
siguientes hasta el fin del soneto, siendo aposiciones del
mismo corazón Leandro, Ícaro, la Fénix, etc.". GS.
8 arde] "Quema. Hácele verbo activo". GS.

Con pretensión de fénix, encendidas
sus esperanzas, que difuntas lloro,   10
intenta que su muerte engendre vidas.

Avaro y rico y pobre, en el tesoro,
el castigo y la hambre imita a Midas,
Tántalo en fugitiva fuente de oro.

95

SONETO

¿Cómo es tan largo en mí dolor tan fuerte,
Lisis? Si hablo y digo el mal que siento,
¿qué disculpa tendrá mi atrevimiento?
Si callo, ¿quién podrá excusar mi muerte?

Pues ¿cómo, sin hablarte, podrá verte   5
mi vista y mi semblante macilento?
Voz tiene en el silencio el sentimiento:
mucho dicen las lágrimas que vierte.

Bien entiende la llama quien la enciende;
y quien los causa, entiende los enojos;   10
y quien manda silencios, los entiende.

Suspiros, del dolor mudos despojos,
también la boca a razonar aprende,
como con llanto y sin hablar los ojos.

96

QUE COMO SU AMOR NO FUE SÓLO DE LAS PARTES
EXTERIORES, QUE SON MORTALES, ANSÍ TAMBIÉN
NO LO SERÁ SU AMOR

SONETO

Que vos me permitáis sólo pretendo,
y saber ser cortés y ser amante;
esquivo los deseos, y constante,
sin pretensión, a sólo amar atiendo.

Ni con intento de gozar ofendo   5
las deidades del garbo y del semblante;
no fuera lo que vi causa bastante,
si no se le añadiera lo que entiendo.

Llamáronme los ojos las faciones;
prendiéronlos eternas jerarquías   10
de virtudes y heroicas perfecciones.

No verán de mi amor el fin los días:
la eternidad ofrece sus blasones
a la pureza de las ansias mías.

97

DICE QUE SU AMOR
NO TIENE PARTE ALGUNA TERRESTRE *

SONETO

Por ser mayor el cerco de oro ardiente
del sol que el globo opaco de la tierra,
y menor que éste el que a la luna cierra
las tres caras que muestra diferente,

* "Seméjale con la causa astronómica de eclipsarse la luna
y no otros planetas". GS.

ya la vemos menguante, ya creciente,   5
ya en la sombra el eclipse nos la entierra;
mas a los seis planetas no hace guerra,
ni estrella fija sus injurias siente.

La llama de mi amor, que está clavada
en el alto cenit del firmamento,   10
ni mengua en sombras ni se ve eclipsada.

Las manchas de la tierra no las siento:
que no alcanza su noche a la sagrada
región donde mi fe tiene su asiento.

98

AMOR IMPRESO EN EL ALMA,
QUE DURA DESPUÉS DE LAS CENIZAS

SONETO

Si hija de mi amor mi muerte fuese,
¡qué parto tan dichoso que sería
el de mi amor contra la vida mía!
¡Qué gloria, que el morir de amar naciese!

Llevara yo en el alma adonde fuese   5
el fuego en que me abraso, y guardaría
su llama fiel con la ceniza fría
en el mismo sepulcro en que durmiese.

De esotra parte de la muerte dura,
vivirán en mi sombra mis cuidados,   10
y más allá del Lete mi memoria.

Triunfará del olvido tu hermosura;
mi pura fe y ardiente, de los hados;
y el no ser, por amar, será mi gloria.

99

ADVIERTE CON SU PELIGRO A LOS QUE LEYEREN
SUS LLAMAS

SONETO

Si fuere que, después, al postrer día
que negro y frío sueño desatare
mi vida, se leyere o se cantare
mi fatiga en amar, la pena mía;

cualquier que de talante hermoso fía   5
serena libertad, si me escuchare,
si en mi perdido error escarmentare,
deberá su quietud a mi porfía.

Atrás se queda, Lisi, el sexto año
de mi suspiro: yo, para escarmiento   10
de los que han de venir, paso adelante.

¡Oh en el reino de Amor huésped extraño!,
sé docto con la pena y el tormento
de un ciego y, sin ventura, fiel amante.

100

EXHORTA A LISI A EFECTOS SEMEJANTES DE LA VÍBORA

SONETO

Esta víbora ardiente, que, enlazada,
peligros anudó de nuestra vida,
lúbrica muerte en círculos torcida,
arco que se vibró flecha animada,

3 *lúbrica,* resbaladiza. Véase el poema 88, v. 45.

hoy, de médica mano desatada,   5
la que en sedienta arena fue temida,
su diente contradice, y la herida
que ardiente derramó, cura templada.

Pues tus ojos también con muerte hermosa
miran, Lisi, al rendido pecho mío,   10
templa tal vez su fuerza venenosa;

desmiente tu veneno ardiente y frío;
aprende de una sierpe ponzoñosa:
que no es menos dañoso tu desvío.

101

SONETO

En breve cárcel traigo aprisionado,
con toda su familia de oro ardiente,
el cerco de la luz resplandeciente,
y grande imperio del Amor cerrado.

Traigo el campo que pacen estrellado   5
las fieras altas de la piel luciente;
y a escondidas del cielo y del Oriente,
día de luz y parto mejorado.

8 "Con toda su ponçoña se haze de su mesma carne antídoto y remedio para contra ella, y contra algunas enfermedades". Cov., *Tes*. Comp.: "¿Quién dijera que la víbora, con el cuerpo habitado de peste, era antídoto al
veneno, si no lo aprendiera de la triaca?". *Providencia de
Dios*, OP., p. 1261b.
2 "Con todos sus rayos". GS.
6 "El firmamento dice, pues que trae también las estrellas".
GS.
    (Alude al signo de *Taurus*. Hay un recuerdo del célebre
principio de la *Soledad* primera.)
7 "Y a escondidas del Oriente, traigo día de luz, etc.". GS,
que añade: "*A escondidas*. Adverbio que con atención
está aquí usado, que de tales idiotismos de nuestra lengua

Traigo todas las Indias en mi mano:
perlas que, en un diamante, por rubíes,   10
pronuncian con desdén sonoro yelo,

y razonan tal vez fuego tirano
relámpagos de risa carmesíes,
auroras, gala y presunción del cielo.

102

AMOR DE SOLA UNA VISTA NACE, VIVE, CRECE
Y SE PERPETÚA *

SONETO

Diez años de mi vida se ha llevado
en veloz fuga y sorda el sol ardiente,
después que en tus dos ojos vi el Oriente,
Lísida, en hermosura duplicado.

Diez años en mis venas he guardado   5
el dulce fuego que alimento, ausente,
de mi sangre. Diez años en mi mente
con imperio tus luces han reinado.

Basta ver una vez grande hermosura;
que, una vez vista, eternamente enciende,   10
y en l'alma impresa eternamente dura.

---

era grande observador. *A escondidas,* pues, porque le
traía en breve cárcel".
10-11 "Es una antifrasi de *diamante* y *rubíes.* Era, pues, diamante la boca, porque lo que hablaba eran *desdenes* y
signifícalo diciendo que *pronunciaba sonoro yelo,* y alude
a la opinión de los que quieren que el *cristal* sea *yelo*
intensamente congelado, y el *diamante* más intensamente.
Era, en fin, la boca *rubíes,* y *pronunciar por rubíes* es por
los labios". GS.
13 Véase el verso 12 del poema 82.
* Imita el primer verso del soneto 122 de Petrarca. Véase
J. O. Crosby, op. cit., pp. 29-31.

Llama que a la inmortal vida trasciende,
ni teme con el cuerpo sepultura,
ni el tiempo la marchita ni la ofende.

103

AMOR CONSTANTE MÁS ALLÁ DE LA MUERTE *

SONETO

Cerrar podrá mis ojos la postrera
sombra que me llevare el blanco día,
y podrá desatar esta alma mía
hora a su afán ansioso lisonjera;

mas no, de esotra parte, en la ribera,   5
dejará la memoria, en donde ardía:
nadar sabe mi llama la agua fría,
y perder el respeto a ley severa.

Alma a quien todo un dios prisión ha sido,
venas que humor a tanto fuego han dado,   10
medulas que han gloriosamente ardido,

---

* Este bellísimo soneto ha sido muy comentado. Véanse,
entre otros, los trabajos de A. Alonso en *Materia y forma
en poesía* (Madrid, 1955), pp. 127 y ss.; Fernando Lázaro
Carreter, "Quevedo entre el amor y la muerte", en *Papeles de Son Armadans*, I, n.º 11 (1956), pp. 145 y ss.;
C. Blanco Aguinaga, "Cerrar podrá mis ojos... Tradición
y originalidad", en *Filología*, VIII (1962), pp. 57 y ss.;
A. Terry, art. cit., pp. 218 y ss. María Rosa Lida, en
"Para las fuentes de Quevedo", *Revista de Filología Hispánica*, I (1939), pp. 373-5, anota la presencia del soneto
de Camoens que comienza "Si el fuego que me enciende,
consumido", y del de Fernando de Herrera "Llevar me
puede bien la suerte mía".
5-8 Es decir, "mi llama amorosa atravesará el agua fría [del
Leteo] desafiando la ley severa del olvido, y no dejará la
memoria en la otra ribera [donde ha quedado el cuerpo,
que seguirá también amando]".

su cuerpo dejará, no su cuidado;
serán ceniza, mas tendrá sentido;
polvo serán, mas polvo enamorado.

104

AMANTE DESESPERADO DEL PREMIO
Y OBSTINADO EN AMAR

SONETO

¡Qué perezosos pies, qué entretenidos
pasos lleva la muerte por mis daños!
El camino me alargan los engaños
y en mí se escandalizan los perdidos.

Mis ojos no se dan por entendidos;   5
y por descaminar mis desengaños,
me disimulan la verdad los años
y les guardan el sueño a los sentidos.

Del vientre a la prisión vine en naciendo;
de la prisión iré al sepulcro amando,   10
y siempre en el sepulcro estaré ardiendo.

---

14 J. L. Borges, en *Otras Inquisiciones* (Buenos Aires, 1960),
p. 61, indica el antecedente posible de este bellísimo verso
en Propercio, Eleg. I, 19: "Ut meus oblito pulvis amore
jacet". Pero es idea muy acariciada por Quevedo. Comp.:

y el cuerpo, que de amor aun no se olvida,
en poca tierra, en sombra convertido,
hoy suspira; y se queja, enternecida,
la tumba negra donde está escondido.
Aun arden, de las llamas habitados,
sus huesos, de la vida despoblados. [...]
Fue mi vida a mis penas semejante:
amé muriendo, y vivo tierra amante.

N.º 425, vv. 43-8 y 55-6

4 "Auxesis [hipérbole], id est, *aun los perdidos*". GS.

Cuantos plazos la muerte me va dando,
prolijidades son, que va creciendo,
porque no acabe de morir penando.

105

EXHORTA A LOS QUE AMAREN, QUE NO SIGAN LOS PASOS
POR DONDE HA HECHO SU VIAJE *

SONETO

Cargado voy de mí: veo delante
muerte que me amenaza la jornada;
ir porfiando por la senda errada
más de necio será que de constante.

Si por su mal me sigue ciego amante   5
(que nunca es sola suerte desdichada),
¡ay!, vuelva en sí y atrás: no dé pisada
donde la dio tan ciego caminante.

Ved cuán errado mi camino ha sido;
cuán solo y triste, y cuán desordenado,   10
que nunca ansí le anduvo pie perdido;

pues, por no desandar lo caminado,
viendo delante y cerca fin temido,
con pasos que otros huyen le he buscado.

13 va creciendo] "Hácele verbo activo, y quiere decir *que va
   aumentando*". GS.
 * Véase, para los contactos de ciertos versos con otros de
   Petrarca, Ausias March y Boscán, J. G. Fucilla, *op. cit.*,
   pp. 200-201.

106

LAMENTACIÓN AMOROSA Y POSTRERO SENTIMIENTO
DE AMANTE

SONETO

No me aflige morir; no he rehusado
acabar de vivir, ni he pretendido
alargar esta muerte que ha nacido
a un tiempo con la vida y el cuidado.

Siento haber de dejar deshabitado   5
cuerpo que amante espíritu ha ceñido;
desierto un corazón siempre encendido,
donde todo el Amor reinó hospedado.

Señas me da mi ardor de fuego eterno,
y de tan larga y congojosa historia   10
sólo será escritor mi llanto tierno.

Lisi, estáme diciendo la memoria
que, pues tu gloria la padezco infierno,
que llame al padecer tormentos, gloria.

107

CONTINÚA LA SIGNIFICACIÓN DE SU AMOR CON LA
HERMOSURA QUE LE CAUSA, REDUCIÉNDOLE
A DOCTRINA PLATÓNICA

SONETO

Lisis, por duplicado ardiente Sirio
miras con guerra y muerte l'alma mía;
y en uno y otro sol abres el día,
influyendo en la luz dulce martirio.

1 *Sirio*, la estrella de ese nombre, pero aquí vale por 'estrella', 'ojo'.

Doctas sirenas en veneno tirio   5
con tus labios pronuncian melodía;
y en incendios de nieve hermosa y fría,
adora primaveras mi delirio.

Amo y no espero, porque adoro amando;
ni mancha al amor puro mi deseo,   10
que cortés vive y muere idolatrando.

Lo que conozco y no lo que poseo
sigo, sin presumir méritos, cuando
prefiero a lo que miro lo que creo.

108

PERSEVERA EN LA EXAGERACIÓN DE SU AFECTO AMOROSO
Y EN EL EXCESO DE SU PADECER

SONETO

En los claustros de l'alma la herida
yace callada; mas consume, hambrienta,
la vida, que en mis venas alimenta
llama por las medulas extendida.

Bebe el ardor, hidrópica, mi vida,   5
que ya, ceniza amante y macilenta,
cadáver del incendio hermoso, ostenta
su luz en humo y noche fallecida.

La gente esquivo y me es horror el día;
dilato en largas voces negro llanto,   10
que a sordo mar mi ardiente pena envía.

A los suspiros di la voz del canto;
la confusión inunda l'alma mía;
mi corazón es reino del espanto.

---

5 *veneno tirio*, los labios, por su rojo de púrpura de **Tiro**.

109

PROSIGUE EN EL MISMO ESTADO DE SUS AFECTOS

SONETO

Amor me ocupa el seso y los sentidos;
absorto estoy en éxtasi amoroso;
no me concede tregua ni reposo
esta guerra civil de los nacidos.

Explayóse el raudal de mis gemidos   5
por el grande distrito y doloroso
del corazón, en su penar dichoso,
y mis memorias anegó en olvidos.

Todo soy ruinas, todo soy destrozos,
escándalo funesto a los amantes   10
que fabrican de lástima sus gozos.

Los que han de ser, y los que fueron antes,
estudien su salud en mis sollozos,
y envidien mi dolor, si son constantes.

110

DESEA, PARA DESCANSAR, EL MORIR

SONETO

Mejor vida es morir que vivir muerto;
¡oh piedad!, en ti cabe gran fiereza,
pues mientes, apacible, tu aspereza
y detienes la vida al pecho abierto.

El cuerpo, que de l'alma está desierto   5
(ansí lo quiso Amor, de alta belleza),
de dolor se despueble y de tristeza:
descanse, pues, de mármoles cubierto.

En mí la crueldad será piadosa
en darme muerte, y sólo el darme vida   10
piedad será tirana y rigurosa.

illustrious

Y ya que supe amar esclarecida
virtud, siempre triunfante, siempre hermosa,
tenga paz mi ceniza presumida.

may my ashes have peace

111

AMANTE APARTADO, PERO NO AUSENTE, AMADOR DE
LA HERMOSURA DE L'ALMA, SIN OTRO DESEO

SONETO

remote

Puedo estar apartado, mas no ausente;
y en soledad, no solo; pues delante
asiste el corazón, que arde constante
en la pasión, que siempre está presente.

El que sabe estar solo entre la gente,   5
se sabe solo acompañar: que, amante,
la membranza de aquel bello semblante
a la imaginación se le consiente.

Yo vi hermosura y penetré la alteza
de virtud soberana en mortal velo: 10
adoro l'alma, admiro la belleza.

Ni yo pretendo premio, ni consuelo;
que uno fuera soberbia, otro vileza:
menos me atrevo a Lisi, pues, que al cielo.

am I insolent

3 *asiste,* está presente, como en el poema 2, v. 7.
7 *membranza,* recuerdo, de 'membrarse', que ya era para
Covarrubias "vocablo antiguo".

112

SONETO

Rizas en ondas ricas del rey Midas,
Lisi, el tacto precioso, cuanto avaro;
arden claveles en su cerco claro,
flagrante sangre, espléndidas heridas.

Minas ardientes, al jardín unidas,   5
son milagro de amor, portento raro,
cuando Hibla matiza el mármol paro
y en su dureza flores ve encendidas.

Esos que en tu cabeza generosa
son cruenta hermosura y son agravio   10
a la melena rica y vitoriosa,

dan al claustro de perlas, en tu labio,
elocuente rubí, púrpura hermosa,
ya sonoro clavel, ya coral sabio.

1 *ondas ricas del rey Midas,* el cabello rubio, ondulado.
Véase el soneto 91, v. 2.
5 *minas ardientes,* el mismo cabello rubio como el oro de
las minas.
7 *Hibla,* monte de Sicilia famoso por sus jardines, mieles
y flores.

113

SONETO

"Antes que el repelón" eso fue antaño:
ras con ras de Caín; o, por lo menos,
la quijada que cuentan los morenos
y ella, fueron quijadas en un año.

Secula seculorum es tamaño   5
muy niño, y el Diluvio con sus truenos;
ella y la sierpe son ni más ni menos;
y el rey que dicen que rabió, es hogaño.

No habia a la estaca preferido el clavo,
ni las dueñas usado cenojiles;   10
es más vieja que "Présteme un ochavo".

---

* "Es imitación de epigrammas griegos y latinos, de que
yo di muchos ejemplos en el preludio a Árbitro". GS.
Véase J. O. Crosby, "Quevedo, the Greek Anthology and
Horace", *Romance Philology*, XIX (1966), pp. 443 y ss.
1 Covarrubias, *Tes.*, indica que era proverbio: *"Repelar.*
Sacar el pelo, y particularmente de la cabeza, castigo que
suele dar a los muchachos. *Repelón,* el tal castigo". Proverbio: "Más viejo que el repelón".
2 *ras con ras*: "modo de hablar quando queremos significar
que una cosa está cerca de otra". Cov., *Tes.* Comp.: "El
alguacil decía que les había de poner ras con ras la casa
al menorete". *Cuento de cuentos,* OP, p. 798b.
3 *moreno,* negro. Comp.: "[Llaman] al negro moreno". *El
mundo por de dentro,* OP, p. 198b. "Yo he de hacer mi
gusto, y ándese la gaita por el lugar, que lo demás es
cosa de morenos", *Cuento de cuentos,* OP, p. 795. Parece,
por lo tanto, una frase hecha, cuyo valor ignoro.
8 *"Acordarse o ser del tiempo del Rey que rabió.* Phrase
con que se da a entender que una cosa es muy antigua".
Auts.
10 *cenojiles*: "la cinta con que se ata la media calça por
debaxo de la rodilla [...] Pero los de ciudad y Corte las
llaman ligas y ligagambas, que en nuestro vulgar vale ata-
piernas". Cov., *Tes.*

Seis mil años les lleva a los candiles;
y si cuentan su edad de cabo a cabo,
puede el guarismo andarse a buscar miles.

114

A UN HOMBRE DE GRAN NARIZ *

SONETO

Érase un hombre a una nariz pegado,
érase una nariz superlativa,
érase una alquitara medio viva,
érase un peje espada mal barbado;

era un reloj de sol mal encarado,   5
érase un elefante boca arriba,
érase una nariz sayón y escriba,
un Ovidio Nasón mal narigado.

Érase el espolón de una galera,
érase una pirámide de Egito,   10
los doce tribus de narices era;

érase un naricísimo infinito,
frisón archinariz, caratulera,
sabañón garrafal, morado y frito.

* "Los epigrammatarios griegos tropezaron mucho en las
narices grandes; y ansí fatigaron, con no poca agudeza,
a los narigudos muchas veces. En el lib. II de la Antología, cap. 13, se hallarán buen número de epigrammas que
prestaron el argumento a éste, y conceptos también". GS.
Vid. también el citado artículo de J. O. Crosby, pp. 493
y siguientes.
   Véase el comentario de F. Lázaro Carreter en "Sobre
la dificultad conceptista", *Estudios dedicados a D. Ramón
Menéndez Pidal*, VI (Madrid, 1956), pp. 376 y ss.
3 *alquitara,* alambique. "Narices alquitaras" se lee con mucha frecuencia en textos de Quevedo.
4 *peje,* pez. Comp.: "Yo soy el peje Osorio / y barbo de
la barba". N.º 971, vv. 79-80.
11 *tribu,* era voz con género masculino.
13 *frisón,* de caballo de Frisia, pero en Quevedo, 'gordo',
'grande', 'lucido'. Es palabra usadísima por don Francis-

115

SONETO

Ya los pícaros saben en Castilla
cuál mujer es pesada y cuál liviana,
y los bergantes sirven de romana
al cuerpo que con más diamantes brilla.

Ya llegó a tabernáculo la silla,   5
y, cristalina, el hábito profana
de la custodia, y temo que mañana
añadirá a las hachas campanilla.

Al trono en correones, las banderas
ceden en hacer gente, pues que toda   10
la juventud ocupan en hileras.

---

co. Comp.: "Traía todo ajuar de hipócrita: un rosario
con unas cuentas frisonas". Buscón, p. 190. "Habíalos
[piojos] frisones, y otros que se podían echar a las orejas
de un toro". Ibid., p. 201.
caratulera, no es voz registrada en los diccionarios. Auts.
define caratulero como "el que hace o vende carátulas",
pero aquí parece ser algo así como el molde para hacer
las carátulas o caretas.
14 garrafal: "epítheto que se aplica a cierta especie de guin-
das, mayores y más dulces que las regulares y ordinarias,
y por extensión, se dice de otras cosas que exceden de la
medida regular de las demás de su especie". Auts.
3 romana, la balanza llamada así.
5 Por los adornos de oro y de los vidrios de las ventani-
llas, y de otras partes.
8 Los lacayos acompañaban con hachas encendidas a los
señores que iban en sus sillas de mano.
9 trono de correones, las sillas, que se llevaban con correas
al hombro de los portantes.
11 Es decir, los jóvenes no se iban con las 'banderas' del
ejército, por acompañar a los señores y a las damas.

Una silla es pobreza de una boda,
pues, empeñada en oro y vidrïeras,
antes la honra que el chapín se enloda.

116

MUJER PUNTIAGUDA CON ENAGUAS *

SONETO

Si eres campana, ¿dónde está el badajo?;
si pirámide andante, vete a Egito;
si peonza al revés, trae sobrescrito;
si pan de azúcar, en Motril te encajo.

Si chapitel, ¿qué haces acá abajo?   5
Si de diciplinante mal contrito
eres el cucurucho y el delito,
llámente los cipreses arrendajo.

12-14 Como si dijera: "La silla de manos es tan rica que
    empobrece un matrimonio, una boda, y al tener que em-
    peñarla, se mancha la honra y no el chapín". *Chapín,* cal-
    zado con suelas de corcho. Comp.: "Los chapines son el
    afeite de las estaturas". *Epist.,* p. 265. "Añádese la esta-
    tura con el chapín, disimula con zonas de plata y bor-
    daduras ámbar y oro el corcho". *Providencia de Dios,*
    OP, p. 1250b.
  * A juzgar por el soneto, esas 'enaguas' son los 'guarda-
    infantes' de la época.
  2 Comp.: "[La mujer] viste en pirámide pomposa la dimen-
    sión de su persona, miente el bulto que la falta". *La pro-
    videncia de Dios,* OP, p. 1250b.
  3 *sobrescrito:* "es la inscripción que se pone en la cubierta
    de la carta para dirigirla". *Auts.* Supongo que don Fran-
    cisco alude a que la peonza al revés no puede moverse
    hacia ninguna parte y necesita que la lleven como una
    carta.
  4 *pan de azúcar,* lo mismo que "pilón de azúcar": "azúcar
    congelado y unido en un molde redondo, que va subien-
    do en disminución hasta el remate". *Auts.* Motril llevaba
    fama por su "pescado, vino y açúcar", según Covarrubias.
  8 *arrendajo,* ave parecida al cuervo.

Si eres punzón, ¿por qué el estuche dejas?
Si cubilete, saca el testimonio;   10
si eres coroza, encájate en las viejas.

Si büida visión de San Antonio,
llámate doña Embudo con guedejas;
si mujer, da esas faldas al demonio.

117

HASTÍO DE UN CASADO AL TERCERO DÍA

SONETO

Antiyer nos casamos; hoy querría,
doña Pérez, saber ciertas verdades:
decidme, ¿cuánto número de edades
enfunda el matrimonio en sólo un día?

Un antiyer, soltero ser solía,   5
y hoy, casado, un sin fin de Navidades
han puesto dos marchitas voluntades
y más de mil antaños en la mía.

---

9 *estuche*: "caxa pequeña donde se traen las herramientas
de tixeras, cuchillo, punçón y las demás pieças". Cov.,
Tes. Comp.: "Nos acostamos en dos camas, tan juntos
que parecíamos herramienta en estuche". *Buscón*, p. 169.
10 *cubilete*, significaba varias cosas: vaso que usaban los
pasteleros para "cuajar dentro dellos la carne picada";
vaso para beber; especie de pastel "redondo y alto", y
los "vasitos en que se echan los dados". *Auts.*
11 *coroza*: "cierto género de capirote o cucurucho [...] que
se pone en la cabeça por castigo". *Auts.* Los jueces con-
denaban a las viejas alcahuetas a llevar 'corozas' o por
otro nombre 'mitras'. En Quevedo abundan las referencias
a las viejas 'encorozadas'. "A estos miserables les ponen
las corozas para que sean mejor vistos y se distingan de
los demás". Cov., *Tes.*

Esto de ser marido un año arreo,
aun a los azacanes empalaga: 10
todo lo cotidiano es mucho y feo.

Mujer que dura un mes, se vuelve plaga;
aun con los diablos fue dichoso Orfeo,
pues perdió la mujer que tuvo en paga.

118

CASAMIENTO RIDÍCULO

SONETO

Trataron de casar a Dorotea
los vecinos con Jorge el extranjero,
de mosca en masa gran sepulturero,
y el que mejor pasteles aporrea.

Ella es verdad que es vieja, pero fea;   5
docta en endurecer pelo y sombrero;
faltó el ajuar, y no sobró dinero,
mas trújole tres dientes de librea.

Porque Jorge después no se alborote
y tabique ventanas y desvanes,   10
hecho tiesto de cuernos el cogote,

---

9 *arreo,* sin interrupción, sucesivamente. Comp.: "Me la ha
  sabido pedir cada día, dos meses arreo". *El caballero de
  la Tenaza,* OP, p. 41a.
10 *azacán*: "es el que trae o administra el agua. Nombre
  arábigo usado en la ciudad de Toledo". Cov., *Tes.*
14 "En pago de su canto". GS.
3 Comp.: "¡Cuántas veces [en el pastel] pasó por pasa la
  mosca golosa!" *El sueño del infierno,* OP, p. 179a. En
  Quevedo abundan las referencias a los pasteles y pasteleros. Véase, por ejemplo, *El sueño del Juicio final,* OP,
  p. 162a.
6 Docta en hacer cornudos.
8 *dientes de librea,* de regalo, porque los señores regalaban
  las libreas a sus servidores.

con un guante, dos moños, tres refranes
y seis libras de zarza, llevó en dote
tres hijas, una suegra y dos galanes.

119

EPITAFIO DE UNA DUEÑA,
QUE IDEA TAMBIÉN PUEDE SER DE TODAS

SONETO

Fue más larga que paga de tramposo;
más gorda que mentira de indïano;
más sucia que pastel en el verano;
más necia y presumida que un dichoso;

más amiga de pícaros que el coso;   5
más engañosa que el primer manzano;
más que un coche alcahueta; por lo anciano,
más pronosticadora que un potroso.

---

13 *zarza*, la zarzaparrilla, usada en Medicina, especialmente
en las enfermedades venéreas. Comp.:

> Dentro de muy pocos años
> le llegará su agüelismo:
> si yo la alcanzo de bubas,
> juntaremos zarza y gritos.
>
> N.º 753, vv. 97-100

7 Quevedo escribe más de una vez sobre la 'alcahuetería' de
los coches. Así, por ejemplo, en el romance 779, "Sátira
a los coches", vv. 17-20, dice uno:

> Acúsome en alta voz
> —dijo— que ha un año que sirvo
> de usurpar a las terceras
> sus derechos y su oficio.

8 *potroso*, de 'potra', hernia. (Alude a que los cambios de
tiempo se acusaban con dolores, de ahí 'pronosticadora').
Comp.: "sueño en pie, vejiga empedrada, y el músico de
braguero que se sigue luego, que canta pronóstico, astró-
logo del orinal". *Discurso de todos los diablos, OP,*
p. 243b.

Más charló que una azuda y una aceña,
y tuvo más enredos que una araña;   10
más humos que seis mil hornos de leña.

De mula de alquiler sirvió en España,
que fue buen noviciado para dueña:
y muerta pide, y enterrada engaña.

120

CALVO QUE NO QUIERE ENCABELLARSE

SONETO

Pelo fue aquí, en donde calavero;
calva no sólo limpia, sino hidalga;
háseme vuelto la cabeza nalga:
antes greguescos pide que sombrero.

Si, cual calvino soy, fuera Lutero,   5
contra el fuego no hay cosa que me valga;
ni vejiga o melón que tanto salga
el mes de agosto puesta al resistero.

Quiérenme convertir a cabelleras
los que en Madrid se rascan pelo ajeno,   10
repelando las otras calaveras.

1 *calavero,* de 'calaverear', que "vale también ponerse calvo,
  cayéndose el pelo. Es voz inventada y jocosa". *Auts.,* que
  aduce este verso como testimonio.
2 *limpia,* juego de voces con "limpia de sangre".
4 *greguescos,* especie de calzones anchos, usados en los siglos
  XVI y XVII.
8 "A la luz". GS. *Resistero*: "el tiempo de medio día hasta
  las dos en el verano, cuando el sol hiere con mayor
  fuerça". Cov., *Tes.*
11 En Quevedo abundan mucho las alusiones al uso de las
  pelucas. Véase el poema 158, por ejemplo.

Guedeja réquiem siempre la condeno;
gasten caparazones sus molleras:
mi comezón resbale en calvatrueno.

121

FELICIDAD BARATA Y ARTIFICIOSA DEL POBRE

SONETO

Con testa gacha toda charla escucho;
dejo la chanza y sigo mi provecho;
para vivir, escóndome y acecho,
y visto de paloma lo avechucho.

Para tener, doy poco y pido mucho;   5
si tengo pleito, arrímome al cohecho;
ni sorbo angosto ni me calzo estrecho:
y cátame que soy hombre machucho.

Niego el antaño, píntome el mostacho;
pago a Silvia el pecado, no el capricho;   10
prometo y niego: y cátame muchacho.

Vivo pajizo, no visito nicho;
en lo que ahorro está mi buen despacho:
y cátame dichoso, hecho y dicho.

14 *calvatrueno,* calva grande y "vocablo grossero y aldeano;
por la cabeça atronada del que es bozinglero y hablador,
alocado y vazío de cascos". Cov., *Tes.* (Véase el v. 33
del poema 158.)
1 Nótense las rimas.
12 *vivo pajizo,* vivo humildemente, en una choza de paja?
No visito nicho, no visito personas importantes. (*Nicho*:
"Concavidad formada artificialmente [...] para colocar en
ella alguna estatua o cosa semejante". *Auts.*

122

BEBE VINO PRECIOSO CON MOSQUITOS DENTRO

SONETO

Tudescos moscos de los sorbos finos,
caspa de las azumbres más sabrosas,
que porque el fuego tiene mariposas,
queréis que el mosto tenga marivinos;

aves luquetes, átomos mezquinos,   5
motas borrachas, pájaras vinosas,
pelusas de los vinos invidiosas,
abejas de la miel de los tocinos;

liendres de la vendimia, yo os admito
en mi gaznate, pues tenéis por soga   10
al nieto de la vid, licor bendito.

Tomá en el trago hacia mi nuez la boga;
que, bebiéndoos a todos, me desquito
del vino que bebistes y os ahoga.

1 *Tudescos moscos,* porque los alemanes dejaron fama de
buenos bebedores desde el reinado de Carlos V.
4 *marivinos,* creación quevedesca, calco de 'mariposas'.
5 *luquete,* rodajita de limón o naranja que se echaba en el
vino.
8 Con el tocino blanco y salado se solía beber mucho vino ;
la "miel de los tocinos" es, por lo tanto, el vino. Comp. :

"—Y el tocino, ¿por qué lo vedaste [...]

—Eso hícelo por no hacer agravio al vino, que lo
fuera comer torreznos y beber agua, aunque yo vino y
tocino gastaba".

El sueño del Infierno, OP, p. 194a.

10 tenéis] "En vuestro gaznate ; ansí luego en el fin : *y os
ahoga".* GS.
11 *nieto de la vid,* el vino, hijo de la uva.
12 *Tomá,* tomad, imperativo muy frecuente en la época.
Boga, la acción de bogar o remar.
14 El soneto tiene un desarrollo muy parecido al de la décima 817, también dedicada "Al mosquito del vino":

123

AL MOSQUITO DE LA TROMPETILLA

SONETO

Ministril de las ronchas y picadas,
mosquito postillón, mosca barbero,
hecho me tienes el testuz harnero,
y deshecha la cara a manotadas.

Trompetilla, que toca a bofetadas,   5
que vienes con rejón contra mi cuero,
Cupido pulga, chinche trompetero,
que vuelas comezones amoladas,

¿por qué me avisas, si picarme quieres?
Que pues que das dolor a los que cantas,   10
de casta y condición de potras eres.

Tú vuelas, y tú picas, y tú espantas,
y aprendes del cuidado y las mujeres
a malquistar el sueño con las mantas.

Mota borracha, golosa,
de sorbos ave luquete;
mosco irlandés del sorbete
y del vino mariposa.
De cuba rana vinosa,
liendre del tufo más fino,
y de la miel del tocino
abeja, zupia mosquito:
yo te bebo, y me desquito
lo que me bebes de vino.

1 *Ministril,* el que tocaba instrumentos de boca.
11 *potras,* hernias. Véase el poema 119, v. 8.
14 Compárese con la décima "Al mosquito de trompetilla",
n.º 816:

Saturno alado, rüido
con alas, átomo armado,
bruja ave, aguijón alado,
cruel sangrador zumbido,
menestril pulga, Cupido

124

A UN TRATADO IMPRESO QUE UN HABLADOR ESPELUZNADO
DE PROSA HIZO EN CULTO

SONETO

Leí los rudimentos de la aurora,
los esplendores lánguidos del día,
la pira y el construye y ascendía,
y lo purpurizante de la hora;

el múrice, y el tirio, y el colora,   5
el sol cadáver, cuya luz yacía,
y los borrones de la sombra fría,
corusca luna en ascua que el sol dora;

la piel del cielo cóncavo arrollada,
el trémulo palor de enferma estrella,   10
la fuente de cristal bien razonada.

Y todo fue un entierro de doncella,
dotrina muerta, letra no tocada,
luces y flores, grita y zacapella.

---

clarín, chinche trompetero;
no toques, mosca barbero,
que, mosquito postillón,
le vienes a dar rejón,
sin ser marido, a mi cuero.

8 *corusca,* resplandeciente.
10 *palor,* blancura, palidez.
14 *zacapella,* riña o contienda, con ruido y bulla. Comp.:
"No ha de ser esto —dijo— zacapella; / yo quiero responder por la doncella". *Orlando,* I, 583-4.

125

PRONUNCIA CON SUS NOMBRES LOS TRASTOS
Y MISERIAS DE LA VIDA *

SONETO

La vida empieza en lágrimas y caca,
luego viene la *mu,* con *mama* y *coco,*
síguense las viruelas, baba y moco,
y luego llega el trompo y la matraca.

En creciendo, la amiga y la sonsaca;   5
con ella embiste el apetito loco;
en subiendo a mancebo, todo es poco,
y después la intención peca en bellaca.

Llega a ser hombre, y todo lo trabuca;
soltero sigue toda perendeca;   10
casado se convierte en mala cuca.

Viejo encanece, arrúgase y se seca;
llega la muerte, y todo lo bazuca,
y lo que deja paga, y lo que peca.

---

* Véase en el *Discurso de todos los diablos,* OP, pp. 242-3,
una descripción muy parecida a este soneto.
1 Comp.: "La vida en todos comienza con los accidentes de
la muerte, que son las lágrimas". *Epist.,* p. 317.
2 Comp.: "La mu llaman al sueño las mujeres, y el mu al
que se duerme". *Discurso de todos...,* OP, p. 243a.
    La voz *mama* no se acentuaba como hoy. Comp.: "pa-
gando un bautismo, sufriendo amas, oyendo taita, llorando de risa por las barbas abajo de que dijo coco, mama".
Discurso de todos..., OP, p. 242ab.
5 *sonsaca,* estafa. Comp.: "¿Qué curiosidad te da / de examinar mi sonsaca?". N.º 847, vv. 21-22.
10 *perendeca,* ramera.
11 "Alude al cu cu". GS. (Quiere decir que alude al cuclillo,
que pone sus huevos en nido ajeno). Comp.: "y ahora
nos hallamos en los infiernos condenados cuquillos". *Discurso de todos...,* OP, p. 242b.
13 *bazuca,* revuelve.

126

A DAFNE, HUYENDO DE APOLO

SONETO

"Tras vos, un alquimista va corriendo,
Dafne, que llaman Sol, ¿y vos, tan cruda?
Vos os volvéis murciégalo sin duda,
pues vais del Sol y de la luz huyendo.

"Él os quiere gozar, a lo que entiendo,   5
si os coge en esta selva tosca y ruda:
su aljaba suena, está su bolsa muda;
el perro, pues no ladra, está muriendo.

"Buhonero de signos y planetas,
viene haciendo ademanes y figuras,   10
cargado de bochornos y cometas."

Esto la dije; y en cortezas duras
de laurel se ingirió contra sus tretas,
y, en escabeche, el Sol se quedó a escuras.

2 Dafne fue perseguida por Apolo y los dioses la convir-
tieron en laurel.
3 *murciégalo*, forma frecuente en la época.
14 Porque en el escabeche se suelen poner unas hojas de
laurel.

127

MÉDICO QUE PARA UN MAL QUE NO QUITA,
RECETA MUCHOS *

SONETO

La losa en sortijón pronosticada
y por boca una sala de vïuda,
la habla entre ventosas y entre ayuda,
con el "Denle a cenar poquito o nada".

La mula, en el zaguán, tumba enfrenada;   5
y por julio un "Arrópenle si suda;
no beba vino; menos agua cruda;
la hembra, ni por sueños, ni pintada".

Haz la cuenta conmigo, dotorcillo:
para quitarme un mal, ¿me das mil males?   10
¿Estudias medicina o Peralvillo?

¿De esta cura me pides ocho reales?
Yo quiero hembra y vino y tabardillo,
y gasten tu salud los hospitales.

* Para los médicos, tan zaheridos por Quevedo, véase ahora
M. Loreta Rovatti, "Saggio di un repertorio di arte e
mestieri nei *Sueños* di Quevedo", en *Venezia nella letteratura spagnola e altri studi barochi* (Padova, 1973), pp. 168-
197.
1 Comp.: "sortijón en el pulgar, con piedra tan grande, que
cuando toman el pulso pronostican al enfermo la losa".
El sueño de la Muerte, OP, p. 208b.
2 Es decir, el médico, al hablar, creaba la sala donde se
retiraba la viuda a llorar, como en este ejemplo: "La
cuitada estaba en un aposento, sin luz alguna, lleno de
bayetas, donde lloraban a tiento". *El mundo por de dentro, OP*, p. 200b.
3 *ayuda*: "medicamento [e instrumento] que se usa para
exonerar el vientre". *Auts.*
5 Comp.: "Fueron entrando unos médicos a caballo en
unas mulas que con gualdrapas negras parecían tumbas
con orejas". *El sueño de la Muerte, OP*, p. 208b. Véase
también el romance que comienza "Tres mulas de tres
doctores", n.º 735.
13 *tabardillo*, tifus, como en el verso 28 del poema 175.

128

VIEJA VERDE, COMPUESTA Y AFEITADA *

SONETO

Vida fiambre, cuerpo de anascote,
¿cuándo dirás al apetito "¡Tate!",
si cuando el *Parce mihi* te da mate
empiezas a mirar por el virote?

Tú juntas, en tu frente y tu cogote,   5
moño y mortaja sobre seso orate;
pues, siendo ya viviente disparate,
untas la calavera en almodrote.

Vieja roñosa, pues te llevan, vete;
no vistas el gusano de confite,   10
pues eres ya varilla de cohete.

Y pues hueles a cisco y alcrebite,
y la podre te sirve de pebete,
juega con tu pellejo al escondite.

---

* *afeitada,* con afeites. Comp.: "[Plutón], con su cara afeitada con hollín y pez". *La hora de todos,* OP, p. 268a.

1 *anascote,* tela basta de lana, que usaban para sus hábitos algunas órdenes religiosas y las mujeres de ciertas regiones.

2 *¡Tate!*: "Interj. con que se advierte a alguno no prosiga lo que ha empezado, o se le avisa se libre de algún riesgo que le amenaza prontamente". *Auts.*

3 *Parce mihi*: "La primera lección del oficio de Difuntos, que empieza con esta voz. Úsanla en el estilo festivo para aludir a la muerte o entierro". *Auts.*

4 *mirar por el virote*: "es atender cada uno con vigilancia a lo que ha de hazer". Cov., *Tes.* Comp.: "Cada uno mire por el virote —dijo el guardián—, pues ha de ir todo a moler". *Cuento de cuentos,* OP, p. 798b.

6 *orate,* loco, ido, como en el v. 116 del poema 55.

8 *almodrote*: "cierta salsa que se haze de azeyte, ajos, queso y otras cosas". Cov., *Tes.*

12 *alcrebite,* azufre. Comp.: "[Plutón], bien zahumado con alcrebite y polvora". *La hora de todos,* OP, p. 268a.

13 *pebete*: "es una vírgula aromática conficionada de polvos odoríferos, que encendida echa de sí un humo odorífero". Cov., *Tes.*

129

PINTA EL "AQUÍ FUE TROYA" DE LA HERMOSURA

SONETO

Rostro de blanca nieve, fondo en grajo;
la tizne, presumida de ser ceja;
la piel, que está en un tris de ser pelleja;
la plata, que se trueca ya en cascajo;

habla casi fregona de estropajo;   5
el aliño, imitado a la corneja;
tez que, con pringue y arrebol, semeja
clavel almidonado de gargajo.

En las guedejas, vuelto el oro orujo,
y ya merecedor de cola el ojo,   10
sin esperar más beso que el del brujo.

Dos colmillos comidos de gorgojo,
una boca con cámaras y pujo,
a la que rosa fue vuelven abrojo.

7 *arrebol*: "el color que se pone la mujer en el rostro,
llamado assi por ser de color encarnado". *Auts.*
10-11 Le tacha de bruja. Comp.: La madre del Buscón, "dícese
que daba paz cada noche a un cabrón en el ojo que no
tiene niña". *Buscón*, p. 93.
13 *cámaras*, diarrea. Comp.: "Supo [el conde de Cabra] que
yo estaba en la cama, vino a verme y estúvose conmigo
tres horas. Y aquella noche le dieron cámaras de sangre
con una gran calentura". *Epist.*, p. 381. *Pujo*, deposición
sanguinolenta, o de moco y sangre.

130

SONETO

La edad, que es lavandera de bigotes
con las jabonaduras de los años,
puso en mis barbas a enjugar sus paños,
y dejó mis mostachos Escariotes.

Yo guiso mi niñez con almodrotes   5
y mezclo pelos rojos y castaños:
que la nieve que arrojan los antaños
aun no parece bien en los cogotes.

Mejor es cuervo hechizo que canario;
mi barba es el cienvinos todo entero,   10
tinto y blanco, y verdea y letuario.

Negra fue siempre, negra fue primero;
jalbególa después el tiempo vario:
luego es restitución la del tintero.

---

4 *mostachos Escariotes,* mostachos enrojecidos, por el color
   bermejo que se atribuía a Judas. Véase más adelante el
   v. 148 del poema 181.
10 *cienvinos,* por la mezcla del verso siguiente.
11 *verdea*: "especie de vino llamado assí porque tira algo a
   verde claro". *Auts.*, que cita este mismo verso. *Letuario*:
   "cierto género de conservas que hazen los boticarios y las
   guardan en botes". Cov., *Tes.*

131

BODA DE MATADORES Y MATADURAS; ESTO ES, UN
BOTICARIO CON LA HIJA DE UN ALBÉITAR

SONETO

Viendo al martirologio de la vida
con música bailar, y viendo al preste,
dije: "Sin duda hay nuevas de la peste,
o la epidemia viene bien podrida".

Supe que era una boda entretejida 5
de albéitar y botica, en que la hueste
de Hipócrates, unánime y conteste,
'¡Calavera!' por '¡Himen!' apellida.

El barbero tocaba el punteado
de la lanceta en guitarrón parlero; 10
de bote en bote el novio está atestado.

El dote es mataduras en dinero;
y el médico, de barbas enfaldado,
bailaba el *Rastro* siendo el *Matadero*.

1 *martirologio de la vida,* el médico. Comp.:
   [el tabaco], por Indias gradüado,
   sin el martirologio de la vida,
   de sólo un papelillo acompañado.
         N.º 524, vv. 9-11.
8 *Himen,* dios nupcial, cuyo nombre se gritaba en las bodas romanas.
9-10 Los barberos sangraban con la lanceta, y llevaban fama
 de ser muy aficionados a rasguear la guitarra. *Punteado,* de 'puntear': "tocar la vihuela, hiriendo determinadas
 cuerdas, cada una con un dedo". *Auts.*
13 *enfaldado,* de 'enfaldar': "recoger las faldas para andar
 más desembuelto". Cov., *Tes.*
14 Dos bailes de la época.

132

A UN HIPÓCRITA DE PERENNE VALENTÍA

SONETO

Su colerilla tiene cualquier mosca;
sombra, aunque poca, hace cualquier pelo;
rápesele del casco y del cerbelo:
que teme nadie catadura hosca.

La vista arisca y la palabra tosca;   5
rebosando la faz libros del duelo,
y por mostachos, de un vencejo el vuelo;
ceja serpiente, que al mirar se enrosca.

Todos son trastos de batalla andante
u de epidemia que discurre aprisa: 10
muertos atrás y muertos adelante.

Si el demonio tan mal su bulto guisa,
el moharrache advierta, mendicante,
que pretende dar miedo, y que da risa.

---

3 *cerbelo*, cerebro, cabeza.
6 *libros del duelo*, las reglas observadas en los duelos, de
  los que nunca fue partidario Quevedo. Comp.: "Este disparate sangriento, esta rabia facinorosa, esta furia delincuente en lo divino y humano, que se intitula *Libro del
  duelo*, tiene la infamia de su decendencia tan antigua
  como el mundo". *Providencia de Dios*, OP, p. 1261a.
  "Précianse de muy doctos en el Alcorán de la valentía,
  llamado *Libro del duelo. Vida de la Corte*, OP, p. 22a.
13 *moharrache*: "el que se disfraza ridículamente en alguna
  función, para alegrar y entretener a otros, haciendo gestos, ademanes y muecas ridículas". *Auts.* Comp.: "Cleo-
  medes dice que Epicuro [...] afirmó que [el sol] no era
  mayor de lo que se vía; y por este desatino le llama el
  Thersite de los filósofos, como si dijera el moharrache".
  Providencia de Dios, OP, p. 1247b.

133

PECOSA Y HOYOSA Y RUBIA

SONETO

Pecosa en las costumbres y en la cara,
podéis entre los jaspes ser hermosa,
si es que sois salpicada y no pecosa,
y todo un sarampión, si se repara.

Vestís de tabardillo la antipara;   5
si las alas no son de mariposa,
es piel de tigre lo que en otras rosa:
pellejo de culebra os pintipara.

Hecha panal con hoyos de viruelas,
sacabocados sois de zapatero,   10
o cera aporreada con las muelas.

Malas manchas tenéis en ese cuero;
lo rubio es de candil, no de candelas;
la cara, en fin, lamprea en un harnero.

---

5 *antipara*: "el cancel, biombo u otra cosa que está puesta
delante de otra para encubrirla". *Auts.* Quevedo llama a
cierto manto "antipara de pecados", n.º 687, v. 52.
10 *sacabocados*, instrumento con que se hacen orificios en
el cuero.
12 *cuero*, piel.
13 Alude a la frase popular "Más rubio que unas candelas".
Es decir, lo rubio es artificial, como el oropel o latón del
candil, no natural.

134

SONETO

Alma de cuerpos muchos es severo
vuestro estudio, a quien hoy su honor confía
la patria, ¡oh, don Joseph!, que en librería
cuerpos sin alma tal, más es carnero.

No es erudito, que es sepulturero,   5
quien sólo entierra cuerpos noche y día;
bien se puede llamar libropesía
sed insaciable de pulmón librero.

Hombres doctos de estantes y habitantes,
en nota de procesos y escribanos,   10
los podéis gradüar por estudiantes.

Libros cultos, de fuera cortesanos,
dentro estraza, dotoran ignorantes
y hacen con tablas griegos los troyanos.

* Habla González de Salas.
1 *cuerpos,* volúmenes, libros.
5 Comp. "Los letrados todos tienen un cimenterio por librería, y por ostentación andan diciendo: 'Tengo tantos cuerpos'. Y es cosa brava que las librerías de los letrados todas
son cuerpos sin almas". *El sueño de la Muerte,* OP,
p. 218a.
12 cultos] "Todo es alegoría". GS.
14 "Con tablas los troyanos, en donde alude con burla a las
tablas del caballo de Troya". GS. (Por la abundancia
de tablas o estantes de la biblioteca.)

135

PROTESTAS DEL CORNUDO PROFESO

"¿Es más cornudo el Rastro que mi agüelo,
o conoce Segovia más señores?
¿No es toda mi cabeza calzadores,
tinteros y linternas, barba y pelo?

"¿Háseme conocido algún recelo   5
(aun burlando) jamás en mis amores?
Pues en lo que es mullir los pretensores,
mis hermanas dirán si duermo o velo.

"Llamen a dos que entiendan de cornudo;
y si yo para serlo no valiere,   10
tasándolo más que él, llámenme honrado."

Dijo Fermín, hallándose desnudo,
y viendo que sin causa le prefiere
un cornudo novicio a un profesado.

3-4 Los calzadores, los tinteros y las linternas se hacían de
cuerno. En Quevedo abundan las referencias de este tipo.
Comp.: "calvos de amigas, que son todos los calzadores
con que una frente calza el cuerno que le revienta en las
sienes". *Discurso de todos...*, OP, p. 242a. "Marfil llama
al cuerno, sin dejar su derecho a salvo a los tinteros y
cabos de cuchillo". *Perinola*, OP, 875a. "El primero que
crió debajo del sombrero vidrieras de lanternas". *El sueño
de la Muerte*, OP, p. 229b.
9 Comp.: "no había de ser cornudo ninguno que no tuviese
su carta de examen, aprobada por los protocornudos y
amurcones generales". *Carta de un cornudo...*, OP, p. 47a.

136

SONETO

Volver quiero a vivir a trochimoche,
y ninguno me apruebe ni me tache
el volver de privado a moharrache,
si no lo ha sido todo en una noche.

Mesa y caricia, y secretillo y coche   5
trueco yo a quien me sufra y me emborrache,
y ruéganme con este cambalache
los que saben decir 'aroga' y 'zoche'.

Con la fortuna el ambicioso luche,
y a los malsines y a la envidia peche,   10
y para otro mayor ladrón ahúche;

que yo, porque la vida me aproveche,
por si hay algún bellaco que me escuche,
tanto estaré contento cuanto arreche.

137

A UN HOMBRE CASADO Y POBRE

SONETO

Ésta es la información, éste el proceso
del hombre que ha de ser canonizado,
en quien, si advierte el mundo algún pecado,
admiró penitencia con exceso.

---

1 *a trochimoche,* como a "trochemoche", que "corresponde
a disparatada e inconsideradamente, sin reparo ni consideración alguna". *Auts.* (Nótense las rimas.)
8 Desconozco qué pueden significar 'aroga' y 'zoche'.
10 *peche,* de 'pechar', pagar.
11 *ahuche,* ahorre, de 'hucha'.
14 *arreche,* de 'arrechar', que *Auts.* define como "enhestar,
poner derecha, erguida y tiesa alguna cosa".

Diez años en su suegra estuvo preso,   5
a doncella, y sin sueldo, condenado;
padeció so el poder de su cuñado;
tuvo un hijo no más, tonto y travieso.

Nunca rico se vio con oro o cobre;
siempre vivió contento, aunque desnudo;   10
no hay descomodidad que no le sobre.

Vivió entre un herrador y un tartamudo;
fue mártir, porque fue casado y pobre;
hizo un milagro, y fue no ser cornudo.

138

A UNA VIEJA, DEL MISMO

En cuévanos, sin cejas y pestañas,
ojos de vendimiar tenéis, agüela;
cuero de Fregenal, muslos de suela;
piernas y coño son toros y cañas.

Las nalgas son dos porras de espadañas;   5
afeitáis la caraza de chinela
con diaquilón y humo de la vela,
y luego dais la teta a las arañas.

1 *cuévanos*, cestos en que se traslada la uva en la vendimia.
  Recuérdese que el dómine Cabra tenía "los ojos avecindados en el cogote, que parecía que miraba por cuévanos".
  Buscón, p. 32.
3 Fregenal de la Sierra llevaba fama por sus cueros.
5 *espadaña*: "yerva conocida, que nace abundantemente en
  las lagunas y orillas de arroyos empantanados; su talle
  no tiene ñudo y parécese mucho al del junco". Cov., *Tes.*
6 *chinela*, especie de zapatilla.
7 *diaquilón*: "cierta manera de emplasto o cerote que se
  pone para cerrar las heridas y enjugarlas". Cov. *Tes.*
  Comp.: "todos los que vivían en el pupilaje de antes,
  estaban como leznas, con unas caras que parecía que se
  afeitaban con diaquilón". *Buscón*, págs. 35-6.

No es tiempo de guardar a niños, tía;
guardad los mandamientos, noramala;   10
no os dé San Jorge una lanzada un día.

Tumba os está mejor que estrado y sala;
cecina sois en hábito de arpía,
y toda gala en vos es martingala.

139

LETRILLA SATÍRICA

Sabed, vecinas,
que mujeres y gallinas
todas ponemos:
unas cuernos y otras huevos.

Viénense a diferenciar   5
la gallina y la mujer,
en que ellas saben poner,
nosotras sólo quitar.
Y en lo que es cacarear
el mismo tono tenemos.   10
Todas ponemos:
unas cuernos y otras huevos.

Docientas gallinas hallo
yo con un gallo contentas;
mas, si nuestros gallos cuentas,   15
mil que den son nuestro gallo.
Y cuando llegan al fallo,
en cuclillos los volvemos.
Todas ponemos:
unas cuernos y otras huevos.   20

---

12 *estrado*: "es el lugar donde las señoras se asientan sobre
  cogines y reciben las visitas". Cov., *Tes.*
14 *martingalas,* cada una de las calzas que llevaban los hombres de armas debajo de los quijotes.
18 *cuclillos,* véase la nota en el v. 11 del poema 125.

En gallinas regaladas
tener pepita es gran daño,
y en las mujeres de hogaño
lo es el ser despepitadas.
Las viejas son emplumadas   25
por darnos con que volemos.
Todas ponemos:
unas cuernos y otras huevos.

140

LETRILLA SATÍRICA

[Con su pan se lo coma]

Que el viejo que con destreza
se ilumina, tiñe y pinta,
eche borrones de tinta
al papel de su cabeza;   5
que enmiende a Naturaleza,
en sus locuras protervo;
que amanezca negro cuervo,
durmiendo blanca paloma,
con su pan se lo coma.   10

Que campe la muy traída
de que la ven distraerse,
cuando de ninguno verse
puede, por aborrecida;
que se case envejecida   15
para concebir cada año,
no concibiendo el engaño
del que por mujer la toma,
con su pan se lo coma.

22 *pepita,* enfermedad de las gallinas.
25 "A las alcahuetas acostumbran desnudarlas de medio cuerpo arriba y untadas con miel, las siembran de plumas
menudas, que parecen monstruos, medio aves, medio mugeres". Cov., *Tes.*

Que mucha conversación, 20
que es causa de menosprecio,
en la mujer del que es necio
sea de más precio ocasión;
que case con bendición
la blanca con el cornado, 25
sin que venga dispensado
el parentesco de Roma,
con su pan se lo coma.

Que en la mujer deslenguada
(que a tantos hartó la gula) 30
hurte su cara a la Bula
el renombre de Cruzada;
que ande siempre persinada
de puro buena mujer;
y Calvario quiera ser 35
cuando en los vicios Sodoma,
con su pan se lo coma.

Que el sastre que nos desuella
haga, con gran sentimiento,
en la uña el testamento 40
de lo que agarró con ella;
que deba tanto a su estrella,
que las faltas en sus obras
sean para su casa sobras,
mientras la muerte no asoma, 45
con su pan se lo coma.

---

25 Juegos de voces entre la moneda de escaso valor llamada
'blanca' y la muchacha; *cornado* es también moneda de
poco valor y 'cornudo'.
31-32 "Se llama oy Bula de la Santa Cruzada la que su Santidad
concede a los Reinos de España, por razón de la guerra
que se hace a los infieles". *Auts.* Nótese que aquí es un
juego de voces con "cruzar la cara".

141

[*Chitón*]

Santo silencio profeso:
no quiero, amigos, hablar;
pues vemos que por callar
a nadie se hizo proceso.   5
Ya es tiempo de tener seso:
bailen los otros al son,
        chitón.

Que piquen con buen concierto
al caballo más altivo   10
picadores, si está vivo,
pasteleros, si está muerto;
que con hojaldre cubierto
nos den un pastel frisón,
        chitón.   15

Que por buscar pareceres
revuelvan muy desvelados
los Bártulos los letrados,
los abades sus mujeres.
Si en los estrados las vieres   20
que ganan más que el varón,
        chitón.

Que trague el otro jumento
por doncella una sirena
más catada que colmena,   25

---

12 Los pasteles llevaban fama de estar hechos con carnes de
   muy diversa procedencia.
18 El célebre jurisconsulto de Bolonia Bártolo de Sasoferrato,
   cuyas obras fueros muy leídas y citadas y cuyo nombre
   ha pasado a la fraseología popular.

más probada que argumento;
que llame estrecho aposento
donde se entró de rondón,
    chitón.

Que pretenda el maridillo,   30
de puro valiente y bravo,
ser en una escuadra cabo,
siendo cabo de cuchillo;
que le vendan el membrillo
que tiralle era razón,   35
    chitón.

Que duelos nunca le falten
al sastre que chupan brujas;
que le salten las agujas,
y a su mujer se las salten;   40
que sus dedales esmalten
un doblón y otro doblón,
    chitón.

Que el letrado venga a ser
rico con su mujer bella,   45
más por buen parecer della,
que por su buen parecer,
y que por bien parecer
traiga barba de cabrón,
    chitón.   50

Que tonos a sus galanes
cante Juanilla estafando,
porque ya piden cantando
las niñas, como alemanes;
que en tono, haciendo ademanes,   55
pidan sin ton y sin son,
    chitón.

33 Los 'cabos' del cuchillo eran de cuerno. Véase la nota
   3-4 al poema 135.
47 *parecer,* dictamen, voto o sentencia. **Comp.**: "Los letrados con buenas caras y malos pareceres". *Sueño del Infier-*
   no, OP, p. 186b.

Mujer hay en el lugar
que a mil coches, por gozallos,
echará cuatro caballos,   60
que los sabe bien echar.
Yo sé quien manda salar
su coche como jamón,
    chitón.

Que pida una y otra vez,   65
fingiendo virgen el alma,
la tierna doncella palma,
y es dátil su doncellez;
y que lo apruebe el jüez
por la sangre de un pichón,   70
    chitón.

142

LETRILLA SATÍRICA

[*Pícaros hay con ventura
de los que conozco yo,
y pícaros hay que no.*]

El que si ayer se muriera
misas no podia mandar,   5
hoy, a fuerza del hurtar,
mandar todo el mundo espera.
Y el que quitaba a cualquiera
el sombrero de mil modos,
hoy quita la capa a todos,   10
desvanecido en la altura.

60 *caballo*: "se llama también el tumor o apostema que se
hace en la ingle, procedido de bubas". *Auts.* Comp.:
        y hasta las trongas de Madrid peores
        los llenaron a todos de caballos,
        y mal francés al buen francés volvieron.
                            N.º 565, vv. 12-4.
70 Uno de los remedios para simular virginidades perdidas.

Pícaros hay con ventura
de los que conozco yo,
y pícaros hay que no.

Yo he visto en breve intervalo   15
más de alguna señoría
que el mando y palo tenía,
y ya tiene sólo el palo.
Yo la vi con gran regalo,
y sobre silla en dosel;   20
ya veo la silla sobre él,
castigando su locura.
Pícaros hay con ventura
de los que conozco yo,
y pícaros hay que no.   25

Alguno vi que subía,
que no alcanzaba anteayer
ramo de quien descender,
sino el de su picardía.
Y he visto sangre judía   30
hacerla el mucho caudal
(como papagayo real)
clara ya su vena oscura.
Pícaros hay con ventura
de los que conozco yo,   35
y pícaros hay que no.

Alguno vi yo triunfar,
que ya, por cierta doncella,
de andar sin parar tras ella,
no tiene tras qué parar.   40
Cuando en cueros pensó hallar
a su dama por dineros,
a sí proprio se halló en cueros,
robado de su hermosura.

31-32 Juego de voces entre 'caudal', dinero, y 'caudal' de cola.
"Hay otros [papagayos] de colas largas, y mayores de cuerpo, y tienen los encuentros de las alas colorados". *Auts.*

Pícaros hay con ventura   45
de los que conozco yo,
y pícaros hay que no.

Yo conocí caballero
que nunca se conoció,
y jamás armas tomó   50
sino en sello o en dinero.
Después le he visto guerrero,
y sin ver Flandes, pregona
más servicios que fregona
a las diez en noche oscura.   55
Pícaros hay con ventura
de los que conozco yo,
y pícaros hay que no.

143

LETRILLA SATÍRICA

[*La pobreza. El dinero.*]

Pues amarga la verdad,
quiero echarla de la boca;
y si a l'alma su hiel toca,
esconderla es necedad.   5
Sépase, pues libertad
ha engendrado en mi pereza
                    la pobreza.

¿Quién hace al tuerto galán
y prudente al sin consejo?   10
¿Quién al avariento viejo

54-55 *servicios,* significaba la "hoja de servicios" y los 'orinales', cuyo contenido arrojaban las fregonas por la noche.
Comp.: "El pobre alférez hundió la casa a gritos, pidiendo le diesen los servicios. El huésped se turbó, y, como
todos decíamos que se los diese, fue corriendo y trujo
tres bacines, diciendo: '—He aquí para cada uno el suyo.
¿Quieren más servicios?' ". *Buscón*, p. 130.

le sirve de rio Jordán?
¿Quién hace de piedras pan,
sin ser el Dios verdadero?
     El dinero.   15

    ¿Quién con su fiereza espanta
el cetro y corona al rey?
¿Quién, careciendo de ley,
merece nombre de santa?
¿Quién con la humildad levanta   20
a los cielos la cabeza?
     La pobreza.

    ¿Quién los jueces con pasión,
sin ser ungüento, hace humanos,
pues untándolos las manos   25
los ablanda el corazón?
¿Quién gasta su opilación
con oro y no con acero?
     El dinero. .

    ¿Quién procura que se aleje   30
del suelo la gloria vana?
¿Quién, siendo toda cristiana,
tiene la cara de hereje?
¿Quién hace que al hombre aqueje
el desprecio y la tristeza?   35
     La pobreza.

12 Alude a las consejas sobre las virtudes del agua del Jordán para rejuvenecer. Comp.: "A los que aviendo estado ausentes buelven remoçados y loçanos, dezimos averse ido a lavar al río Jordán". Cov., *Tes.* Recuérdese la deliciosa escena de *El retablo de las maravillas,* de Cervantes: "Esta agua que con tanta priesa se deja descolgar de las nubes, es de la fuente que da origen y principio al río Jordán. Toda mujer a quien tocare en el rostro, se le volverá como de plata bruñida, y a los hombres se les volverán las barbas como de oro". Edic. de E. Asensio en Clás. Castalia, p. 178.

28 Es una de las mil alusiones de la época a la costumbre que tenían las damas de "tomar el acero", agua ferruginosa que curaba la opilación. (Véase el poema 145.)

¿Quién la montaña derriba
al valle; la hermosa al feo?
¿Quién podrá cuanto el deseo,
aunque imposible, conciba?   40
¿Y quién lo de abajo arriba
vuelve en el mundo ligero?
            El dinero.

144

LETRILLA SATÍRICA

[*Mas no ha de salir de aquí.*]

Yo, que nunca sé callar,
y sólo tengo por mengua
no vaciarme por la lengua,
y el morirme por hablar,   5
a todos quiero contar
cierto secreto que oí.
Mas no ha de salir de aquí.

Mediquillo se consiente
que al que enferma y va a curallo,   10
yendo a mula, va a caballo,
y por la posta el doliente.
Y viéndole tan valiente,
llámanle el doctor Sophí.
Mas no ha de salir de aquí.   15

Mandádose ha pregonar
que digan, midiendo cueros,
"¡Agua va!" los taberneros,

---

4 *vaciarse por la lengua*: frase que se decía "del que sin
  reparo habla fácilmente cuanto tiene en su interior". *Auts.*
11 *a caballo,* juego con 'acaballo', muy corriente en la época.
14 "Juega en la significación griega, donde *sophos* es sabio". GS.

como mozas de fregar;
que dejen el bautizar   20
a los curas de Madrí.
Mas no ha de salir de aquí.

Dicen, y es bellaquería,
que hay pocos cogotes salvos;
y que, según hay de calvos,   25
que, como hay zapatería,
ha de haber cabellería
para poblallos allí.
Mas no ha de salir de aquí.

Los perritos regalados   30
que a pasteleros se llegan,
si con ellos veis que juegan,
ellos quedarán picados:
habrá estómagos ladrados,
si comen lo que comí.   35
Mas no ha de salir de aquí.

Madre diz que hay caracol
que su casa trae a cuestas,
y los domingos y fiestas
saca sus hijas al sol.   40
La vieja es el facistol,
las niñas solfean por sí.
Mas no ha de salir de aquí.

Yo conozco caballero
que entinta el cabello en vano,   45
y por no parecer cano,
quiere parecer tintero;
y siendo nieve de enero,
de mayo se hace alhelí.
Mas no ha de salir de aquí.   50

---

41 Quevedo llama con frecuencia a la alcahueta "vieja facistol", entre otras muchas denominaciones.

Invisible viene a ser
por su pluma y por su mano
cualquier maldito escribano,
pues nadie los puede ver.
Culpas le dan de comer: 55
al diablo sucede ansí.
Mas no ha de salir de aquí.

Maridillo hay que retrata
los cuchillos verdaderos,
que al principio tiene aceros   60
y al cabo en cuerno remata;
mas su mujer de hilar trata
el cerro de Potosí.
Y no ha de salir de aquí.

Y afirman, en conclusión,   65
de los oficios que canto,
que ya no hay oficio santo
sino el de la Inquisición;
quien no es ladrillo, es ladrón,
toda mi vida lo oí.   70
Mas no ha de salir de aquí.

145

LETRILLA SATÍRICA

La morena que yo adoro
y más que a mi vida quiero,
en verano toma el acero
y en todos tiempos el oro.

Opilóse, en conclusión,   5
y levantóse a tomar
acero para gastar

---

69 *ladrillo*: "En la Germanía significa ladrón". *Auts.*

mi hacienda y su opilación.
La cuesta de mi bolsón
sube, y nunca menos cuesta.   10
Mala enfermedad es ésta,
si la ingrata que yo adoro
y más que mi vida quiero,
en verano toma el acero
y en todos tiempos el oro.   15

Anda por sanarse a sí,
y anda por dejarme en cueros;
toma acero, y muestra aceros
de no dejar blanca en mí.
Mi bolsa peligra aquí,   20
ya en la postrer boqueada;
la suya, nunca cerrada
para chupar el tesoro
de mi florido dinero,
tomando en verano acero   25
y en todos tiempos el oro.

Es niña que, por tomar,
madruga antes que amanezca,
porque en mi bolsa anochezca:
que andar tras esto es su andar.   30
De beber se fue a opilar;
chupando se desopila;
mi dinero despabila;
el que la dora es Medoro;
el que no, pellejo y cuero: 35
en verano toma el acero
y en todos tiempos el oro.

34 Medoro, personaje del *Orlando enamorado,* de Ariosto, del
que se enamora Angélica, reina de Catay.

146

LETRILLA SATÍRICA

Éste sí que es corredor,
que los otros no.

Ha de espantar las estrellas
con maravillas extrañas,
que al fin es hombre de cañas,   5
por parecer hecho dellas;
todos le siguen las huellas,
y él vuela como un azor.
Éste sí que es corredor,
que los otros no.   10

Todos los otros socorre;
a todos los deja atrás,
porque él corre con compás,
porque con sus piernas corre;
ninguno hay con quien se ahorre,   15
ni perdona a su señor.
Éste sí que es corredor,
que los otros no.

Miradle qué bien que bate;
notad que hace maravillas,   20
pues pica con las rodillas
más que con el acicate.
Ninguno hay que se rescate
de su contrario mejor.
Éste sí que es corredor,   25
que los otros no.

---

* "Está escrita a sujeto particular, en ocasión de haber sali-
do a jugar cañas". GS.
15 *se ahorre,* es recuerdo de una frase coloquial, "No aho-
rrarse con nadie", que registra Covarrubias: "ser solo
para sí".

El caballo pone grima,
pues parece, si se enfosca,
más que corre con la mosca
que con caballero encima.   30
Miradle qué bien le arrima
los zancajos el dotor.
Éste sí que es corredor,
que los otros no.

¿Cómo diablos puede ser   35
hombre de letras fundado,
pues nunca el que es buen letrado
tiene tan mal parecer?
Así se viene a correr
el pobre legislador.   40
Éste sí que es corredor,
que los otros no.

De trapos, como muñeca,
va con adarga a burlarse,
pudiendo todo adargarse   45
con un parche de jaqueca.
Babieca sobre Babieca
son caballo y picador.
Éste sí que es corredor,
que los otros no.   50

No hay cosa a que no acometa,
con parecer el cuitado
un espárrago barbado
y una lesna a la jineta.
¡Mirad qué bien que se aprieta   55
a la silla el pecador!
Éste sí que es corredor,
que los otros no.

---

28 *enfoscarse*: "alborotarse, ponerse hosco y ceñudo". *Auts.*,
que cita este verso.
44 *adarga*, cierto género de escudo hecho de cueros cosidos.

¿Quién hay que con él apueste
a quién tiene más donaire, 60
pues si otros corren con aire,
el aire corre con éste?
¡Cuál era para una hueste
en defensa del señor!
Éste sí que es corredor, 65
que los otros no.

Mas yo por mi cuenta hallo,
según su cuerpo denota,
que era mejor para sota
que para rey ni caballo. 70
Supiera correr un gallo;
mas cañas, no es de su humor.
Éste sí que es corredor,
que los otros no.

Parece, si no me engaña 75
la vista con algún velo,
más sanguijuela en anzuelo
que pescador con la caña.
Sospecho que ha sido araña
y se ha vuelto en arador. 80
Éste sí que es corredor,
que los otros no.

Honrar tiene las dos villas;
todo el mundo se prevenga,
pues cuando cañas no tenga 85
no le han de faltar canillas.
Es hombre de entrambas sillas,
y de entrambas es peor.
Éste sí que es corredor,
que los otros no.

71 Sobre "correr gallos", véase la nota al v. 149 del poema 54.
80 *arador,* el minúsculo arácnido que produce la sarna.
87 "Hombre de dos sillas, conviene a saber de la gineta y
  de la brida". Cov., *Tes.*

147

LETRILLA SATÍRICA

Solamente un dar me agrada,
que es el dar en no dar nada.

Si la prosa que gasté
contigo, niña, lloré,
y aún hasta agora la lloro,   5
¿qué haré la plata y el oro?
Ya no he de dar, si no fuere
al diablo, a quien me pidiere;
que, tras la burla pasada,
solamente un dar me agrada,   10
que es el dar en no dar nada.

Yo sé que si desta tierra
llevara el rey a la guerra
la niña que yo nombrara,
que a toda Holanda tomara,   15
por saber tomar mejor
que el ejército mayor
de gente más dotrinada.
Solamente un dar me agrada,
que es el dar en no dar nada.   20

Sólo apacibles respuestas
y nuevas de algunas fiestas
le daré a la más altiva;
que de diez reales arriba,
ya en todo mi juicio, pienso   25

---

3 *prosa,* conversación, voz muy usada por Quevedo. Comp.:
"Un hablador plenario [...] estaba anegando en prosa su
barrio". *La hora de todos,* OP, p. 272a. "Yo solté la prosa
y con mil cortesías, los detuve un rato". *Buscón,* p. 221.

que se pueden dar a censo,
mejor que a paje o criada.
Solamente un dar me agrada,
que es el dar en no dar nada.

Sola me dio una mujer,　　　　　　　　　30
y ésa me dio en qué entender;
yo entendí que convenía
no dar en la platería;
y aunque en ella a muchas vi,
sólo palabra las di　　　　　　　　　　35
de no dar plata labrada.
Solamente un dar me agrada,
que es el dar en no dar nada.

148

LETRILLA SATÍRICA

Poderoso caballero
es don Dinero.

Madre, yo al oro me humillo;
él es mi amante y mi amado,
pues, de puro enamorado,　　　　　　　5
de contino anda amarillo;
que pues, doblón o sencillo,
hace todo cuanto quiero,
poderoso caballero
es don Dinero.　　　　　　　　　　10

---

26 *censo*: "el derecho de percibir cierta pensión anual, car-
gada o impuesta sobre alguna hacienda o bienes raíces
que posee otra persona, la qual se obliga por esta razón
a pagarla". *Auts.*
6 Uno de los síntomas de los enamorados era la amarillez
del rostro. Comp.: "De lo cual [del amor] dan muestra la amarillez del rostro y la flaqueza del cuerpo y desmayos del corazón". Fray Luis de León, *Obras completas*
castellanas, BAC (Madrid, 1944), p. 33.

Nace en las Indias honrado,
donde el mundo le acompaña;
viene a morir en España,
y es en Génova enterrado.
Y pues quien le trae al lado   15
es hermoso, aunque sea fiero,
poderoso caballero
es don Dinero.

Es galán y es como un oro,
tiene quebrado el color,   20
persona de gran valor,
tan cristiano como moro.
Pues que da y quita el decoro
y quebranta cualquier fuero,
poderoso caballero   25
es don Dinero.

Son sus padres principales,
y es de nobles descendiente,
porque en las venas de Oriente
todas las sangres son reales;   30
y pues es quien hace iguales
al duque y al ganadero,
poderoso caballero
es don Dinero.

Mas ¿a quién no maravilla   35
ver en su gloria sin tasa
que es lo menos de su casa
doña Blanca de Castilla?
Pero, pues da al bajo silla
y al cobarde hace guerrero,   40
poderoso caballero
es don Dinero.

---

14 En el poema 54, v. 80, ya se aludió al poder de los banqueros genoveses en el siglo XVII. Comp.: "Génova ha
   echado unas sanguijuelas desde España al cerro del Potosí". *El sueño de la Muerte,* OP, p. 216b.
38 Alude a la moneda llamada 'blanca', de tan escaso valor.

Sus escudos de armas nobles
son siempre tan principales,
que sin sus escudos reales   45
no hay escudos de armas dobles;
y pues a los mismos robles
da codicia su minero,
poderoso caballero
es don Dinero.   50

Por importar en los tratos
y dar tan buenos consejos,
en las casas de los viejos
gatos le guardan de gatos.
Y pues él rompe recatos   55
y ablanda al juez más severo,
poderoso caballero
es don Dinero.

Y es tanta su majestad
(aunque son sus duelos hartos),   60
que con haberle hecho cuartos,
no pierde su autoridad;
pero, pues da calidad
al noble y al pordiosero,
poderoso caballero   65
es don Dinero.

Nunca vi damas ingratas
a su gusto y afición;
que a las caras de un doblón
hacen sus caras baratas;   70
y pues las hace bravatas
desde una bolsa de cuero,

---

43 Se trata del conocido juego de voces entre 'escudo nobi-
   liario' y el 'escudo', moneda.
54 *gatos,* bolsones para guardar el dinero, y *gatos,* ladrones.
61 *cuartos,* moneda de poco valor. *Hacer cuartos:* "pena
   que se da a los hombres facinorosos, salteadores de caminos, que después de averlos ahorcado los hazen quatro
   cuartos". Cov., *Tes.*
72 *bravata:* "lo mismo que fieros, fanfarria, bravura, valen-
   tonada". *Auts.*

poderoso caballero
es don Dinero.

Más valen en cualquier tierra   75
(¡mirad si es harto sagaz!)
sus escudos en la paz
que rodelas en la guerra.
Y pues al pobre le entierra
y hace proprio al forastero,   80
poderoso caballero
es don Dinero.

149

LETRILLA SATÍRICA

[*Bueno. Malo.*]

Que le preste el ginovés
al casado su hacienda;
que al dar su mujer por prenda,
preste él paciencia después;   5
que la cabeza y los pies
le vista el dinero ajeno,
        bueno.

Mas que venga a suceder
que sus reales y ducados   10
se los vuelvan en cornados
los cuartos de su mujer;
que se venga rico a ver
con semejante regalo,
        malo.   15

Que el mancebo principal
aplique, por la pobreza,
a ser ladrón su nobleza,

---

78 *rodela*: "escudo redondo que cubre el pecho; arma es-
    pañola". Cov., *Tes.*
80 *proprio,* natural.

por ser arte liberal;
que sea podenco del real   20
más escondido en el seno,
        bueno.

Mas que en tales desatinos
venga el pobre desdichado,
de puro descaminado,   25
a parar por los caminos;
que conozca los teatinos
por intercesión de un palo,
        malo.

Que el hidalgo, por grandeza,   30
muestre, cuando riñe a solas,
en la multitud de olas,
tormentas en la cabeza;
que disfrace su pobreza
con rostro grave y sereno,   35
        bueno.

Mas que haciendo tanta estima
de sus deudos principales,
coma las ollas nabales,
como batalla marina;   40
que la haga cristalina
a su capa el pelo ralo,
        malo.

26 Porque a los ahorcados, descuartizados, los arrojaban por
   los caminos". Comp.: "Hícele cuartos, y dile por sepultura los caminos". *Buscón,* p. 92.
28 Los teatinos acompañaban a los condenados a la horca,
   palo. Comp.: "Llegó a la de palo, puso el un pie en la
   escalera [...] y viendo que el teatino le quería predicar,
   vuelto a él le dijo". *Buscón,* p. 92.

150

LETRA SATÍRICA A DIVERSOS ESTADOS

[*Lindo chiste.*]

Hay mil doncellas maduras
que guardan virgos fiambres,
hasta que a fuerza de hambres
se les van en cataduras.   5
Todas son vírgenes puras,
por más aguadas que estén.
A ninguno quieren bien,
si no las calza y las viste.
    Lindo chiste.   10

Hay viuda que, por sus pies,
suele hacer con bizarría
más cabalgadas un día
que los moros en un mes;
no son tocas las que ves,   15
que, aunque traerlas profesa,
son manteles de una mesa
que a nadie el manjar resiste.
    Lindo chiste.

Cásase en hora menguada   20
el galán sin plata o cobre,
y viene a cenar el pobre,
con salva, la desposada;
del dote, que es poco o nada,

---

1 *chiste,* "vale también burla, chanza". *Auts.*
3 *virgo fiambre,* frase de uso frecuente en Quevedo: "Doncellas son que se vinieron al infierno con los virgos fiambres, y por cosa rara se guardan aquí". *El sueño del infierno,* OP, p. 195a.
23 *salva,* de "hacer la salva", probar la comida y bebida antes
que el señor.

calzas de obra se labra;   25
pero luego, aun de palabra,
no tiene calzas el triste.
            Lindo chiste.

    Cásase con bendición
el que las leyes escarba,   30
por añadir a su barba
aderezos de cabrón;
luego, con satisfacción,
un corregimiento afana;
viénensele a dar de plana;   35
vuelve en sayas el limiste.
            Lindo chiste.

                    151

BÚRLASE DE TODO ESTILO AFECTADO

                DÉCIMAS

    Con tres estilos alanos
quiero asirte de la oreja,
porque te tenga mí queja,
ya que no pueden mis manos.
La habla de los cristianos   5
es lenguaje de ramplón:

---

25 *calzas de obra,* juego de voces, creo, con 'calzas', 'calzones'
   y un derivado de 'calzar' con el sentido de "guarnecer lo
   que está inferior con una cosa fuerte, para que se sosten-
   ga lo que está encima". *Auts.*
34 *corregimiento,* corregidor: "el que rige o gobierna alguna
   ciudad o pueblo". Cov., *Tes.*
35 *plana:* "la cara o haz de una hoja de papel impreso u
   escrito". *Auts.*
36 *limiste;* paño fino y de mucho precio, que se fabricaba
   en Segovia.
 6 *ramplón:* "se aplica a la pieza de hierro, que tiene las
   extremidades vueltas, como herradura ramplona; y por
   extensión se dice también del zapato tosco, ancho y muy
   bañado de suela". *Auts.* Y también se dijo, por extensión,
   del zapatero.

por eso va la razón
de un circunloquio discreto
en retruécano y conceto,
como en calzas y en jubón.   10

Estilo primero

Amar y no merecer,
temer y desconfiar,
dichas son para obligar,
penas son para ofender.
Acobardar el querer,   15
cuando más valor aplique,
es hacer que multiplique
el miedo su calidad.
Para más seguridad,
tómate ese tique mique.   20

Lágrimas desconsoladas
son descanso sin sosiego
y diligencias del fuego,
más vivas cuando anegadas.
Las memorias olvidadas   25
en la voluntad sencilla
son golfo que miente orilla,
son tormenta lisonjera,
en donde expira el que espera.
¡Qué linda recancanilla!   30

El tener desconfianza
es tener y presumir;
y apetecer el morir
mucho de grosero alcanza.
Quien osa tener mudanza,   35

---

9 *conceto,* concepto, el juego de voces conceptista.
20 *tique mique,* como "tiquis miquis": "voces bárbaras, con
que [en] el estilo familiar se notan algunas expresiones
afectadas". *Auts.*
30 *recancanilla*: "el modo de andar los muchachos como
coxeando". *Auts.* Pero también el tono insistente con que
se dice una cosa.

se culpa en el bien que asiste;
y quien se precia de triste
goza con satisfacción
la pena por galardón.
Pues pápate aquese chiste.   40

Vuelve a proseguir

Pero siendo tú en la villa
dama de demanda y trote,
bien puede ser que del mote
no hayas visto la cartilla.
Va del estilo que brilla   45
en la culterana prosa,
grecizante y latinosa:
mucho será si me entiendes.
Yo vacio piras, y asciendes:
culto va, señora hermosa.   50

Estilo segundo

Si bien el palor ligustre
desfallece los candores,
cuando muchos esplendores
conduce a poco palustre,
construye el aroma ilustre   55
víctima de tanto culto,
presintiendo de tu vulto
que rayos fulmina horrendo.
Ni me entiendes, ni me entiendo.
Pues cátate que soy culto.   60

---

43 *mote*: "vale tanto como una sentencia dicha con gracia y
   pocas palabras". Cov., *Tes.*
51 *ligustre*, de 'ligustro', la alheña.
54 *palustre*: "lo que pertenece o es propio de la laguna".
   Auts.
57 *vulto*, rostro.

Prosigue

No me va bien con lenguaje
tan de grados y corona:
hablemos prosa fregona,
que en las orejas se encaje.
Yo no escribo con plumaje,   65
sino con pluma, pues ya
tanto bien barbado da
en escribir al revés.
Óyeme tú dos por tres
lo que digo de pe a pa.   70

Estilo tercero

Digo, pues, que yo te quiero,
y que quiero que me quieras,
sin dineros ni dineras,
ni resabios de tendero.
De muy mala gana espero;   75
date prisa, que si no,
luego me cansaré yo,
y perderás este lance.
¡Bien haya tan buen romance,
y el padre que le engendró!   80

152

BODA Y ACOMPAÑAMIENTO DEL CAMPO

ROMANCE

Don Repollo y doña Berza,
de una sangre y de una casta,
si no caballeros pardos,
verdes fidalgos de España,

---

3 *caballero pardo*: "se llama al que alcanza privilegio del
Rey, no siendo noble, para escusarse de pechar". *Auts.*

    casáronse, y a la boda   5
de personas tan honradas,
que sustentan ellos solos
a lo mejor de Vizcaya,
    de los solares del campo
vino la nobleza y gala: 10
que no todos los solares
han de ser de la Montaña.
    Vana y hermosa, a la fiesta
vino doña Calabaza:
que su merced no pudiera   15
ser hermosa sin ser vana.
    La Lechuga, que se viste
sin aseo y con fanfarria,
presumida, sin ser fea,
de frescona y de bizarra.   20
    La Cebolla, a lo vïudo,
vino con sus tocas blancas
y sus entresuelos verdes:
que, sin verdura, no hay canas.
    Para ser dama muy dulce   25
vino la Lima gallarda
al principio: que no es bueno
ningún postre de las damas.
    La Naranja, a lo ministro,
llegó muy tiesa y cerrada,   30
con su apariencia muy lisa
y su condición muy agria.
    A lo rico y lo tramposo,
en su erizo, la Castaña:
que la han de sacar la hacienda   35
todos por punta de lanza.

---

12 Alude a los muchos hidalgos que pretendían descender de
   la Montaña de Asturias, o de los godos.
22 Las viudas llevaban tocas blancas. Comp.:

            Trébole de la vïuda,
            que otra vez casarse espera,
            tocas blancas por defuera
            y el faldellín de color.

                    Lope de Vega, *Peribáñez*, II, vv. 423-6

La Granada, deshonesta,
a lo moza cortesana,
desembozo en la hermosura,
descaramiento en la gracia.   40

Doña Mostaza, menuda,
muy briosa y atufada:
que toda chica persona
es gente de gran mostaza.

A lo alindado, la Guinda,   45
muy agria cuando muchacha;
pero ya entrada en edad,
más tratable, dulce y blanda.

La Cereza, a lo hermosura,
recién venida, muy cara,   50
pero, con el tiempo, todos
se le atreven por barata.

Doña Alcachofa, compuesta
a imitación de las flacas:
basquiñas y más basquiñas   55
carne poca y muchas faldas.

Don Melón, que es el retrato
de todos los que se casan:
Dios te la depare buena,
que la vista al gusto engaña.   60

La Berenjena, mostrando
su calavera morada,
porque no llegó en el tiempo
del socorro de las calvas.

Don Cohombro, desvaído,   65
largo de verde esperanza,
muy puesto en ser gentil hombre,
siendo cargado de espaldas.

Don Pepino, muy picado
de amor de doña Ensalada,   70
gran compadre de dotores,
pensando en unas tercianas.

---

71 Quevedo alude más de una vez al pepino como ayudante
de los doctores.

Don Durazno, a lo invidioso,
mostrando agradable cara,
descubriendo con el trato   75
malas y duras entrañas.
    Persona de muy buen gusto,
don Limón, de quien espanta
lo sazonado y panzudo:
que no hay discreto con panza.   80
    De blanco, morado y verde,
corta crin y cola larga,
don Rábano, pareciendo
moro de juego de cañas.
    Todo fanfarrones bríos,   85
todo picantes bravatas,
llegó el señor don Pimiento,
vestidito de botarga.
    Don Nabo, que, viento en popa
navega con tal bonanza,   90
que viene a mandar el mundo
de gorrón de Salamanca.
    Mas baste, por si el letor
objeciones desenvaina:
que no hay boda sin malicias,   95
ni desposados sin tachas.

153

DESMIENTE A UN VIEJO POR LA BARBA

ROMANCE

Viejo verde, viejo verde,
más negro vas que la tinta,
pues a poder de borrones
la barba llevas escrita.

---

88 *botarga,* traje ridículo y casi siempre colorado.
92 Es alusión a las sopas de nabos, tan frecuenes en los co-
legios de la época.
1-2 Parodian el principio del conocido romance viejo "Río
verde, río verde, / más negro vas que la tinta".

Recoger quiere la nieve   5
que tus edades ventiscan
en pozos de cimenterio
la calavera Charquías.

Sobre blanco, capa negra
es mocedad dominica: 10
hoy tinta y ayer papel,
barba será escribanía.

Aunque la pongas tan negra
que puedan llamarla prima,
doña Blanca de Borbón   15
está presa en tus mejillas.

Cabello que dio en canario,
muy mal a cuervo se aplica;
ni es buen Jordán el tintero
al que envejece la pila.   20

Son refino de Meléndez
los pelos de cotonía;
busca Segovia de arrugas,
y cátate que te aniñas.

No puedes ser mozo (dijo la niña),   25
sin ser gato o mozo de otro que sirvas.

---

8 "Inventó en España los pozos para guardar la nieve". GS.
   (Sobre Pablo Charquía o Xarqués, que fue abastecedor de
   nieve en Madrid entre 1607 y 1614, véase Miguel Herrero
   García, *La vida española en el siglo XVII: las bebidas,*
   Madrid, 1933, p. 154). Comp.: "Otros poetas hay Charquías, que todo lo hacen de nieve y de hielo". *Aguja de
   navegar cultos,* OP, p. 785b.
14 *prima*: "se llama también la parte de la noche desde las
   ocho hasta las once". *Auts.* De ahí el juego de voces entre
   lo oscuro, la negrura de la barba y lo nocturno.
15 Doña Blanca de Borbón (1335-1361), reina de Castilla, ca-
   sada con don Pedro I.
21 *refino*: "lo que es muy fino, como paño refino de Segovia". Cov., *Tes.,* s.v. 'refinar'. Véase otra alusión más adelante (en el v. 98, del poema 171) a ese refino de Meléndez, que, por otra parte, no he podido aclarar.
22 *cotonía*: "cierta tela hecha de hilo de algodón". Cov., *Tes.*
24 Se decía que las tierras de Segovia quitaban las arrugas
   de la piel y las manchas de aceite.

Bigotes que amortajaron
en blanco lienzo los días,
el escabeche los cubre,
pero no los resucita.   30
Barbado de naterones
te vieron; y ya te miran,
por lo pez, barba de viernes,
y por mostachos, sardinas.
Barba de *memento homo,*   35
a poder de las cenizas,
hoy con sotana y manteo
la sobrepelliz cobija.
Enojado con los años,   40
se te subió muy aprisa
a los bigotes el humo,
cuando a las narices iba.
Pues que te quedaste *in albis,*
¿qué importará que te tiñas,
si las muchas navidades   45
contra el betún atestiguan?
Ya que salieron tus sienes
a las calles en camisa,
cuando quieren acostarse,
¿de qué sirve que las vistas?   50
Pues no puedes ser mozo (dijo la niña),
sin ser gato o mozo de otro que sirvas.

---

29 *escabeche*: por el color rojizo de la salsa. Abundan las
alusiones literarias de la época. Comp.:

> Que anochezca cano el viejo,
> y que amanezca bermejo,
> *bien puede ser;*
> mas que a creernos estreche
> que es milagro y no escabeche,
> *no puede ser.*

> Góngora, *Obras completas* (Madrid,
> 1932, Aguilar), p. 286.

33 *pez*, con un juego de voces entre "negro como la pez" y
el pescado; de ahí la "barba de viernes", por ser día de
vigilia.

38 *sobrepelliz*, la vestidura de tela blanca, de mangas anchas,
que se ponen sobre la sotana o hábito los que celebran
la misa.

154

CURA UNA MOZA EN ANTÓN MARTÍN
LA TELA QUE MANTUVO

ROMANCE

Tomando estaba sudores
Marica en el hospital:
que el tomar era costumbre,
y el remedio es el sudar.

Sus desventuras confiesa;   5
y los hermanos la dan
a culpas *Escarramanes,*
penitencias de *¡Ay!, ¡ay!, ¡ay!*

Lo español de la muchacha
traduce en francés el mal: 10
cata a Francia, Montesinos,
si te pretendes pelar.

Por todas sus coyunturas
anda encantado Roldán:
los Doce Pares y nones   15
no la dejan reposar.

Por no estar a la malicia
labrada su voluntad,

---

1 *sudores,* los provocados por ciertas medicinas para curar
las enfermedades venéreas. Abundan las alusiones en la
poesía de Quevedo. Véase, por ejemplo, el v. 108 del
poema 175.
7-8 Son bailes muy celebrados de la época. Véase más adelante la jácara del *Escarramán.* Para estos, y otros, con-
súltese la *Colección de entremeses... del siglo XVI a
mediados del XVIII,* de E. Cotarelo y Mori, dos vols.
(Madrid, 1911) en la NBAE.
10 Alusión a la sífilis o mal francés para los españoles.
11 Es un verso muy conocido de un romance. (Durán, BAE,
X, p. 257):

Cata Francia, Montesinos,
cata París la ciudad...

fue su güésped de aposento
Antón Martín el galán.   20
    Sus ojos son dos monsiures
en limpieza y claridad,
que están llorando, gabachos,
hilo a hilo sin cesar.
    Por la garganta y el pecho   25
se ve, cuando quiere hablar,
muchos siglos de capacha
en pocos años de edad.
    Las perlas almorzadoras
y el embeleco oriental   30
que atarazaban las bolsas,
con respeto muerden pan.
    Su cabello es un cabello,
que no le ha quedado más;
y en postillas, y no en postas,   35
se partió de su lugar.
    Los labios de coral niegan
secos su púrpura ya:
ni de coral tienen gota,
mucha sí gota coral.   40

20 Es el hospital de Antón Martín, de la Corte, donde cura-
   ban las bubas.
24 *hilo a hilo*: "correr hilo a hilo la cosa líquida, es quando
   no cae, ni goteando ni de golpe, sino poco a poco".
   Cov., *Tes.* Es frase de uso frecuente en Quevedo. Comp.:
   "El padre, que era marrajo, lloraba hilo a hilo". *Cuento
   de cuentos,* OP, 794.
27-28 Recuerdo de dos versos gongorinos, muy citados, del romance "Apeóse el caballero": "muchos siglos de hermosura / en pocos años de edad". Véase en el poema 170,
   vv. 13-14, otra referencia.
31 *atarazar,* de 'tarazón', cortar alguna cosa en pequeños trozos. Comp.: "Que a prueba de dientes / que atarazan
   honras, / en el buen Quevedo / no hay temer pistolas".
   N.º 799, vv. 47-50.
40 *gota coral*: "enfermedad que consiste en una convulsión
   de todo el cuerpo, y en un recogimiento o atracción de
   los nervios, con lesión del entendimiento, que hace que el
   doliente caiga de repente". *Auts.*

Las gangas que antes cazaba
las vuelve agora en garlar,
y su nariz y su boca
trocaron oficios ya.

En cada canilla suya   45
un matemático está,
y anda el pronóstico nuevo
por sus güesos sin parar.

Desde que salió de Virgo,
Venus entró en su lugar;   50
en el Cáncer sus narices,
y en Géminis lo demás.

Entre humores maganceses
de maldita calidad,
y dos viejas galalonas,   55
fue puesta en cautividad.

La grana se volvió en granos,
en flor de lis el rosal,
su clavel, zarzaparrilla,
unciones, el solimán.   60

Tienen baldados sus güesos
muchachos de poca edad,

---

42 "Por el hablar gangoso". GS. *Garlar,* hablar, era voz de
germanía. Comp.: "abre esa boca y garla; que parece
que sornas". *La hora de todos,* OP, p. 268b.
46 *matemático,* adivino, agorero, por el dolor de las articu-
laciones cuando cambia el tiempo.
53 *humor*: "cuerpo líquido y fluído". *Auts. Maganceses,* trai-
dores, dañinos, como Galalón, de Maganza, el personaje
que traiciona a Roldán. De ahí las "viejas galalonas" de
los versos siguientes. Comp.:

  encarado en un Pepino,
  le dijo: "Nunca madures,
  Galalón de la ensalada,
  cizaña de las saludes.

     N.º 755, vv. 53-6

59 *zarzaparrilla,* la zarza para curar enfermedades. Véase la
nota del poema 118.
60 *unciones*: "usado siempre en plural, llaman al remedio
que se executa para curar el humor gálico, untando al
enfermo repetidas veces con un ungüento específico a este
mal". *Auts.*

hombres malvados de vida,
mucho don y poco dan.

Éstas, pues, son de esta niña   65
las partes y calidad,
archivo de todo achaque
y albergue de todo mal.

Las que priváis en el mundo
con el pecado mortal,   70
si no perdéis coyuntura,
las vuestras se perderán.

Satíricos y burlescos.

155

REFIERE SU NACIMIENTO Y LAS PROPRIEDADES
QUE LE COMUNICÓ

ROMANCE

"Paríome adrede mi madre,
¡ojalá no me pariera!,
aunque estaba cuando me hizo
de gorja Naturaleza.
"Dos maravedís de luna   5
alumbraban a la tierra;
que, por ser yo el que nacía,
no quiso que un cuarto fuera.
"Nací tarde, porque el sol
tuvo de verme vergüenza,   10
en una noche templada,
entre clara y entre yema.
"Un miércoles con un martes
tuvieron grande revuelta,
sobre que ninguno quiso   15
que en sus términos naciera.

---

4 *estar de gorja,* estar alegre, de juerga. Comp.: "—No estoy
de gorja —dijo el padre, ni me mamo el dedo". *Cuento de cuentos,* OP, p. 796b.

"Nací debajo de Libra,
tan inclinado a las pesas,
que todo mi amor le fundo
en las madres vendederas.　　　　20

"Diome el León su cuartana,
diome el Escorpión su lengua,
Virgo, el deseo de hallarle,
y el Carnero su paciencia.

"Murieron luego mis padres;　　25
Dios en el cielo los tenga,
porque no vuelvan acá,
y a engendrar más hijos vuelvan.

"Tal ventura desde entonces
me dejaron los planetas,　　　　30
que puede servir de tinta,
según ha sido de negra.

"Porque es tan feliz mi suerte,
que no hay cosa mala o buena
que, aunque la piense de tajo,　　35
al revés no me suceda.

"De estériles soy remedio,
pues, con mandarme su hacienda,
les dará el cielo mil hijos,
por quitarme las herencias.　　　40

"Y para que vean los ciegos,
pónganme a mí a la vergüenza;
y para que cieguen todos,
llévenme en coche o litera.

"Como a imagen de milagros　　45
me sacan por las aldeas:
si quieren sol, abrigado,
y desnudo, porque llueva.

"Cuando alguno me convida,
no es a banquetes ni a fiestas,　　50
sino a los misacantanos,
para que yo les ofrezca.

35 _de tajo,_ a derechas.
51 _misacantano,_ el sacerdote que dice o canta su primera
misa.

"De noche soy parecido
a todos cuantos esperan
para molerlos a palos, 55
y así, inocente, me pegan.

"Aguarda hasta que yo pase,
si ha de caerse, una teja;
aciértanme las pedradas,
las curas sólo me yerran. 60

"Si a alguno pido prestado,
me responde tan a secas,
que, en vez de prestarme a mí,
me hace prestar paciencia.

"No hay necio que no me hable, 65
ni vieja que no me quiera,
ni pobre que no me pida,
ni rico que no me ofenda.

"No hay camino que no yerre,
ni juego donde no pierda, 70
ni amigo que no me engañe,
ni enemigo que no tenga.

"Agua me falta en el mar,
y la hallo en las tabernas:
que mis contentos y el vino 75
son aguados dondequiera.

"Dejo de tomar oficio,
porque sé por cosa cierta
que en siendo yo calcetero,
andarán todos en piernas. 80

"Si estudiara medicina,
aunque es socorrida sciencia,
porque no curara yo,
no hubiera persona enferma.

"Quise casarme estotro año, 85
por sosegar mi conciencia,
y dábanme un dote al diablo
con una mujer muy fea.

79 *calcetero*: "el maestro de hazer calças". Cov., *Tes.*
87 *dar al diablo*: "Phrase con que se explica el desprecio
grande que se haze de alguna persona o cosa". *Auts.*

"Si intentara ser cornudo
por comer de mi cabeza,   90
según soy de desgraciado,
diera mi mujer en buena.

"Siempre fue mi vecindad
mal casados que vocean,
herradores que madrugan,   95
herreros que me desvelan.

"Si yo camino con fieltro,
se abrasa en fuego la tierra;
y en llevando guardasol,
está ya de Dios que llueva.   100
"Si hablo a alguna mujer
y la digo mil ternezas,
o me pide, o me despide,
que en mí es una cosa mesma.

"En mí lo picado es roto;   105
ahorro, cualquier limpieza;
cualquiera bostezo es hambre;
cualquiera color, vergüenza.

"Fuera un hábito en mi pecho
remiendo sin resistencia,   110
y peor que besamanos
en mí cualquiera encomienda.

"Para que no estén en casa
los que nunca salen de ella,
buscarlos yo sólo basta,   115
pues con eso estarán fuera.

"Si alguno quiere morirse
sin ponzoña o pestilencia,
proponga hacerme algún bien,
y no vivirá hora y media.   120

"Y a tanto vino a llegar
la adversidad de mi estrella,
que me inclinó que adorase
con mi humildad tu soberbia.

112 *encomienda*, dignidad con renta vitalicia sobre algún lugar de las órdenes militares.

"Y viendo que mi desgracia   125
no dio lugar a que fuera,
como otros, tu pretendiente,
vine a ser tu pretenmuela.

"Bien sé que apenas soy algo;
mas tú, de puro discreta,   130
viéndome con tantas faltas,
que estoy preñado sospechas."

Aquesto Fabio cantaba
a los balcones y rejas
de Aminta, que aun de olvidarle   135
le han dicho que no se acuerda.

156

LOS BORRACHOS

CÉLEBRE
ROMANCE

Gobernando están el mundo,
cogidos con queso añejo
en la trampa de lo caro,
tres gabachos y un gallego.

Mojadas tienen las voces,   5
los labios tienen de hierro,
y por ser hechos de yesca,
tienen los gaznates secos.

---

3 *de lo caro*: "entre los vulgares y bebedores se entiende
el vino puro y bueno, que se vende al precio más subi-
do". *Auts.*
4 *gabacho*: "Es voz de desprecio con que se moteja a los
naturales de los Pueblos que están a las faldas de los Py-
reneos entre el río llamado Gaba, porque en ciertos tiempos del año vienen al Reino de Aragón, y otras partes,
donde se ocupan y exercitan en los ministerios más baxos
y humildes". *Auts.*
6 *hierro*, juego de voces con 'yerro'.
7 *de yesca*, porque se queman o arden con facilidad, por el
alcohol que llevan ya dentro.

Pierres, sentado en arpón,
el vino estaba meciendo,   10
que en un sudor remostado
se cierne por el cabello.
    Hecho verga de ballesta,
retortijado el pescuezo,
Jaques, medio desmayado,   15
a vómito estaba puesto.
    Roque, los puños cerrados,
más entero y más atento,
suspirando saca el aire,
por no avinagrar el cuero.   20
    Maroto, buen español,
hecho faja el ferreruelo,
vueltos lágrimas los brindis
y bebido el ojo izquierdo,
    con palabras rocïadas   25
y con el tono algo crespo,
después que toda la calle
sahumó con un regüeldo,
    dijo, mirando a los tres
con vinoso sentimiento: 30
"¿En qué ha de parar el mundo?
¿Qué fin tendrán estos tiempos?
    "Lo que hoy es ración de un paje
de un capitán era sueldo
cuando eran los hombres más   35
y habían menester menos.
    "Cuatro mil maravedís
que le dan a un escudero
era dádiva de un rey
para rico casamiento.   40
    "Apreciábase el ajuar
que a Jimena Gómez dieron

---

9 *en arpón,* en forma de arpón.
11 *remostado,* de 'remostar': "echar sobre el vino añejo el
   mosto; *remostado,* el tal vino". Cov., *Tes.*
20 *cuero,* boto, aquí estómago.
22 *ferreruelo,* capa pequeña.

en menos que agora cuesta
remendar unos greguescos.

"Andaba entonces el Cid   45
más galán que Girineldos,
con botarga colorada
en figura de pimiento;

"y hoy, si alguno ha de vestirse,
le desnudan dos primero: 50
el mercader de quien compra
y el sastre que ha de coserlo.

"Ya no gastan los vestidos
las personas con traerlos:
que el inventor de otro traje   55
hace lo flamante viejo.

"Sin duda inventó las calzas
algún diablo del infierno,
pues un cristiano atacado
ya no queda de provecho.   60

"¡Qué es ver tantas cuchilladas
agora en un caballero;
tanta pendencia en las calzas,
y tanta paz en el dueño!

"Todo se ha trocado ya;   65
todo al revés está vuelto:
las mujeres son soldados,
y los hombres son doncellos.

"Los mozos traen cadenitas;
las niñas toman acero: 70
que de las antiguas armas
sólo conservan los petos.

"De arrepentidos de barba
hay infinitos conventos,
donde se vuelven lampiños   75
por gracia de los barberos.

47-48 Véase la nota sobre 'botarga' en el poema 152.
   59 *atacado*, de 'atacar': "atar las calças al jubón con las agu-
      jetas". Cov., *Tes*.
   61 *cuchilladas*, las llamadas "calzas acuchilladas", con aber-
      turas.

"No hay barba cana ninguna,
porque aun los castillos pienso
que han teñido ya las suyas,
a persuasión de los viejos.   80

    "Pues ¿quién sufrirá el lenguaje,
la soberbia y los enredos
de una mujer pretendida,
de estas que se dan a peso?

    "Han hecho mercadería   85
sus favores y sus cuerpos,
introduciendo por ley
que reciban y que demos.

    "¡Que si pecamos los dos,
yo he de pagar al momento,   90
y que sólo para mí
sea interesable el infierno!

    "¿Que a la mujer no le cueste
el condenarse un cabello,
y que por llevarme el diablo,   95
me lleve lo que no tengo?

    "¡Vive Dios, que no es razón,
y que es muy ruinmente hecho,
y se lo diré al demonio,
si me topa o si le encuentro!   100

    "Si yo reinara ocho días,
pusiera en todo remedio,
y anduvieran tras nosotros
y nos dijeran requiebros.

    "Yo conocí los maridos   105
gobernándose ellos mesmos,
sin sostitutos ni alcaides,
sin comisiones ni enredos;

    "y agora los más maridos
(nadie bastará a entenderlos)   110
tienen por lugarteniente
la mitad de todo el pueblo.

    "No se les daba de antes
por comisiones un cuerno,

y agora por comisiones   115
se les dan más de quinientos.
   "Solian usarse doncellas:
cuéntanlo ansí mis agüelos;
debiéronse de gastar,
por ser muy pocas, muy presto.   120
   "Bien hayan los ermitaños
que viven por esos cerros,
que si son buenos, se salvan,
y si no, los queman presto;
   "y no vosotros, lacayos   125
de tres hidalgos hambrientos,
alguaciles de unas ancas
con la vara y el cabestro.
   "Y yo, que en diez y seis años
que tengo de despensero,   130
aun no he podido ser Judas,
y vender a mi maestro."
   En esto, Pierres, que estaba
con mareta en el asiento,
dormido cayó de hocicos,   135
y devoto besó el suelo.
   Jaques, desembarazado
el estómago y el pecho,
daba mil tiernos abrazos
a un banco y a un paramento.   140
   Sirviéronle de orinales
al buen Roque sus greguescos:
que no se halló bien el vino,
y ansí se salió tan presto.
   Maroto, que vio el estrago   145
y el auditorio de cestos,
bostezando con temblores,
dio con su vino en el suelo.

---

134 *mareta,* movimiento de vaivén, como un pequeño oleaje.
   Comp.: "Y tu mula por las calles / no te lleve con mareta". N.º 426, vv. 11-12. "los demás venían encima [de
   las mulas] con mareta y algunos vaivenes aserradores". *El
   sueño de la Muerte,* OP, p. 208b.
140 *paramento,* cualquier paño con que se cubría una cosa.

157

BODA DE NEGROS

ROMANCE

Vi, debe de haber tres días,
en las gradas de San Pedro,
una tenebrosa boda,
porque era toda de negros.
    Parecía matrimonio   5
concertado en el infierno:
negro esposo y negra esposa
y negro acompañamiento.
    Sospecho yo que, acostados,
parecerán sus dos cuerpos,   10
junto el uno con el otro,
algodones y tintero.
    Hundíase de estornudos
la calle por do volvieron:
que una boda semejante   15
hace dar más que un pimiento.
    Iban los dos de las manos,
como pudieran dos cuervos;
otros dicen como grajos,
porque a grajos van oliendo.   20
    Con humos van de vengarse
(que siempre van de humos llenos)
de los que, por afrentarlos,
hacen los labios traseros.
    Iba afeitada la novia   25
todo el tapetado gesto

---

25 *afeitada,* con afeites. Véase la nota en el poema 128.
26 *tapetado*: "de color oscuro o prieto". *Auts.* Comp.:
        y así, mandó venir paso entre paso
        al indio cisco, tapetado y loro.
                                Orlando, I, 107-8

con hollín y con carbón
y con tinta de sombreros.

Tan pobres son, que una blanca
no se halla entre todos ellos; 30
y por tener un cornado
casaron a este moreno.

Él se llamaba Tomé,
y ella, Francisca del Puerto;
ella esclava, y él es clavo 35
que quiere hincársele en medio.

Llegaron al negro patio
donde está el negro aposento
en donde la negra boda
ha de tener negro efeto. 40

Era una caballeriza,
y estaban todos inquietos;
que los abrasaban pulgas,
por perrengues o por perros.

A la mesa se sentaron, 45
donde también les pusieron
negros manteles y platos,
negra sopa y manjar negro.

Echóles la bendición
un negro veintidoseno, 50
con un rostro de azabache
y manos de terciopelo.

Diéronles el vino, tinto;
pan, entre mulato y prieto;

---

28 Porque muchas veces los roces y vejeces de los sombreros
se teñían con tinta.
44 *perrengue*, negro. "Vulgarmente se da este nombre al que
con facilidad y vehemencia se enoja, encoleriza o em-
perra; y también al negro, porque se encoleriza con facilidad, o por llamarle perro disimuladamente". *Auts.*
48 *manjar negro*, por contraposición con el llamado "manjar
blanco", "por ser de leche, azúcar y pechugas de gallinas,
plato de españoles; antiguamente se guisaba en las casas
de los príncipes o señores, agora se vende públicamente
con tablilla a la puerta que dize: "aquí se venden tortas
y manjar blanco". Cov., *Tes.*
54 *pan prieto*, pan moreno.

carbonada hubo, por ser   55
tizones los que comieron.

Hubo jetas en la mesa
y en la boca de los dueños,
y hongos, por ser la boda
de hongos, según sospecho.   60

Trujeron muchas morcillas,
y hubo algunos que, de miedo,
no las comieron, pensando
se comían a sí mesmos.

Cuál, por morder del mondongo,   65
se atarazaba algún dedo,
pues sólo diferenciaban
en la uña de lo negro.

Mas cuando llegó el tocino,
hubo grandes sentimientos,   70
y pringados con pringadas
un rato se enternecieron.

Acabaron de comer,
y entró un ministro guineo
para darles aguamanos   75
con un coco y un caldero.

Por toalla trujo al hombro
las bayetas de un entierro;
laváronse, y quedó el agua
para ensuciar todo un reino.   80

Negros de ellos se sentaron
sobre unos negros asientos,

---

55 *carbonada*: "la carne que después de cocida se echa a
tostarse sobre las ascuas o el carbón encendido. Del manjar blanco suelen también hazer carbonada". Cov., *Tes.*
57-60 *jeta*, el hocico de cerdo, la cara o labios de una persona y
la seta. Según Covarrubias, a los mejores "hongos se oponen en calidad los que llaman getas o hongos de puer-
co [...] El proverbio castellano dice "No se haze la boda de
hongos", dando a entender que estos saynetes [bocados] no
son para hazer pasto dellos ni pensar que los convidados
no se han de satisfazer con yervas ni ensaladas". *Tes.*
68 "En lo negro de la uña". GS.
78 *bayetas de un entierro*, adorno de bayeta negra que se
ponía sobre el ataúd y en el suelo.

y en voces negras cantaron
también denegridos versos:

"Negra es la ventura 85
de aquel casado
cuya novia es negra
y el dote en blanco."

158

VARIOS LINAJES DE CALVAS

ROMANCE

"Madres, las que tenéis hijas,
ansí Dios os dé ventura,
que no se las deis a calvos,
sino a gente de pelusa.

"Escarmentad en mí todas; 5
que me casaron a zurdas
con un capón de cabeza,
desbarbado hasta la nuca.

"Antes que calvicasadas
es mejor verlas difuntas: 10
que un lampiño de mollera
es una vejiga lucia.

"Pues que si cincha la calva
con las melenas que anuda,
descubrirá con el viento 15
de trecho a trecho pechugas.

"Hay calvas sacerdotales,
y de estas calvas hay muchas,
que en figura de coronas
vuelven los maridos curas. 20

---

1 Imita el principio de los romances plebeyos o de ciegos.
12 *lucia*, brillante, reluciente.

"Calvas jerónimas hay
como las sillas de rúa:
cerco delgado y redondo;
lo demás, plaza y tonsura.

"Hay calvas asentaderas,   25
y habían los que las usan
de traerlas con greguescos,
por tapar cosa tan sucia.

"Calvillas hay vergonzantes,
como descalabraduras;   30
pero yo llamo calvarios
a las montosas y agudas.

"Hay calvatruenos también,
donde está la barahúnda
de nudos y de lazadas,   35
de trenzas y de costuras.

"Hay calvas de mapamundi,
que con mil líneas se cruzan,
con zonas y paralelos
de carreras que las surcan.   40

"Hay aprendices de calvos,
que el cabello se rebujan,
y por tapar el melón,
representan una furia.

"Yo he visto una calva rasa,   45
que dándola el sol relumbra,
calavera de espejuelo,
vidrïado de las tumbas.

33 *calvatrueno,* juego de voces entre "calva grande" y "hombre alocado".
39 *zonas*: "Los Astrónomos y Geógraphos cuentan cinco ce-
lebérrimas en que dividen la Esphera". *Auts.* Comp.:

> A venir el cometa por coronas,
> ni clérigo ni fraile nos dejara,
> y el tal cometa irregular quedara
> en el ovillo de las cinco zonas.
>   N.º 525, 1-4

47 *calavera,* en la doble acepción quevedesca de 'calavera' y
'cabeza'. Comp.:

> su marido he de ser, quiera o no quiera,
> y su dote será tu calavera.
>   *Orlando,* II, 527-8

"Marido de pie de cruz
con una muchacha rubia, 50
¿qué engendrará, si se casa,
sino un racimo de Judas?"
En esto, huyendo de un calvo,
entró una moza de Asturias,
de las que dicen que olvidan 55
los cogotes en la cuna;
y a voces desesperadas,
maldiciendo su ventura,
dijo de aquesta manera,
cariharta y cejijunta: 60
"Calvos van los hombres, madre,
calvos van;
mas ellos cabellarán.

"Cabéllense en hora buena,
pues como del brazo ha sido 65
siempre la manga el vestido,
hoy del casco, aunque sea ajena,
es bien lo sea la melena,
y que ande también galán.
Calvos van los hombres, madre, 70
calvos van;
mas ellos cabellarán.

"¿Quién hay que pueda creello
que haya por naturaleza

49 *pie de cruz.* "Huevo de avestruz". GS. Astrana Marín
apostilló que "marido de pie de cruz" quiere decir sencillamente 'calavera', porque se pone (en pinturas, graba-
dos, etc.) al pie de la Cruz". En Quevedo es fácil encontrar otros testimonios. Comp.: "entró allí a media hora
con aquella cara que yo he visto en pie de cruz, rellenada
sobre equis de dos huesos de muerto". *Epist.*, p. 247.
"¡Pues qué si la vida adrede porfía hasta que uno enve-
jezca, y le labra de calavera, con calva de pie de cruz".
Discurso de todos..., OP, p. 243b.
61-63 Es parodia de una conocida canción vieja, que incluye
Góngora, por ejemplo, en su romance-ensalada "A la
fuente va del olmo":

Turbias van las aguas, madre,
turbias van,
mas ellas se aclararán.

heréticos de cabeza,
calvinistas de cabello?
Los que se atreven a sello,
¿a qué no se atreverán?
Calvos van los hombres, madre,
calvos van;   80
mas ellos cabellarán.

"Cuando hubo españoles finos,
menos dulces y más crudos,
eran los hombres lanudos;
ya son como perros chinos.   85
Zamarro fue Montesinos,
el Cid, Bernardo y Roldán.
Calvos van los hombres, madre,
calvos van;
mas ellos cabellarán.   90

"Si a los hombres los queremos
para pelarlos acá
y pelados vienen ya,
si no hay que pelar, ¿qué haremos?
Antes morir que encalvemos;   95
alerta, hijas de Adán.
Calvos van los hombres, madre,
calvos van;
mas ellos cabellarán."

159

BURLA EL POETA DE MEDORO, Y MEDORO DE LOS PARES

ROMANCE

Quitándose está Medoro
del jubón y la camisa,
al sol de marzo, una tarde,
algunas puntadas vivas.

4 *puntadas vivas,* piojos. En el 169, v. 59, see "puntos comedores".

Las uñas más matadoras 5
que los ojos de su amiga,
hecho un paladín Roldán
por las costuras arriba.

Después de haberse rascado
con notable valentía, 10
con aquellas blancas manos
que quitaron tantas vidas,

a la margen de un pajar
y a sombras de una pollina,
por falta de buena voz, 15
en lugar de cantar, chilla:

"Bella reina del Catay,
heredera de la China,
por quien hoy andan enhiestas
tanta lanza y tanta pica, 20

"no supo lo que se hizo
Rodamonte, aunque más digan:
que el andar a coscorrones
ni es regalo ni caricia.

"A una mujer que se espanta 25
de ver una lagartija,
una dádiva de muerto
es una cosa muy linda.

"Ándase Orlando el furioso
saltando de viga en viga, 30
juntando para traerla
calaveras y ternillas.

"¡Miren qué hará una chicota
que tiembla de una sangría,
viendo partir un gigante 35
de la mollera a las tripas!

11-12 Como ya vio M. Chevalier (*Los temas ariostescos en el
romancero y la poesía española del Siglo de Oro*, Madrid, 1968, p. 319) esos dos versos no son de Quevedo,
sino el principio de un romance, que podría ser de Lope,
que puede leerse en la misma obra citada, p. 256.
22 *Rodamante* o *Rodamonte*, personaje de los poemas caballerescos italianos, como los de Boyardo y Ariosto.
32 *calaveras*, cabezas. Véase la nota del poema 158.

"Esto ha tenido la bella
desde que era tamañita:
que quiere más que un valiente
cualquier dinero gallina.   40

"Yo solo la di en el chiste;
y mientras ellos se arpillan,
a lo cobarde la gozo
por estas caballerizas.

"Más me ha valido ser zambo   45
que a ellos sus valentías;
pues yo la tengo preñada,
y ellos me tienen invidia.

"Deshacer encantamentos
es menos que hacer basquiñas;   50
y es más pagar una joya
que ganar una provincia.

"¡Quién viera en una mohatra
al buen Palmerín de Oliva,
y con el ciento por ciento   55
andar a la rebatiña!

"¡Quién viera a don Belianís
en una sombrerería,
dándole vueltas al casco,
y alabando la toquilla;   60

41 *dar en el chiste,* dar en el punto de la dificultad, descubrir
   la causa oculta; pero en Quevedo suele tener, a veces, un
   sentido obsceno. Comp.: "Mas viendo la mozuela que el
   fraile le daba en el chiste, estúvose acurrucada, por escu-
   sar dimes y diretes". *Cuento de cuentos,* OP, p. 796a.
42 *arpillan,* hieren?
45 Parece ser que, según consejas, mientras las *zambas* se
   consideraban estériles, los *zambos* llevaban fama de gene-
   síacos. Véase más adelante otra referencia, poema 169.
   (Para la conseja sobre las zambas, véase E. Orozco Díaz,
   Góngora, Barcelona, 1953, p. 103, con referencia a los
   comentarios de Salazar Mardones a los versos 77-80 de
   la *Fábula de Píramo y Tisbe,* de Góngora).
53 *mohatra:* "Compra fingida o simulada, que se hace, o
   quando se vende teniendo prevenido quien compre aquello
   mismo a menos precio, o quando se da a precio mui
   alto, para volverlo a comprar a precio ínfimo, o quando
   se da o presta a precio mui alto". *Auts.*
60 *toquilla,* diminutivo de 'toca'; aquí la tela que protegía
   la cabeza del casco.

"y en poder de un escribano
a la lanza de Argalía,
ahogada en el tintero,
soltando la tarabilla!"

En esto, por un repecho,   65
vio subir a sus costillas
un vecino de sus carnes,
convidado de ellas mismas.

En su seguimiento parte;
a cinco uñas camina,   70
y cansado de matar,
entre los dedos le hila.

VIDA & MUERTE paradox

160

Attach on women.
giving money & presents.

QUEJAS DEL ABUSO DE DAR A LAS MUJERES

Addressed to a woman

didn't heal but killed. SATIRE. CONCEIT.

Los médicos con que miras,   *CRYPTIC*
los dos ojos con que matas,   *kill a man*
bachilleres por Toledo,   *when you look*
doctores por Salamanca;   *at him.*
esa cárcel que te peinas,   5

Never freed prisoners.

esos grillos que te calzas,
que ni los ponen las culpas
ni los quitarán las Pascuas;

has captured his heart

la boca que, a puras perlas,   *metaphor.*
dicen que come con sartas,   *teeth*   10
y por labios colorados   *Formulaic*
dos búcaros de la maya;   *vase.*

---

62 *Argalía,* personaje también de los poemas caballerescos ita-
    lianos.
64 *tarabilla,* la lengua, porque a los que hablan mucho les
    llaman 'tarabillas', como hoy.
70 *uñas,* juego de voces y recuerdo de la frase "A uña de
    caballo", que "es huyr por la posta y con mucha diligen-
    cia". Cov., *Tes.*
 8 Porque en la Pascua de Navidad se solían librar presos.
    Vid. la nota 55 en el poema 181.
12 *búcaros de la maya,* los búcaros, como vasos pequeños
    "de cierta tierra colorada que traen de Portugal [...] destos
    barros dizen que comen las damas por amortiguar la color

aquesos diez mandamientos
(que así las manos se llaman),
de ejecución contra bolsas,   15
de apremio contra las arcas;
la sonsaca de tu risa,
la rapiña de tu habla,
los halagos de tus niñas,
los delitos de tu cara,   20
el talle de no dejar
un ochavo en toda España,
y el aire, que en todo tiempo
dicen que lleva las capas,
    buen provecho le hagan   25
    a quien da su dinero
    porque le lleve Satanás el alma.

'Dame', 'cómprame' y 'envíame'
tengo por malas palabras:
que judío ni azotado,   30
pues que no cuestan, no agravian.
    De muy buena gana pongo
en tus orejas mis ansias,

---

o por golosina viciosa". Cov., *Tes.* Los *búcaros de la
maya* procedían de Lisboa, llamados así por ser fabricados por una familia de alfareros apellidados *Maia* o *da
Maia.* Abundan muchísimo las referencias a las damas que
comían trozos de búcaro o de barro. Comp.: "El otro
día llevé yo una de setenta años que comía búcaro y hacía
ejercicio para remediar las opilaciones". *El alguacil algua-
cilado,* OP, p. 171a.
13-14 *diez mandamientos,* los diez dedos. Es voz de germanía.
Comp.:

Mont. Echá acá esos cinco.
Traso. ¿Para qué?
Mont. Pues para que estos diez mandamientos que hay
que rezar, y que no falta vino con que canten los
ángeles.

Feliciano de Silva, *Segunda comedia de Celesti-
na* (Madrid, 1874), p. 466.

17 *sonsaca,* estafa. Véase la nota 5 al poema 125.
28 Comp.: "Miren qué cara les hace un pobre hombre cuando oye: "Dame, tráeme, cómprame, envía, muestra". *El
caballero de la Tenaza,* OP, p. 44b.

dejando lugar a otros
donde pongan arracadas.   35
    Gastó el viejo Amor en viras,
mas no en virillas de plata;
brincos se daban saltando,
y hoy se compran y se pagan.
    Rascábanse con las uñas   40
en paz las antiguas damas,
y hoy con espadillas de oro
dan en esgrimir la caspa.
    Dineros cuesta si comen,
y dinero si se rascan: 45
todo cuesta, y sólo es llano
dar, o irse noramala.
    Halagos facinorosos,
que acarician cuando estafan;
brazos que enlazan el cuello,   50
y en la faldriquera paran,
    buen provecho le hagan
a quien da su dinero
porque le lleve Satanás el alma.

161

ADVERTENCIAS DE UNA DUEÑA A UN GALÁN POBRE

ROMANCE

Una picaza de estrado,
entre mujer y serpiente,
pantasma de las doncellas
y gomia de los billetes,

35 *arracadas,* pendientes.
36 *vira,* saeta delgada y muy aguda de punta.
37 *virillas,* listones para atar las zapatillas o chinelas.
42 *espadilla* : "la aguja grande de marfil, plata u otro metal,
   de que usan las mugeres para recoger y detener el cabello". *Auts.,* que aduce estos versos.
 3 *pantasma,* fantasma, de uso muy corriente en la época.

tumba viva de una sala,   5
mortaja que se entremete,
embeleco tinto y blanco
que revienta quien le bebe;
    una de aquestas que enviudan
y en un animal se vuelven,   10
que ni es carne ni pescado,
dueña, en buena hora se miente,
    viendo cocer en suspiros
dos rejas y unas paredes,
con su lengua de escorpión   15
esto le dijo a un pobrete:
    "Bien parecen los suspiros
en hombre que se arrepiente;
guarde esas lágrimas, hijo,
para cuando se confiese.   20
    "Toda plegaria es parola
y lenguaje diferente:
el romance sin dineros
es lengua que no se entiende.
    "Ser gentil hombre un cristiano   25
nada vale y bien parece:
la moneda es pantorrillas,
ojos, cabellos y dientes.
    "Dar músicas es quitar
el sueño a la que ya duerme: 30
que los tonos y las coplas
no hay platero que las pese.
    "Pendencias y cuchilladas
no son raíces ni muebles;
pues a la justicia sola   35
valen dinero las muertes.

Comp.: "El maldito casamentero [...] se halló desposado
con la pantasma que pretendía pegar al otro". *La hora de
todos*, OP, p. 273a.
4 *gomia*: "este nombre damos al que come mucho y des-
ordenadamente [...] Espantan las amas a los niños quando
lloran, diciéndoles: Cata que vendrá la gomia y te co-
merá; y píntanles una vieja descabellada, muy negra y
fea, con unos grandes colmillos". Cov., *Tes.*
34 *raíces*, bienes raíces.

"Pasear es ejercicio,
no dádiva ni presente;
y el que lo hace a menudo,
más que negocia, digiere.   40

"Promesa es cosa de niños
y moneda de inocentes:
que la malicia de agora
lo que no palpa no quiere.

"El pobre no aguarda a irse   45
para decir que está ausente:
que en ninguna parte está
el que dinero no tiene.

"Quien no tiene, ya se fue;
quien no da, se desparece;   50
invisible es quien no gasta,
pues ninguna puede verle.

"El rico está en toda parte;
siempre a propósito viene;
no hay cosa que se le esconda;   55
no hay puerta que se le cierre.

"Doncella cuentan que fui;
el Señor sabe si mienten;
quién me hizo dueña no supe,
y pagáronmelo siete.   60

"Por vengarme de un vecino,
me casé con él adrede,
hasta que enterré una mina
de tinteros en su frente.

"Fue Dios servido, después,   65
de que yo me convirtiese
en sabandija tocada,
en un lechuzo de réquiem.

"Pasadizo soy de cuerpos
que se pagan y se venden;   70
enflautadora de hombres
y engarzadora de gentes.

64 *tinteros,* cuernos. Véase la nota 3-4 en el poema 135.

71-72 Comp.: "Agüela, endilgadora de refocilos, engarzadora de
cuerpos [...], enflautadora de personas". *La hora de todos,*

"Lo que me pagan informo;
hijo, el Señor lo remedie:
que amante pobre y desnudo   75
sólo da lástima verle.

"El que llora sus pecados
premio en otro mundo espere:
que lágrimas en Madrid
mojan, pero no merecen.   80

"Durmiendo está mi señora,
y no habrá quien la despierte:
que los pobres dan modorra,
y es sueño cuanto pretenden."

El mendigo, que la oyó   85
el razonamiento aleve,
hambriento y desesperado,
la dijo de aquesta suerte:

"Descomulgado avechucho,
Caín de tantos Abeles,   90
mula de alquiler con manto,
chisme revestido en sierpe,

"bien sé yo que contra ti,
por ser entre sombra y duende,
no valen sino conjuros   95
del misal y de los prestes.

"Yo traeré quien destas casas ·
con cruz, estola y asperges,
saque, como los demonios,
la dueña legión que tienen."   100

OP, p. 279b. "[era] encañutadora de personas y enflautadora de miembros, encuadernadora de vicios, endilgadora
de pecados". *Discurso de todos...*, OP, p. 259a.

162

MARIDO QUE BUSCA ACOMODO Y HACE RELACIÓN
DE SUS PROPRIEDADES

La que hubiere menester
un marido de retorno,
que viene a casarse en vago
y halla su mujer con otro,
    acudirá a mi cabeza,   5
más arriba de mi rostro,
como entramos por las sienes
entre Cervantes y Toro.
    Muchachas, todo me caso;
niñas, todo me desposo: 10
marido de quita y pon,
entre ciego y entre sordo.
    Persona de tan buen talle,
que tengo el talle de todos;
viéneme lo que me dan   15
los delgados y los gordos.
    Doyme por desentendido
de cuantas visiones topo;
no ocupo lugar en casa,
y al rayo del sol me asomo.   20
    Si estando con mi mujer
columbro brújula de oros,
hago como que me fui,
y aunque me quedo, no estorbo.
    Y con esto, aun es tan vano   25
de mi cabeza el entono,
que a quien me los pone a mí,
parece que se los pongo.
    Tengo, en queriendo dormir,
sueño de pluma y de plomo;   30

20 "Alude al caracol". GS. (Por los cuernos, claro).
26 *entono*, engreimiento, presunción.

con prometimientos, velo,
y con las dádivas, ronco.
　　Sabe a acíbar la perdiz
que para comerla compro;
pero si me lo presentan,　　　　　　　35
sabe a perdiz cuanto como.
　　Siete veces me he casado,
siete capuces he roto;
y me siento tan marido,
que pienso ponerme el ocho.　　　　　40
　　La primera fue doncella,
después de mi desposorio;
recatada, ya se entiende;
recogida... en casas de otros.
　　La segunda hizo un enredo　　　　45
que no le hiciera el demonio:
juntó un virgo y un preñado,
trujo el uno sobre el otro.
　　Estiraba yo los meses
porque viniesen al proprio,　　　　　50
y achaquéme una barriga,
que no la vi de mis ojos.
　　Las demás, a puto el postre,
honraron mis matrimonios:
las tres, tres signos me hicieron:　　55
Aries, Tauro y Capricornio.
　　Las dos pusieron virtudes
de mi cabeza en el moño,
que a competirlas no bastan
las de muchos unicornios.　　　　　60
　　Si hiciérades oración
por un marido del Soto,

38 Por los cuernos.
53 *a puto el postre,* frase "con que se explica la forma de
huir con prissa, acceleradamente, y con precipitación".
Auts. Comp.: "Iba la hija saltando bardales [...], corriendo a puto el postre, con la lengua tan larga...". *Cuento
de cuentos,* OP, p. 795b.
56 Recuérdese que Aries es el Carnero.
60 Entre las 'virtudes' del unicornio figuran las de purificar
el agua con su cuerno y "que si vee una donzella, se le
domestica y se le recuesta sobre sus faldas". Cov., *Tes.*

no os le deparara el Rastro
más Diego ni menos hosco.
Mi condición y mi vida 65
es aquesta que pregono:
muchachas, alto a casar,
que está de camino el novio.

163

DESCUBRE MANZANARES SECRETOS DE LOS QUE EN ÉL SE BAÑAN

ROMANCE

"Manzanares, Manzanares,
arroyo aprendiz de río,
platicante de Jarama,
buena pesca de maridos;
"tú que gozas, tú que ves, 5
en verano y en estío,
las viejas en cueros muertos,
las mozas en cueros vivos;

---

64 *más Diego,* alusión al personaje folklórico de Diego Moreno, prototipo de cornudos. Quevedo es autor de un
Entremés de Diego Moreno, por lo que se queja pirande-
lianamente el propio Diego Moreno en *El sueño de la
Muerte:* —"¿Qué le he hecho yo? —Entremés—, dijo
tan presto Diego Moreno. ¿Yo soy cabrón y otras bella-
querías que compusiste a él semejantes? ¿No hay otros
morenos de quien echar mano?... Yo fui marido de tomo
y lomo, porque tomaba y engordaba [...] Poco malicioso,
lo que podía echar a la bolsa, no lo echaba a mala
parte. Mi mujer era una picarona y ella me difamaba,
porque dio en decir: "Dios me le guarde al mi Diego
Moreno, que nunca me dijo malo ni bueno". Y miente
la bellaca, que yo dije malo y bueno docientas veces [...]
Viendo entrar en mi casa poetas, decía: "¡Malo!". Y
en viendo salir ginoveses, decía: "¡Bueno!". Véase E.
Asensio, "Hallazgo de *Diego Moreno,* entremés de Què-
vedo, y vida de un tipo literario", en *Hispanic Review,*
XXVII (1959), pp. 397-412.
3 *platicante,* practicante, como en el v. 194 del poema 54.
Recuérdese que la zona del Jarama llevaba fama por sus
toros bravos.

"ansí derretidas canas
de las chollas de los riscos,   10
remozándose los puertos,
den a tu flaqueza pistos,

"pues conoces mi secreto,
que me digas, como amigo,
qué género de sirenas   15
corta tus lazos de vidro."

Muy hético de corriente,
muy angosto y muy roído,
con dos charcos por muletas,
en pie se levantó y dijo: 20

"Tiéneme del sol la llama
tan chupado y tan sorbido,
que se me mueren de sed
las ranas y los mosquitos.

"Yo soy el río avariento   25
que, en estos infiernos frito,
una gota de agua sola
para remojarme pido.

"Estos, pues, andrajos de agua
que en las arenas mendigo,   30
a poder de candelillas,
con trabajo los orino.

"Hácenme de sus pecados
confesor, y en este sitio
las pantorrillas malparen;   35
cuerpos se acusan postizos.

"Entre mentiras de corcho
y embelecos de vestidos,
la mujer casi se queda
a las orillas en lío.   40

---

12 *pisto*: "el xugo o substancia que, machacándola o apren-
sándola, se saca del ave, especialmente de la gallina o
perdiz; el qual se ministra caliente al enfermo [...] para
que se alimente y cobre fuerças". *Auts.*
25 *río avariento*, recuerdo del Rico avariento de los Evange-
lios (Lucas, 12, 16).
31 *candelillas*: "las muy delgadas sirven a los çurujanos para
abrir la vía al que tiene mal de orina". Cov., *Tes.*
37 *mentiras de corcho*, los famosos chapines.

"¿Qué cosa es ver una dueña,
un pésame dominico,
responso en caramanchones,
medio nieve y medio cisco,

"desnudarse de un entierro   45
la cecina deste siglo,   .
y bañar de ánima en pena
un chisme con dominguillos?

"Enjuagaduras de culpas
y caspa de los delitos   50
son mis corrientes y arenas:
yo lo sé, aunque no lo digo.

"Para muchas soy colada,
y para muchos, rastillo;
vienen cornejas vestidas,   55
y nadan después erizos.

"Mujeres que cada día
ponen con sumo artificio
su cara, como su olla,
con su grasa y su tocino.   60

"Mancebito azul de cuello
y mulato de entresijos,
único de camisón,
lavandero de sí mismo.

"No todas nadan en carnes   65
las señoras que publico:
que en pescados abadejos
han nadado más de cinco.

---

43 *caramanchón*, como 'camaranchón'.
48 *dominguillo*: "es cierta figura de soldado desarrapado,
hecho de handrajos y embutido en paja, al qual ponen
en la plaça o con una lançilla o garrocha, para que el
toro se ceve en él y le levante en los cuernos peloteán-
dole". Cov., *Tes.*
54 *rastillo*: "instrumento con que las mugeres limpian el lino
últimamente para poderlo hilar". Cov., *Tes.*
61 *azul de cuello,* de cuello azul, porque eran de ese color
ciertos cuellos. Quevedo escribe cierto romance que comienza "Yo, cuello azul pecador", n.º 720, y otra vez
dice: "[Los pajes] traen un azulado cuello abierto, repá-
sanle cada día seis veces". *Vida de la Corte,* OP, p. 17b.

"Por saber muchas verdades,
con muchas estoy malquisto: 70
de las lindas, si las callo;
de las feas, si las digo.

"Ya fuera muerto de asco,
si no diera a mis martirios
Filis, de ayuda de costa,   75
tanto cielo cristalino.

"Río de las perlas soy,
si con sus dientes me río,
y Guadalquivir y Tajo,
por lo fértil y lo rico.   80

"Soy el Mar de las Sirenas,
si canta dulces hechizos,
y cuando se ve en mis aguas,
soy la fuente de Narciso.

"A méritos y esperanzas   85
soy el Lete, y las olvido;
y en peligros y milagros,
hace que parezca Nilo.

"A rayos, con su mirar,
al sol mesmo desafío,   90
y a las esferas y cielos,
a planetas y zafiros.

"Flor a flor y rosa a rosa,
si abril se precia de lindo,
de sus mejillas le espera   95
cuerpo a cuerpo el Paraíso.

"Las desventuras que paso
son estas que he referido,
y éste el hartazgo de gloria
con que sólo me desquito."   100

80 Alude a las famosas arenas de oro del Tajo.

164

LICIÓN DE UNA TÍA A UNA MUCHACHA, Y ELLA
MUESTRA CÓMO LA APRENDE

ROMANCE

Mensajero soy, señora:
no tenéis que me culpar;
de parte de mi dinero
esta embajada escuchad:
En el real de don Sancho   5
grandes alaridos dan;
don Sancho los da mayores,
porque le piden el real.
¿Dónde estás, señora mía,
que pides y no me das?   10
En tu juicio, no lo creo;
en mi gracia, no será.
De mis pequeñas heridas
compasión solias tomar;
que por tomar, vida mía,   15
compasiones tomarás.
Dame nuevas de tu tía,
aquella águila imperial,
que, asida de los escudos,
en todas partes está,   20

1-2 Parodian los versos "Mensajero eres, amigo, / no mereces
culpa, no", del romance que principia "Buen conde Fernán González". Para el uso de frases coloquiales derivadas
del romancero, véase R. Menéndez Pidal, *Romancero his-
pánico*, II (Madrid, 1953), pp. 184 y ss.
5-6 Son recuerdo de "Gritos dan en el real, / que a don
Sancho han malherido", del romance viejo que comienza
"Guarte, guarte, rey don Sancho" (Durán, BAE, X,
p. 505).
9-10 y 13-14 Son versos del conocido romance "De Mantua salió
el Marqués":

¿Dónde estás, señora mía,
que no te pena mi male?
De mis pequeñas heridas
compasión solías tomare.

toda pico, y uñas toda,
pues para haber de volar,
de mi caudal hizo plumas,
por ser águila caudal.

Paréceme que la escucho   25
cuando te empieza a enseñar,
Mahoma de nuestras bolsas,
este maldito *Alcorán*:

"A los paganos te llegas,
de los quitanos te vas: 30
Santo Tomé te defienda
del amante Guardïán.

"Dátiles de Berbería,
niña, valen mucho más
que quítales de Toledo,   35
que es una fruta infernal.

"En la baraja del siglo,
cuando quisieres jugar,
serás la sota de espadas,
pero de los oros, as.   40

"Si falta pesca en poblado
al conchudo gavilán,
allá va a buscar la caza
a las orillas del mar.

"No dejes los mal vestidos: 45
que el dinero suele andar
en figura de romero,
no le conozca Galván.

"Gran daréte y poco toma
son gradas del hospital: 50

---

33 *dátiles,* porque comienza con 'da'. Comp.: "no se ha de
jugar a los dados, ni se ha de leer en el Dante, ni se han
de comer dátiles". *El caballero de la Tenaza,* OP, p. 39a.
42 *conchudo*: "se apropia a la persona que es muy recatada,
cautelosa, astuta y reservada y difícil de engañar". *Auts.*
47-48 Son dos versos muy citados del romance de Gaiferos (BAE,
X, p. 247):

> —Vámonos —dijo—, mi tío,
> a París esa ciudade
> en figura de romeros,
> no nos conozca Galvane.

deja rizos aladares,
por algún sin aladar.
　　"Y tú, porque ella conozca
tu garduña habilidad,
con boca de pierna en pobre   55
empiezas a demandar:
　　"El que sólo promete
mete cizaña:
que los prometimientos
son para el alma.   60
　　"Muestro a mis pretendientes
dientes y muelas:
danles alabanzas,
quieren meriendas.
　　"Hombre sin talego   65
lego se queda:
que en mi orden el rico
sólo profesa.
　　"Sólo quien derrama
ama de veras: 70
que es amar a peste
amar a secas.
　　"Mancebito guardoso
oso le digo,
pues se lame las manos   75
para sí mismo.
　　"A quien guarda el dinero
Nero le llamo,
y a quien da lo que tiene,
un Alejandro.   80
　　"Para mí son bolsones
sones y liras,
gaita mejicana
de mi codicia.

---

garduña: "al ladrón ratero, sutil de manos, llamamos garduña, porque era la garra y la uña". Cov., *Tes.*

"Es mi Mariquita   85
quitapesares,
digo quitapesos
de a ocho reales."

165

INSTRUCCIÓN Y DOCUMENTOS PARA EL NOVICIADO
DE LA CORTE

ROMANCE

A la Corte vas, Perico;
niño, a la Corte te llevan
tu mocedad y tus pies:
Dios de su mano te tenga.
Fiado vas en tu talle,   5
caudal haces de tus piernas;
dientes muestras, manos das,
dulce miras, tieso huellas.
Mas si allá quieres holgarte,
hazme merced que en la venta   10
primera trueques tus gracias
por cantidad de moneda.
No han menester ellas lindos,
que harto lindas se son ellas:
la mejor fación de un hombre   15
es la bolsa grande y llena.
Tus dientes, para comer
te dirán que te los tengas;
pues otros tienen mejores
para mascar tus meriendas.   20
Tendrás muy hermosas manos,
si dieres mucho con ellas:
blancas son las que dan blancas,
largas las que nada niegan.
Alabaránte el andar,   25
si anduvieres por las tiendas;

13 *lindos*, eran también llamados los afeminados.

y el mirar, si no mirares
en dar todo cuanto quieran.

Las mujeres de la Corte
son, si bien lo consideras,   30
todas de Santo Tomé,
aunque no son todas negras.

Y si en todo el mundo hay caras,
solas son caras de veras
las de Madrid, por lo hermoso   35
y por lo mucho que cuestan.

No hallarás nada de balde,
aunque persigas las viejas:
que ellas venden lo que fueron,
y su donaire las feas.   40

Mientras tuvieres que dar,
hallarás quien te entretenga,
y en expirando la bolsa,
oirás el *Requiem æternam.*

Cuando te abracen, advierte   45
que segadores semejan:
con una mano te abrazan,
con otra te desjarretan.

Besaránte como al jarro
borracho bebedor besa,   50
que, en consumiendo, le arrima,
o en algún rincón le cuelga.

Tienen mil cosas de nuncios,
pues todas quieren que sean
los que están, abreviadores,   55
y datarios, los que entran.

Toman acero en verano,
que ningún metal desprecian:

---

48 *desjarretar*: "cortar las piernas por el jarrete, que es por
baxo de la corva y encima de la pantorrilla [...] Desjarretar el toro". Cov., *Tes.*
55-56 *abreviador y datario*: el primero, oficial de la Canci-
llería romana que extracta los documentos; *datario*, el
que preside la dataría, tribunal de la curia romana por
donde despachan ciertas provisiones de beneficios, etc.
(Naturalmente, se trata de un juego de voces).

Dios ayuda al que madruga;
mas no, si es andar con ellas.   60
    Pensóse escapar el sol,
por tener lejos su esfera;
y el invierno, por tomarle,
ocupan llanos y cuestas.
    A ninguna parte irás   65
que de ellas libre te veas:
que se entrarán en tu casa
por resquicios, si te cierras.
    Cuantas tú no conocieres,
tantas hallarás doncellas: 70
que los virgos y los dones
son de una misma manera.
    Altas mujeres verás;
pero son como colmenas:
la mitad, güecas y corcho,   75
y lo demás, miel y cera.
    Casamiento pedirán,
si es que te huelen hacienda:
guárdate de ser marido,
no te corran una fiesta.   80
    Para prometer te doy
una general licencia,
pues es todo el mundo tuyo,
como sólo le prometas.
    Ofrecimientos te sobren,   85
no haya cosa que no ofrezcas:
que el prometer no empobrece,
y el cumplir echa por puertas.
    La víspera de tu santo
por ningún modo parezcas: 90

63 *y el invierno*, y en el invierno.
71 *dones*, plural de don, cuyo uso satiriza tantas veces don
     Francisco. Véase la nota 49 en el poema 173.
75 Por los guardainfantes y los chapines.
76 *miel y cera*, miel por los afeites que se hacían con ella, y
     cera con que se pintaban los labios. Comp.: "acompañaba
     lo mortecino de sus labios con munición de lanternas a
     poder de cerillas". *La hora de todos*, OP, p. 274a. Véase
     otra referencia en el poema 175, v. 128.

pues con tu bolsón te ahorcan
cuando dicen que te cuelgan.

Estarás malo en la cama
los días todos de feria;
por las ventanas, si hay toros,   95
meteráste en una iglesia.

Antes entres en un fuego
que en casa de una joyera,
y antes que a la platería
vayas, irás a galeras.   100

Si entrar en alguna casa
quieres, primero a la puerta
oye si pregona alguno:
no te peguen con la deuda.

Y si, por cuerdo y guardoso,   105
no tuvieres quien te quiera,
bien hechas y mal vestidas
hallarás mil irlandesas.

Con un cuarto de turrón
y con agua y con gragea,   110
goza un Píramo, barata,
cualquiera Tisbe gallega.

Si tomares mis consejos,
Perico, que Dios mantenga,
vivirás contento y rico   115
sobre la haz de la tierra.

---

92 *colgar,* regalar algo en el día de su santo o cumpleaños.
"Y porque este cortejo y demostración de ordinario se
hacía echándole al cuello una cadena de oro u plata, o
una cinta rica de seda con alguna alhajita o relicario
pequeño, que quedaba pendiente del cuello, por esto se
llamó *colgar,* y *cuelga* esta demostración, cuya ceremonia
es muy antigua y se usa y estila en el día de hoy". *Auts.*
Comp.: "Unas veces [los jueces] nos destierran, otras nos
azotan y otras nos cuelgan, aunque nunca haya llegado
el día de nuestro santo". *Buscón,* p. 19.
94 Las damas pedigüeñas acentuaban sus peticiones los días
de feria.
95 *por las ventanas,* porque había que pagar por ver los
toros desde ellas. Comp.: "¿Ventanicas para ver toros y
cañas, mi vida? *El caballero de la Tenaza,* OP, p. 40a.

Si no, veráste comido
de tías, madres y suegras,
sin narices y con parches,
con unciones y sin cejas.   120

166

EN LA SIMULADA FIGURA DE UNAS PRENDAS RIDÍCULAS,
BURLA DE LA VANA ESTIMACIÓN QUE HACEN LOS AMANTES
DE SEMEJANTES FAVORES *

ROMANCE

Cubriendo con cuatro cuernos
de su bonete de paño
más de mil que tú, Benita,
le has puesto con otros tantos,
    aquel sacristán famoso,   5
aquel desdichado Fabio,
el que a tus torres de viento
repicó los campanarios,
    después que el manteo raído,
ya que no desvergonzado,   10
hizo asiento sobre un cerro
para descansar un rato,
    a la orilla de un arroyo,
que no estaba murmurando
como otros arroyos ruines,   15
que éste era bien inclinado;
    desatando un borceguí
de una soguilla de esparto,
comenzó a sacar las prendas
que por favores le has dado.   20

---

119 *sin narices,* por las bubas. Recuérdese la nariz del dó-
    mine Cabra, entre Roma y Francia.
  * Es sátira de los romances pastoriles de Lope y sus ami-
    gos, aunque ya casi se pasaban de moda.
17 *borceguí*: "especie de calzado u botín con soletilla de
    cuero, sobre el que se ponen los zapatos o chinelas".
    Auts.

Lo primero y principal
fue un reverendo zapato,
con puntos de flux, muy proprio
no al pie, sino al mismo banco.
    Luego un lazo que tenía   25
de no sé qué cendal pardo,
que a la garganta de Judas
pudiera servir de lazo;
    una liga muy peor
que la de los luteranos,   30
recién convertida a liga
del mal estado de trapo.
    Sacó luego unos cabellos,
entre robles y castaños,
que a intercesión de unas bubas   35
se te cayeron antaño.
    Considere aquí el letor
pío, o curioso, o cristiano,
su gozo al ver que de liendres
eran sartas los más largos.   40
    Descubrió un retrato tuyo,
y halló que tiene, al mirarlo,
cosas de padre del yermo,
por lo amarillo y lo flaco.
    La frente mucho más ancha   45
que conciencia de escribano;
las dos cejas, en ballesta,
en lugar de estar en arco.
    La nariz, casi tan roma
como la del Padre Santo,   50
que parece que se esconde
del mal olor de tus bajos.
    Avecindados los ojos
en las honduras del casco,

---

23 *puntos*, las medidas del zapato, como hoy, y también los
puntos del juego de la baraja. *Flux*: "el concurso todas
cartas de un mismo palo". *Auts.* Comp.: "Tenía la cara
con tantas cuchilladas, que, a descubrirse puntos, no se
la ganara un flux". *Buscón*, p. 198.

con dos abuelas por niñas, 55
de ceja y pestañas calvos.
Una bocaza de infierno,
con sendos bordes por labios
donde hace la santa vida
un solo diente ermitaño. 60
Halló al cabo un escarpín,
que, sin estar resfriado,
tomando estuvo sudores
seis meses en tus zancajos.
Miró las prendas el triste, 65
y al momento, suspirando,
a su retablo de duelos
las puso por nuevo marco.
"¡Ay, despojos venturosos
—dijo—, que entre estos guijarros 70
me dejó aquella serpiente
que se enroscaba en mis brazos!
"No sé si os eche en el río,
que de llevaros me canso;
mas quien da llanto a Pisuerga, 75
no es justo que le dé asco.
"Quemaros será mejor
como favores nefandos,
pues contra naturaleza
los toma un hombre de un diablo." 80
Diciendo aquesto se fue,
dejándolos en el campo,
por espantajo a las aves,
y por estiércol al prado.

---

61 *escarpín*: "la funda de lienço que ponemos sobre el pie,
debaxo de la calça, como la camisa debaxo del jubón".
Cov., *Tes.*
67 *retablo de duelos*: "al que tiene muchos trabajos suelen
dezir que es un retablo de duelos". Cov., *Tes.*
78 Los *favores nefandos,* los amorosos contra natura, se cas-
tigaban con la hoguera.

Cubrióse con su manteo,   85
que dicen que fue de paño,
y partióse, haciendo lodos
en la arena con el llanto.

167

TESTAMENTO DE DON QUIJOTE

ROMANCE

De un molimiento de güesos,
a puros palos y piedras,
Don Quijote de la Mancha
yace doliente y sin fuerzas.

Tendido sobre un pavés,   5
cubierto con su rodela,
sacando como tortuga
de entre conchas la cabeza;

con voz roída y chillando,
viendo el escribano cerca,   10
ansí, por falta de dientes,
habló con él entre muelas:

"Escribid, buen caballero,
que Dios en quietud mantenga,
el testamento que fago   15
por voluntad postrimera.

"Y en lo de "su entero juicio",
que ponéis a usanza vuesa,
basta poner 'decentado',
cuando entero no le tenga.   20

"A la tierra mando el cuerpo;
coma mi cuerpo la tierra;
que según está de flaco,
hay para un bocado apenas.

---

5 *pavés,* escudo grande que cubría todo el cuerpo del com-
batiente.
19 *decentado,* llagado por larga enfermedad.

"En la vaina de mi espada   25
mando que llevado sea
mi cuerpo, que es ataúd
capaz para su flaqueza.

"Que embalsamado me lleven
a reposar a la iglesia,   30
y que sobre mi sepulcro
escriban esto en la piedra:

" "Aquí yace Don Quijote,
el que en provincias diversas
los tuertos vengó, y los bizcos,   35
a puro vivir a ciegas".

"A Sancho mando las islas
que gané con tanta guerra:
con que, si no queda rico,
aislado, a lo menos, queda.   40

"Ítem, al buen Rocinante
(dejo los prados y selvas
que crió el Señor del cielo
para alimentar las bestias)

"mándole mala ventura,   45
y mala vejez con ella,
y duelos en que pensar,
en vez de piensos y yerba.

"Mando que al moro encantado
que me maltrató en la venta,   50
los puñetes que me dio
al momento se le vuelvan.

"Mando a los mozos de mulas
volver las coces soberbias
que me dieron por descargo   55
de espaldas y de conciencia.

"De los palos que me han dado,
a mi linda Dulcinea,
para que gaste el invierno,
mando cien cargas de leña.   60

"Mi espada mando a una escarpia,
pero desnuda la tenga,

sin que a vestirla otro alguno,
si no es el orín, se atreva.

"Mi lanza mando a una escoba,   65
para que puedan con ella
echar arañas del techo,
cual si de San Jorge fuera.

"Peto, gola y espaldar,
manopla y media visera,
lo vinculo en Quijotico,   70
mayorazgo de mi hacienda.

"Y lo demás de los bienes
que en este mundo se quedan,
lo dejo para obras pías   75
de rescate de princesas.

"Mando que, en lugar de misas,
justas, batallas y guerras
me digan, pues saben todos
que son mis misas aquestas.   80

"Dejo por testamentarios
a don Belianís de Grecia,
al Caballero del Febo,
a Esplandián el de las Xergas."

Allí fabló Sancho Panza,   85
bien oiréis lo que dijera,
con tono duro y de espacio,
y la voz de cuatro suelas:

"No es razón, buen señor mío,
que, cuando vais a dar cuenta   90
al Señor que vos crió,
digáis sandeces tan fieras.

"Sancho es, señor, quien vos fabla,
que está a vuesa cabecera,
llorando a cántaros, triste,   95
un turbión de lluvia y piedra.

"Dejad por testamentarios
al cura que vos confiesa,

---

67 Alude a la frase popular "San Jorge mata la araña".
88 *de cuatro suelas*: "modo adverbial que vale fuerte, sólido
y con firmeza". *Auts.*

al regidor Per Antón
y al cabrero Gil Panzueca.   100
    "Y dejaos de Esplandiónes,
pues tanta inquietud nos cuestan,
y llamad a un religioso
que os ayude en esta brega."
    "Bien dices (le respondió   105
Don Quijote con voz tierna):
ve a la Peña Pobre, y dile
a Beltenebros que venga."
    En esto la Extremaunción
asomó ya por la puerta;   110
pero él, que vio al sacerdote
con sobrepelliz y vela,
    dijo que era el sabio proprio
del encanto de Niquea;
y levantó el buen hidalgo   115
por hablarle la cabeza.
    Mas, viendo que ya le faltan
juicio, vida, vista y lengua,
el escribano se fue
y el cura se salió afuera.   120

168

BURLA DE LOS ERUDITOS DE EMBELECO
QUE ENAMORAN A FEAS CULTAS

ROMANCE

    Muy discretas y muy feas,
mala cara y buen lenguaje,
pidan catreda y no coche,
tengan oyente y no amante.
    No las den sino atención,   5
por más que pidan y garlen,
y las joyas y el dinero
para las tontas se guarde.

Al que sabia y fea busca,
el Señor se la depare: 10
a malos conceptos muera,
malos equívocos pase.

Aunque a su lado la tenga,
y aunque más favor alcance,
un catredático goza,   15
y a Pitágoras en carnes.

Muy docta lujuria tiene,
muy sabios pecados hace:
gran cosa será de ver
cuando a Platón requebrare.   20

En vez de una cara hermosa,
una noche y una tarde,
¿qué gusto darán a un hombre
dos cláusulas elegantes?

¿Qué gracia puede tener   25
mujer con fondos en fraile,
que de sermones y chismes
sus razonamientos hace?

Quien deja lindas por necias
y busca feas que hablen,   30
por sabias coma las zorras,
por simples deje las aves.

Filósofos amarillos
con barbas de colegiales,
o duende dama pretenda,   35
que se escuche y no se halle.

Échese luego a dormir
entre Bártulos y abades,
y amanecerá abrazado
de Zenón y de Cleantes.   40

15-16 Comp.: "Y si son feas y discretas es lo mismo que acos-
      tarse con Aristóteles o Séneca o con un libro". *Buscón*,
      p. 228.
   40 Los fundadores de la escuela estoica, cuyas obras se han
      perdido.

Que yo, para mi traer,
en tanto que argumentaren
los cultos con sus arpías,
algo buscaré que palpe.

169

VISITA DE ALEJANDRO A DIÓGENES, FILÓSOFO CÍNICO *

ROMANCE

En el retrete del mosto,
vecino de una tinaja,
filósofo vendimiado,
que para vivir te envasas,
   galápago de Alcorcón,   5
porque el sol te dé en la cara,
campando de caracol,
traes a cuestas tu posada.
   ¡Válgate el diablo por hombre!
No sé cómo te devanas,   10
acostado en un puchero
el cuerpo, y el sueño a gatas.
   Pepita de un tinajero,
nos predicas alharacas
contra pilastras y nichos   15
y alquileres de las casas.
   No saben de ti los vientos,
porque les vuelves las ancas;
y para mudar de pueblo,
echándote a rodar, marchas.   20

---

* Véase el análisis estilístico de este romance en M. Muñoz Cortés, "Sobre el estilo de Quevedo", en *Mediterráneo*, 13-15 (1946), pp. 108 y ss.
1 *retrete*, habitación retirada : *retrete del mosto*, la cuba.
2 Comp.: "Presento por testigo al filósofo envasado, vecino de una tinaja". *Discurso de todos...*, OP, p. 246a.
5 *Alcorcón*: "pueblo dos leguas de Madrid, conocido por las ollas que allí se labran y otras vasijas". *Auts.*
15 *nichos*, véase la nota 12 en el poema 121.

Para mejorar de sitio
tu persona misma enjaguas;
lo que ocupas es alcoba,
y lo que te sobra, salas.
   Si te abrevias en cuclillas,   25
en el sótano te agachas;.
si te levantas en pie,
a tu desván te levantas.
   Ves aquí que viene a verte
el hidrópico monarca   30
que de bolillas de mundos
se quiso hacer una sarta;
   aquel que, glotón del orbe,
engulle por su garganta
imperios, como granuja,   35
y reinos, como migajas;
   quien con cuernos de carnero
guedejó su calabaza,
y por ser hijo de Jove
se quedó chozno de cabras;   40
   el que tomaba igualmente
las zorras y las murallas,
en cuya cholla arbolaron
muchas azumbres las tazas,
   cátatele aquí vestido   45
todo de labios de damas;

---

22 *enjaguas,* como 'enjuagas', de uso frecuente en Quevedo.
    Comp.: "y pidió que le dejasen enjaguar la boca con un
    poco de vino". *Buscón,* p. 59.
37-38 Se solía pintar a Alejandro con un casco, adornado con
    cuernos, símbolo de la divinidad. Comp.: "por autorizarse
    con el sello de Júpiter, se introdujo en testa de carnero y
    se rizó de cuernos, y no falta sino torearle en las mone-
    das y llamarse Alejandro Morueco". *Discurso de todos...,*
    OP, p. 246a.
40 *chozno,* hijo de tataranieto.
42 *zorra,* borrachera. Comp.: "acosté a mi tío, que aunque
    no tenía zorra, tenía raposa". *Buscón,* p. 143. "Bajamos
    a la Membrilla, donde el sueño se midió por azumbres, y
    hubo montería de jarros, donde los gaznates corrieron
    zorras". *Epist.,* p. 116.
43 *arbolaron,* levantaron, como en el poema 35, v. 9.

esto es, de grana de Tiro,
si la copla no me manca.
    Levanta la carantoña
que por el suelo te arrastra: 50
mira la gomia del mundo,
serenísima tarasca.
    Era el mes de las moquitas,
cuando saben bien las mantas,
y cuando el sol a los pobres   55
sirve de cachera y ascuas.
    Diógenes, pues, que a sus rayos
se despoblaba las calzas
de los puntos comedores,
que estruja, si no los rasca,   60
    con unas uñas verdugas,
y con otras cadahalsas,
aturdido del rumor
que trae su carantamaula,
    volvió a mirarle, los ojos   65
emboscados en dos cardas,
y pobladas sus mejillas
de enfundaduras de bragas.
    De un cubo se viste loba,
y de dos colmenas, mangas,   70

---

48 *mancar*: "en algunas partes significa faltar". *Auts.*
49 *carantoña*: "vocablo bárbaro; tómase por la carátula de
   aspecto feo, y por la mujer mal encarada y muy afeyta-
   da". Cov., *Tes.*
52 *tarasca*: "una sierpe contrahecha, que se suele sacar en
   algunas fiestas de regozijo [...] Los labradores, quando
   van a las ciudades el día del Señor, están abovados de
   ver la tarasca, y si se descuydan suelen los que las llevan
   alargar el pescueço y quitarles las caperuças de la cabeça, y de allí quedó un proverbio de los que no se
   hartan de alguna cosa que no es más echarla en ellos
   que echar caperuças a la tarasca". Cov., *Tes.*
56 *cachera*: "ropa basta que se haze de la tela de mantas
   frazadas [...] son para abrigarse con ellas de noche y
   echarlas sobre la cama". Cov., *Tes.*
64 *carantamaula*, careta de aspecto horrible. Comp.: "oíanse
   las voces como de lo profundo de una sima, donde yacía
   con pinta de carantamaula". *La hora de todos*, OP, p. 273b.
69 *loba*, manteo o sotana de paño negro.

limpias de sastre y de tienda,
como de polvo y de paja.
    Una montera de greña
era coroza a su caspa;
en el color y en lo yerto,   75
juntos erizo y castaña.
    Por lo espeso y por lo sucio,
cabellera que se vacia,
melena de entre once y doce,
con peligros de ventana.   80
    Miró de pies a cabeza
la magnífica fantasma,
y preciándole en lo mismo
que si el rey Perico baila,
    y sin chistar ni mistar   85
ni decirle una palabra,
formando con las narices
el gandujado de caca,
    al sol volvió el *coram vobis,*
y al emperador las nalgas,   90
con muy poca cortesía,
aunque con mucha crianza.
    Era Alejandro un mocito
a manera de la hampa,

---

80 Alude al arrojar las aguas sucias por la ventana entre
    once y doce de la noche.
84 *baile del rey Perico,* de la frase "No lo estimo en el
    baile del rey don Perico, por no decir en el baile del
    rey don Alonso". Cov., *Tes.* Para Correas, *Vocabulario,*
    p. 250, servía para indicar la poca estimación que se hace
    de una persona o cosa.
85 *mistar,* parece invención de Quevedo, sobre 'chistar', de
    miz, miz.
88 *gandujado,* guarnición que formaba una especie de fuelle
    o de arrugas.
89 *coram vobis,* la cara o rostro. Comp.: "Y con esto se
    fueron todos, sin respetar el coram vobis del padre".
    Cuento de cuentos, OP, p. 799a. "[Baco] todo el coram
    vobis iluminado de panarras". *La hora de todos,* OP,
    p. 276a.

muy menudo de faciones   95
y muy gótico de espaldas.
    Barba de cola de pez
en alcance de garnacha,
y la boca de amufar,
con bigotes de Jarama.   100
    La mollera en escabeche,
con un laurel que la calza,
y para las amazonas
con brindis de piernas zambas.
    El vestido era un enjerto   105
de cachondas y botargas,
pintiparado al que vemos
en tapices y medallas.
    Púsose de frente a frente
de la mal formada cuadra,   110
y dejándola a la sombra
sus purpúreas hopalandas,
    le dijo: "Cínico amigo,
lo que quisieres demanda;
pide sin ton y sin son,   115
pues que ni tañes ni bailas.
    "Yo soy quien, para vestirse
toda la región mundana

96 *gótico,* voz de germanía, grande. Comp.: "Mujer tarasca
    y delincuente de cara, muy *gótica* de narices, muy ética
    de labios". *Libro de todas las cosas,* OP, p. 70.
98 *en alcance de garnacha,* casi de garnacha, que es una
    uva roja que tira a morada.
99-100 *amufar,* dar golpes el toro con las astas, y por eso tie-
    ne los bigotes como los cuernos de un toro de Jarama.
    Comp.: [a los cornudos] "lleváronlos al Jarama del in-
    fierno". *Discurso de todos...,* OP, p. 242b.
101 Es decir, rodeada de laurel, por el que se suele echar en
    el escabeche.
104 Sobre 'zambo', 'zamba', véase la nota 45 en el poema
    159.
106 *cachondas,* calzas; *botargas,* calzones anchos y largos.
    Comp.: "Si Vm. burla —dijo él, con las cachondas en
    la mano— vaya". *Buscón,* p. 150.
110 *cuadra,* habitación. Comp.: "andaba una sonadera de
    narices, que se hundía la cuadra". *El mundo por de den-
    tro,* OP, p. 200b.

por estrecha la acuchillo,
y al cielo le pido ensanchas.   120
    "Pide, porque, aun siendo dueña,
te pudiera dejar harta,
y aun si fueras cien legiones
de tías y de cuñadas."
    Diógenes, que no habia sido   125
socaliña ni demanda,
agente ni embestidor,
ni buscona cortesana,
    respondió: "Lo que te pido
es que, volviéndote al Asia,   130
el sol que no puedes darme,
no me le quiten tus faldas.
    "Nadie me invidia la mugre,
como a ti el oro y la plata:
en la tinaja me sobra   135
y en todo el mundo te falta.
    "Mi hambre no cuesta vidas
al viento, al bosque o al agua;
tú, matando cuanto vive,
sola tu hambre no matas.   140
    "Para dormir son mejores
estas yerbas que esas lanzas;
a todos mandas, y a ti
tus desatinos te mandan.
    "Pocos temen mis concomios,   145
muchos tiemblan tus escuadras:
déjame con mi barreño
y vete con tus tïaras;
    "que yo, vestido de un tiesto,
doy dos higas a la Parca,   150

---

120 *ensanchas,* ensanches.
126 *socaliña,* petición insistente para sonsacar o sacar una
    cosa a alguien.
145 *concomios,* reconcomios.
150 *higas:* "es una manera de menosprecio que hazemos ce-
    rrando el puño y mostrando el dedo pulgar por entre el
    dedo índice y el medio; es disfrazada pulla". Cov., *Tes.*

pues tengo en él sepultura,
después que palacio, y capa.
    "Tiende redes por el mundo,
mientras yo tiendo la raspa:
que en cas de las calaveras   155
ambos las tendremos calvas.
    "El veneno no conoce
las naturales vïandas;
vete a morir en la mesa
y a vivir en las batallas.   160
    "El no tener lisonjeros
lo debo al no tener blanca;
y si no tengo tus joyas,
tampoco tengo tus ansias.
    "Como yo me espulgo, puedes   165
(si alguna razón alcanzas)
espulgarte las orejas
de chismes y de alabanzas.
    "Y adiós, que mudo de barrio,
que tu vecindad me cansa."   170
Y echó a rodar su edificio
a coces y a manotadas.
    Oyólo Alejandro Magno;
y, recalcado en sus gambas,
muy ponderado de hocico,   175
más apotegma que chanza,
    dijo: "A no ser Alejandro,
quisiera tener el alma
de Diógenes, y mis reinos
diera yo por sus lagañas".   180
    Los amenes de los reyes
dijeron a voces altas:

---

154 *tender la raspa,* frase "que se toma por echarse a dormir
    o a descansar; es vulgar y baxa". *Auts.*
174 *gambas,* piernas, es voz de germanía.
181 *amenes de los reyes,* los cortesanos aduladores que a
    todo dicen "Sí" o "Amén". Comp.: "un adulador que es
    sí perpetuo de todo lo que se quiere y amen de a letra
    vista". *Discurso de todos...,* OP, p. 259b.

"¡Lindo dicho!", y era el dicho
trocar el cetro a cazcarrias.

Quedóse el piojoso a solas   185
y el Magno se fue en volandas:
si Dios le otorgara el trueco,
allí viera Dios las trampas.

170

PINTURA DE LA MUJER DE UN ABOGADO, ABOGADA ELLA DEL DEMONIO

ROMANCE

Viejecita, arredro vayas,
donde sirva, por lo lindo,
a San Antón esa cara
de tentación y cochino.

Quien mira tan aliñado   5
ese magro frontispicio,
por maya de los difuntos
te cantará villancicos.

Doña Momia, sin ser carne,
cecina del otro siglo,   10
cuerpo zurcido de cuartos
quitados de Peralvillo,

---

184 *cazcarrias*, el lodo o barro que se coge y seca en las sotanas, hábitos, trajes largos, etc. Comp.: "traía él una sotana con canas de puro vieja, y con tantas cazcarrias que, para enterrarle, no era menester más". *Buscón*, p. 120.

1 *arredro*, atrás, hacia atrás. "Está tomado de vade retro". Cov., *Tes.* Comp.: "No cabría un cabello entre el oír 'diablo' y clamorear la vieja con las quijadas un arredro vayas". *La Perinola*, OP, p. 876b.

7 *maya*, alude a los cantos de mayo o de la fiesta de la maya, frecuente en toda España en el mes de mayo, cuando los jóvenes elegían a la muchacha, maya, que representaba la primavera, y entonaban canciones, aquí villancicos. Comp.: "[Las dueñas] son mayas de los difuntos y mariposas del *Aquí yace*". *La hora de todos*, OP, p. 279b.

12 *Peralvillo*, pueblo de Ciudad Real, donde la Santa Hermandad ahorcaba a los malhechores.

muchos años de tarasca
en pocos meses de mico,
vieja vida perdurable,   15
calaverazo infinito,
    responso sobre chapines,
alma en pena con soplillo,
zarpa antañona fiambre,
mancebita de *ab initio,*   20
    frutilla del ataúd,
de quien dicen los vecinos
que el juez de los cimenterios
anda tras ti dando gritos;
    si sacaras por las calles   25
guadaña por abanico,
por el "Miren lo que somos",
te hablaran los monacillos.
    Cara de aldabón en puerta,
carantoña de poquito,   30
carantamaula en enredos,
carátula en regocijos,
    cara forjada en encella,
según arrugas atisbo,
muesca de planta de pie,   35
suelo de queso de Pinto;
    no cara, sino Carón,
el barquero del abismo;
de la capacha del diablo,
andadera de espartillo;   40

13-14 Recuerdo de los versos de Góngora "muchos siglos de
      hermosura / en pocos años de edad", ya citados en la
      nota 27-28 del poema 154.
   23 *juez de los cimenterios,* creo que es invento de Quevedo,
      calco de "Juez de estudios", por ejemplo.
   33 *encella,* molde para hacer quesos.
   35 Comp.: "la güespeda de casa, arrugada [...], con su cara
      de muesca, entre chufa y castaña apilada". *Buscón,* p. 242
      (versión primitiva).
   40 *andadera de espartillo,* demandadera ¿con cara de espar-
      to? Comp.: "Llevó el billetico la andadera". *Buscón,*
      p. 265.

el cabello como el don,
para no decir postizo,
negro de él, pues acompaña
dentro en Sevilla a Calvino;
   frente cáscara de nuez,   45
que ha profesado de jimio;
dos ojos de vendimiar,
en dos cuévanos metidos;
   mozas de fregar por niñas,
sin gloria y sin luz dos limbos;   50
para tienda, a mercaderes,
ojera de lindo sitio;
   nariz a cuyas ventanas
está siempre el romadizo,
muy juguetón de moquita,   55
columpiándose en el pico.
   Cuantos a boca de noche
aguardan sus enemigos,
a la orilla de tus labios
aciertan hora y camino.   60
   El diente, que viene a ser
el tronco de ovas vestido,
y los raigones tras él,
diciendo "Aquí fue colmillo";
   quijada de pie de cruz,   65
donde el güeso fugitivo
dejó casas de panal,
y por muelas, orificios;
   barba, que con la nariz
se junta a dar un pellizco;   70
sueño de Bosco con tocas,
rostro de impresión del grifo;

44 Es decir, de su cabello habían hecho una peluca.
47-48 y 51-52 Comp.: "Los ojos avecindados en el cogote, que
    parecía que miraba por cuévanos, tan hundidos y escuros,
    que era buen sitio el suyo para tienda de mercaderes".
    Buscón, pp. 32-33.
61 Es recuerdo del principio de un romance de Lope de
    Vega, muy popularizado. Vid. la edic. de J. F. Monte-
    sinos en Clásicos castellanos, 68, p. 66.
65 *pie de cruz*. Véase la nota en el poema 158, v. 49.

visión cecial detestable,
rellena de cocrodrilos,
aspaviento ya carroño,   75
mandrágula con zollipo,
    vete a fundar marimantas
a las orillas del Nilo,
o a empezar otra Cuaresma,
como miércoles Corvillo.   80
    Aparécete al que muere,
que, con gesto tan precito,
te pasarán por el diablo
los postreros parasismos.
    Doncella del alquitarre,   85
vete a dar con el hocico
hojaldre a las cataratas
del ojo del enemigo.
    Sé rana de Tagarete,
si no es que se afrente él mismo;   90
que, siendo arroyo de bien,
no querrá dar asco al río.

73 *cecial*: "metaphóricamente se dice de lo que está enxuto, seco y delgado". *Auts.*
76 *mandrágula,* la planta llamada *mandrágora*: "una especie de yerva, más nombrada en todas partes que conocida. Ay macho y hembra; distínguense en el color, porque la hembra es más negra que el macho. Echa unas grandes raízes que se retortijan unas con otras, y casi vienen a formar algunas dellas y un cuerpo como de hombre". Cov., *Tes. Zollipo,* sollozo con hipo. Comp.: "El tal señor [...] derramó con zollipo estas palabras". *La hora de todos,* OP, p. 276a.
77 *marimanta,* fantasma para asustar a los niños. Comp.: "Saturno, el dios marimanta, come niños". *La hora de todos,* OP, p. 268a. "En esta tierra, para espantar a los niños, les dicen: "¡La Bonimanta!" [de Bonifaz], como allá "¡La Marimanta!". *Epist.,* p. 117.
82 *precito,* el condenado a las penas del infierno.
85 *alquitarre,* aquelarre. (Ahora la tacha de bruja).
88 Véase la nota al v. 11 del poema 129.
89 Dice Correas, *Vocabulario*: "Dar con ello en Esgueva, en Darro... en Tagarete. Por inútil y malo. Esgueva, riachuelo de Valladolid; Darro, en Granada; Tagarete, en Sevilla. Ríos que llevan inmundicias; y tales los hay en otros lugares".

Cohete con ropa limpia
me pareces los domingos,
o el ánima condenada,   95
con tus faciones delitos.

Por auténtica en Simancas
te está pidiendo el archivo,
más pasada que "Años ha",
más escurrida que el vino.   100

Fuiste despabiladeras
en casa de algún morisco,
porque el tufo y el color
se presentan por testigos.

Bien haya quien te juntó   105
con tan añejo marido,
donde la mugre y la caspa
se pueden llamar de primos.

Cuando miro al licenciado,
de sólo verle me pringo: 110
¿qué haré si atisbo tu cara
con su grasilla de cisco?

Considérote desnuda,
andando sobre dos hilos,
esqueleto en camisón,   115
pantasma con dominguillos.

Si tú te hicieras preñada,
se engendrara algún vestiglo,
si no es que en vieja, de un churre,
se fraguase el Antecristo.   120

¡Quién os pudiera acechar
cuando, tras llamaros hijos,
os besáis, donde los besos
son un choque de servicios;
cuando tú, *memento homo,*   125
te almohazas con tu erizo,

---

119 *churre,* pringue sucia y gruesa que se escurre de algo
graso.
124 Recuérdese que 'servicios' son orinales. Véase la nota
54-55 en el poema 142.
126 *almohazar,* significaba 'restregar' y también 'regalar', 'ha-
lagar los sentidos'.

y dos en güeso, no en carne,
sois los siglos de los siglos!
    Mas yo me parto a buscar
quien conjure basiliscos,   130
por si a sacaros del mundo
pueden valer exorcismos.

171

MATRACA DE LOS PAÑOS Y SEDAS *

ROMANCE

Mirábanse de mal ojo
en la tienda de un cristiano
(viejo si en la información
da por testigos los años)
las telas altas y bajas,   5
que en sastre llaman 'recados';
las ricas, empapeladas;
y las bahúnas, en fardos.
    El Sayal, hecho de yeles,
estaba detrás de un banco,   10
amenazado de alforjas
y de ropillas de machos.

---

* González de Salas dice: "Este romance escribió en León
  cuando preso, y a mí después me dio su mismo original,
  bien satisfecho dél".
3 *viejo*, pero sólo de años, porque otros testigos de la información de limpieza de sangre dirían que era cristiano
  nuevo.
6 Nótese cómo Quevedo hace alarde de conocer la lengua,
  porque la voz *recado*, con esa significación, no la registra
  ningún diccionario.
8 *bahuna*, de baja calidad. Comp.: "Herbía todo el cielo de
  manes [...] y otros diosecillos bahunos". *La hora de todos*,
  OP. p. 268. "En esto estaban a toca no toca, cuando a la
  zacapella que traía la gente bahuna vino un alguacil en
  un santiamén". *Cuento de cuentos*, OP, p. 796b.

Alegaba en su favor
hopalandas de ermitaños,
y penitencia gloriosa 15
en tantos frailes descalzos.
"Mírenme —dijo—; hallarán
el ál que tengo debajo,
y si fuere de almofrej,
en los colchones me zampo." 20
Pero el Anjeo atisbaba
una Bayeta de zaino,
por material de jergones
y de camisas de payos.
Él, que se quema de todo 25
y estaba calamocano,
soltando la tarabilla,
y más necio que otro tanto,
la llamó sepulturera
y gala de los finados: 30
peor si la traen por mí
que si por otro la traigo.
Capa negra del ahorro,
y gravedad de guiñapos,
hojaldre del ataúd, 35
toda pésames y llantos.
"¿La tirria toma conmigo,
que en los talegos de cuartos

---

14 *hopalandas,* faldas grandes y pomposas.
18 *al,* lo otro, arcaísmo; pero recuerdo del conocido refrán
"Debajo del sayal, hay al".
19 *almofrej*: "es la funda en que se lleva la cama de camino; por de fuera es de xerga y por de dentro de angeo
o otro lienço basto". Cov., *Tes.*
22 *zaino,* color castaño oscuro.
24 *payo*: "el agreste, villano y zafio o ignorante". *Auts.*
25 "Porque es de estopa". GS.
26 *estar calamocano,* estar borracho; pero González de Salas
apostilla que "alude a la caña cuando está en yerba".
29 "A la bayeta". GS. Porque como ya se dijo, poema 157,
la bayeta se empleaba en entierros y duelos.
33 *capa negra del ahorro,* alude a lo que explica Covarrubias: "Hombre de capa negra, ciudadano; capa parda,
labrador o trabajador".

suelo servir de camisas
a millares de ducados?   40
      "Si no empobrecen las gentes
o mueren, cesa su gasto;
y con los talegos, todos
son ricos y viven hartos.
      "Acójase a Portugal,   45
y vaya raspailando
a ser, con botas de Judas,
locura de los fidalgos."
      El Bocací, que, por negro,
quiso vengar el agravio,   50
como oropel del infierno
remedaba los catarros;
      y el Fustán, que estaba cerca,
de verle se dio a los diablos;
tratáronse de hi de aforros,   55
y hi de túnicas con pasos.
      A "¡Más soleta sois vos!"
andaban al morro, cuando,
con humos de olla casera,
los apartó el Chicha y Nabo.   60
      Aquí fue Troya, que el Fieltro,
preciado de buenos cascos
y de que nunca se pasa,
por ser al gusto contrario,

---

46 *vaya raspailando,* ir con presteza. Dice el *Auts.* que "no
   se emplea por lo común, sino en el gerundio y con verbos
   de movimiento, como *ir, venir, salir, llegar*". Comp.:
   "vino un alguacil en un santiamén y un escribano en
   volandas, respailando". *Cuento de cuentos,* OP, p. 796b.
49 *bocací,* tela de lienzo.
55 *hi de aforros,* calco de "Hi de puta", expresión tan frecuente en la época.
56 *pasos,* de la procesión.
57 *soleta,* significaba dos cosas: mujer descarada y el trozo
   de tela con que se remendaba la planta del pie de la
   media o calcetín.
60 *Chicha y Nabo,* de la frase "de chicha y nabo", que significa "despreciable, de poca importancia".

enfadado de sus bríos,   65
le condenó, sin traslado,
a ser naguas de busconas
y golillas de gabachos.

Él, que se vio dedicar
al vilísimo arremango   70
de pícaras, por la boca
echó culebras y sapos.

Atestóle de invernizo
y muceta de lacayos,
que en los cocheros defiende   75
las vendimias de nublados.

Una Raja de Florencia
los quiso tomar las manos
con podrida gravedad;
mas no se quedó alabando.   80

Él la dijo las mil leyes,
a trochimochi y con asco:
que, en ofenderse del agua,
remedaba a los borrachos.

Ella replicó furiosa: 85
"Si pierdo porque me mancho,
den traslado a los linajes:
responderán por entrambos".

66 "Al Chicha y Nabo". GS.
68 *golilla*: "cierto adorno hecho de cartón, aforrado en ta-
   fetán u otra tela, que circunda y rodea el cuello, al qual
   está unido en la parte superior otro pedazo que cae debaxo de la barba, y tiene esquinas a los dos lados, sobre
   el cual se pone una valona de gasa engomada o almidonada". *Auts.*
73 *atestar,* llenar: "es henchir alguna cosa vacía hasta que
   se llena y apretada se pare tiesta o tiessa, como si a un
   costal le henchís de mucha ropa, o a una saca de mucha
   lana; y lo lleno de esta forma llamamos atestado. Comúnmente se suele dezir por el que es cabeçudo y pertinaz: Villano, atestado de ojos". Cov., *Tes.*
77 *raja de Florencia,* tela muy rica y cara, que venía de
   Italia.
78 *tomar las manos*: frase que registra Correas, *Vocabulario,*
   con la explicación de "por casar el cura y ser casados;
   y por hazer amigos".
81 "El fieltro". GS.
85 "La raja". GS.

Quiso darla un tapaboca
un tercio de Paño pardo;   90
pero dejólo, de miedo
de tusonas y el barato.

Preciado más de las marcas
que Antón de Utrilla y Maladros,
y arremetiéndose a bula,   95
con sellos de plomo largos,

el Limiste de Segovia,
con su Meléndez por fallo,
los trató de bordoneros
y gentecilla del Rastro.   100

La Jerga con el Picote
se estaban desgañitando,
y, a poder de remoquetes,
le pusieron como un trapo.

"Pues ¿con sus once de oveja   105
—dijo—, nieto de un zamarro,
quiere meterse en docena?
También llevará su ajo.

89 *dar un tapaboca*: "vale atajar y suspender a alguno que
   mentía en lo que hablaba, convenciéndole con la fuerza
   de la verdad". *Auts.*
92 "Alude al refrán vulgar". GS. El refrán dice: "De putas
   y paño pardo, lo mejor lo más barato".
93 *marca,* ramera, en germanía.
94 Dos personajes de las jácaras de bravos.
98 Véase la nota al v. 21 del poema 153.
99 *bordonero*: "el que dissimulado con el ábito de peregrino
   y el bordón, anda vagando por el mundo por no trabajar.
   Estos son perjudiciales a las repúblicas". Cov., *Tes.*
101 *jerga y picote,* telas muy bastas.
105 *once de oveja,* frase "que se usa para dar a entender
    que uno se entromete en lo que no le toca, o en lo que
    no es llamado ni solicitado". *Auts.* "A la tabaola se entró
    un vecino con sus once de oveja, muy sobresaltado".
    Cuento de cuentos, OP, p. 796a.
106 "La Jerga". GS.
107 *meterse en docena*: "se usa cuando uno, siendo desigual,
    se entremete en la conversación o número de personas de
    más categoría". *Auts.,* que cita estos versos.
108 *llevar su ajo*: "vale lo mismo que darle a uno algo que le
    duela o en qué pensar y en qué entender". *Auts.,* que tam-
    bién cita este testimonio.

"Si a medias es conocida,
por la Puente y por el paño, 110
Segovia, el ser de la carda
mire si podrá negarlo.

"¿No deciende de perailes
su presumido boato?
¿No es hijo de unos cornudos, 115
de puro carneros mansos?

"Su madre, ¿no fue pelleja?
¿No andaba por esos campos
con la roña y las cazcarrias,
dando pesadumbre al pasto? 120

"¿No le han de dar una tunda
primero que sirva de algo?
¿Qué puede ser quien se gasta
en horrendos ambularios?

"¿Con sotanas y manteos 125
puede negar que se alzaron
Lanillas y Capicholas,
y, con perdón, el Burato?

"¿Londres, no le pone el cuerno?
¿Las Navas, no le dan chasco? 130

111 *carda,* hombre o gente de la carda, jaques, valentones :
pero también 'cardador'; de ahí el juego de voces.
Comp. :

De la carda me dicen que es también,
y el apellido de Cardón le dan
los que en la Cruz cardaron nuestro bien.

N.º 603, vv. 12-14

113 *peraile,* pelaire, cardador de paños.
124 *ambulario* : "género de vestidura larga o talar que cubre
las piernas, que quando está vieja y hecha andrajos se
llama assí por desprecio. Usó desta voz Quevedo, y parece puede ser yerro de imprenta, y que en lugar de An-
dularios, voz vulgar en castellano, que significa lo mismo,
pussiesen ambularios". *Auts.,* sobre este texto. (Por no
haber ni un solo texto ms., no se puede comprobar lo
que dice *Auts.*)
127 *capichola,* tejido de seda que forma un cordoncito.
128 *burato,* tejido de seda o lana que servía para alivio de
lutos y para manteos.
130 *Las Navas.* Hay muchos municipios con ese nombre.
Quizá se refiera a las más conocidas, Las Navas del Marqués (Ávila), Las Navas de Oro y las Navas de San Antonio (Segovia), donde abundaba la ganadería.

¿Cuenca, no le da sus comos
y Baeza su recado?

"Los diez ducados por vara
espérelos en diez años,
entre mucetas de obispos,   135
o alguna del Padre Santo."

La Seda, que se pudría
de oír a los dos picaños,
y soltando la maldita,
de tafetanes chillando,   140

por esos trigos de Dios
echó, sin poder el Raso
y el Terciopelo atajar
su colérico desgarro.

El Cambray echaba verbos,   145
y la Holanda espumarajos;
cociéndose el Lienzo crudo,
tomó el cielo con las manos.

Echaron por Capa rota,
que la diese su recado   150
a la Estopa, que se estaba
de unas ventosas temblando.

Ella, como quien no tiene
que perder, por dar abasto
tapones para difuntos,   155
camisones a pazguatos,

dijo desde una hasta ciento,
sin principio, ni sin cabo;

---

131 *como*: "chasco, zumba o cantaleta. Úsase regularmente
con el verbo *dar,* diciendo "Dar como" u "Dar un como".
Auts.
132 *recado,* debe de tratarse de la misma voz que aparece
en el verso 6 de este poema.
138 *picaños,* holgazanes, pícaros.
141-2 *echar por esos trigos*: "es irse como fugitivo, sin
atender ni reparar en cosa alguna. Y en sentido transla-
ticio significa hablar sin ton ni son muchos desatinos y
disparates". *Auts.* Comp.: "No me hagan, que echaré por
esos trigos". *Cuento de cuentos,* OP, p. 797a.
149 "A la seda". GS. *Capa rota,* la persona que se enviaba
secretamente para algún negocio importante.
157 *decir de una hasta ciento,* decir muchas desvergüenzas.

atestóla de embustera,
y de chismosa sin labios.   160
   "Tú —la dijo—, que remedas,
si te llevan paseando,
algún hato de alcacer,
o alguna carga de ramos;
   "empeño de los maridos,   165
pobreza de desposados,
golondrina en chirrïar
y venir a los veranos;
   "de las llagas y la podre
parienta en segundo grado,   170
pues ellos son tus abuelos,
siendo hija tú de gusanos;
   "hipócrita de colores,
a puro revolver caldos,
pues, a poder de los brodios,   175
desmientes el color rancio,
   "de relatora presumes,
porque charlas en estrados,
más preciada de la hoja
que Escarramán y que Añasco.   180
   "Nacida en la Morería,
sin que tú puedas negarlo;
y si las moras son perras,
de casta le viene al galgo.
   "Yo soy muy yerba de bien,   185
y si me siembran, me nazco;
muy cuerda en todas mis cosas,
y muy justiciera en lazos.
   "Colgados están de mí
tantos como del esparto,   190

163 *alcacer,* cebada verde y en hierba.
179 *hoja,* la del moral y la 'espada' en germanía. De ahí la
   alusión a los bravos como Escarramán y **Añasco de Ta-**
   lavera.
183 Recuérdese la expresión "perro moro".
185 "El lino". GS.
187 Nótese el juego de voces.
188 *lazos,* pero los lazos corredizos de los ahorcados.

y no has de poder decirme
que soy lengua de estropajo."
   Preciada de colgaduras,
como la ene de palo;
por mesones, ciegayernos;   195
arambeles, por tabancos,
   quiso meter más bolina;
mas cubrióla de gargajos
y tuétanos de narices
un Lenzuelo de tabaco.   200
   Viendo que, en las mataduras,
por la Seda, le están dando,
muy de *depossuit potentes*
y muy a lo cortesano,
   de casa contra malicia,   205
muy preciado de tres altos,
dijo dos mil patochadas,
bien colérico, el Brocado:
   "Yo, que abrigo el sueño en oro
en una cama de campo,   210

---

193 "La estopa misma, cuyos usos refiere esta copla". GS.
194 *la ene de palo,* la horca. Comp.: "Llegó a la N de
   palo, puso el un pie en la escalera, no subió a gatas ni
   despacio". *Buscón,* p. 91.
195 *ciegayernos:* "se llaman aquellas cosas que teniendo alguna apariencia, son de poca substancia o valor". *Auts.,*
   s. v. *yerno,* que cita estos versos.
196 *arambeles,* colgaduras de paños, empleados para adorno
   o coberturas, pero también andrajos o trapos que cuelgan
   del vestido. *Tabancos,* puestos o cajones callejeros para
   vender, especialmente comestibles.
197 *bolina,* ruido, bulla.
200 *lenzuelo de tabaco,* pañuelo del color del tabaco.
203 *depossuit potentes,* parte del versículo de S. Lucas, 1, 52.
205 *casa contra malicia,* por contraposición con "casa a la
   malicia", que Covarrubias explica así: "la que está edifi-
   cada en forma que no se puede dividir para aver en ella
   dos moradores".
206 *tres altos,* el brocado de tres altos, que *Auts.* define así:
   "especie de tela fabricada de seda, que tiene tres órdenes,
   que son el fondo, la labor, y sobre ésta, el escarchado,
   como anillejos mui pequeños. Dícese de tres altos por los
   tres órdenes de que está fabricado".
210 *cama de campo:* "se llamaba assí la que era muy capaz
   y extendida". *Auts.* Recuérdese el bellísimo verso 255 del

y, colgadura, enriquezco
a las paredes que tapo;
   "yo, que, en una saya entera,
de todo un tesoro cargo
las damas, y la hermosura,   215
a pura riqueza, canso,
   "¿consiento que en mi presencia
estos pícaros del Rastro,
por meter su cucharada,
osen levantar el bramo?   220
   "Váyanse a fardar corchetes;
váyanse a vestir mulatos,
y, entre gente del gordillo,
blasonen de vestüario."
   Belitres los llamó a voces;   225
y no bien lo dijo, cuando,
armado como un reloj,
un Repostero dio un salto.
   Sucediera una desgracia,
sin ser posible atajarlo,   230
a no salir hecho un cuero
un Guadamací muy lacio,
   en jurar tan carretero,
que sólo le faltó el carro,
y los nombres de las Pascuas   235
le dijo todos de plano.

Polifemo gongorino: "cama de campo, y campo de batalla".

221 *fardar*: "surtir y abastecer a uno, especialmente de ropa y vestidos". *Auts.*

223 *gente del gordillo*, gente de poca importancia. Es frase hecha. Comp.: "El alguacil, que vio que el guardián era de los del asa, y que todos los demás eran gente del gordillo, juzgó que irse le venía a pedir de boca". *Cuento de cuentos*, OP, p. 798b.

225 *belitres*, pícaros, es voz de germanía.

232-3 *guadamací*, la cabritilla adobada. "Cúbrense muchas veces carros con ellos". GS.

235 "Decir los nombres de las Pascuas es decir a alguno palabras injuriosas o sensibles". *Auts.*

"Oro por oro, si quiere,
salgamos tantos a tantos,
yo, y las píldoras, con él,
y con orozuz mascado.   240
    "Él fue en tiempo que los reyes
usaban los cachidiablos,
y para Pascuas tenían
un ropón suyo guardado.
    "Después en las pedorreras   245
fue cuchilladas y tajos;
rica pendencia de muslos,
en príncipe soberano.
    "Fue gala, con su Martín,
del rey que murió rabiando,   250
y, para las fiestas recias,
bohemio de Carlo Magno.
    "Mas ya los Guadamacíes
le servimos de arrendajo;
los Brocateles, de monas,   255
con perdón de los aguados.
    "No sale de retraído
en la iglesia, y en los santos
ternos le ven a deseo,
imágenes, por milagro.   260
    "Reconózcase antigualla
de caducos mayorazgos,
y aguarde entradas de reyes,
con regidores y palio."

239 Se refiere a las píldoras 'doradas'.
240 *orozuz*: "raíz conocida, y el nombre es arábigo, y por otro le llamamos regalizia". Cov., *Tes.* Comp.: "En esto, salió un maridillo, con unas barbas de orozuz mascado". *Discurso de todos...*, OP, p. 242a.
242 *cachidiablos*, los que se vestían con botargas, imitando la figura con que se solía pintar al diablo.
245 *pedorreras*: "las calças justas escuderiles". Cov., *Tes.*
249 *martingala*, véase la nota 14 del poema 138.
252 *bohemio*, capa corta que usaba la guardia de arqueros.
256 "*Con perdón de los clérigos, un cuerno*, don Luis de Góngora. Es la misma figurada locución". GS.
259 *ternos*, el vestuario exterior del terno eclesiástico.

Aquí la Grana de Tiro,   265
viendo tan gran desacato,
hecha un múrice y un ostro
con el veneno sarrano,
    envió al Guadamací,
a coces y a puntillazos,   270
con los Infantes de Lara,
a trinquetes del barranco.
    "Vayan como lechoncillos
—dijo—, entre hembras del trato,
a preciarse de los cueros,   275
pues el burdel es su rancho.
    "Todos se pueden coser
la boca donde yo hablo,
pues soy Púrpura real,
a modo de papagayo."   280
    Oyéronla estas palabras,
por malos de sus pecados,
unos Tapices flamencos,
seda y oro como el brazo:
    "Necios nos llaman 'figuras'   285
—dijeron con lindo garbo—,
y somos historiadores,
sin pluma ni cartapacio.
    "Vencemos con los telares
los pinceles del Tiziano,   290
donde son los tejedores
Urbinos y Carabachos.

267 *múrice y ostro*, las conchas de ciertas ostras empleadas
    por los antiguos para teñir telas.
268 *veneno sarrano*, la púrpura de Tiro. González de Salas,
    al comentar el verso "Sin veneno sarrano, en pobre lana",
    del poema 68, dice: "Con gran sabor de los poetas anti-
    guos, llamó ansí a la *púrpura*, por haberse llamado la
    ciudad Tiro, de donde era la mejor, también *Sar*. Ennio
    la llamó *Sarra*. En diversos lugares usó de este apellido
    nuestro poeta. Baste advertirlo aquí".
278 "La grana". GS.
280 A modo de papagayo real. Véase la nota 31-32 en el
    poema 142.

"En la batalla de Túnez,
¿no está gozando Palacio
el vencimiento del moro   295
y la victoria de Carlos?

          "Los caballos, ¿no relinchan? ;
los mosquetes, ¿no dan pasmo? ;
la lumbre, ¿no centellea? ;
¿no se disparan los arcos? ;   300
          "el cielo, ¿no tiene día? ;
el aire, ¿no tiene claros? ;
bien compartidas las sombras,
¿no animan a los retratos?

          "El Tapiz de las florestas,   305
conocido por Lampazos,
ya sirve de babadores
en las tabernas al trago.

          "Como la Púrpura alega
que un tiempo vistió a Alejandro,   310
acuérdese que hubo en donde
fue vestidura de escarnio.

          "Ya pasó doña Jimena
y falleció Laín Calvo:
él la gastaba en botargas,   315
ella, en corpiño en disanto.

          "Váyase a curar dolores
de estómago, como emplasto,
y sacudiránla el polvo,
sin dejarla hueso sano."   320
          Ella, de puro corrida,
sin poder disimularlo,
a Roma se fue por todo,
al cónclave vaticano.

---

296 Este célebre tapiz se conserva aún en el Palacio Real de
     Madrid.
306 *lampazo*: "planta muy conocida; tiene las hojas como
     las de la calabaça y mayores, más negras y más gruesas
     y cubiertas de vello. [...] Los paños de pared que son
     de verduras y boscages, suelen algunos traer texida esta
     yerva con sus hojas muy grandes, y por esso los llaman
     paños de lampazos". Cov., *Tes*.
316 *disanto*, día de fiesta.

¡Dichoso el que, en un rincón   325
desnudo, no está aguardando
que le envejezcan lo nuevo
caprichos del uso vario!

  ¡Miren de qué ,se compone
la pompa de un mayorazgo: 330
de excrementos de animales
y yerba molida a palos!

  Mejores son para el cuerdo
telarañas que no trastos,
como para cortaduras,   335
mejores que el boticario.

  ¡Quién viera llegar al Lino
a pedir a un potentado
por suya la ropa blanca,
y un carnero, los zapatos;   340
  las vicuñas, el sombrero,
y las ovejas, el paño;
los gusanos, los calzones
y ropilla de damasco;
  el oro y plata, una mina;   345
los diamantes, un peñasco;
colmenas y cañas dulces,
lo exquisito del regalo!

  ¡Quién viera martas y micos,
y a los lobos desollados,   350
pedirles a sus aforros,
sus pellejos, aüllando,
  mandáraselo volver
por hurto calificado,
dejándole en carnes vivas   355
cualquier Alcalde de palo!

___

336 Aún hoy se curan las heridas en muchos pueblos con
telarañas.
363-4 Porque según el *Génesis,* 3, 7, Adán y Eva se taparon
con hojas de higuera.
371 *pelo de la masa,* frase "que vale liso, llano y mondo".
Auts.

Sin sastres ni mercaderes
se borda todo el lagarto,
y sin seda de matices
cualquier jilguero pintado.   360

Andemos, como la borra,
en pelota, que es barato;
o repelemos la higuera,
que fue tienda del manzano;

o salgamos, como el vino,   365
en cueros, ya que los charcos
no le consienten andar
in puribus en los jarros.

No lo calló en la barriga
de mama a ninguno el parto;   370
que en el pelo de la masa
nos arrojó tiritando.

Dejemos por loco al mundo
en poder de los muchachos;
que, pues su pago nos da,   375
ellos le darán su pago.

172

FUNERAL A LOS HUESOS DE UNA FORTALEZA QUE GRITAN
MUDOS DESENGAÑOS

ROMANCE

Son las torres de Joray
calavera de unos muros
en el esqueleto informe
de un ya castillo difunto.
Hoy las esconden guijarros,   5
y ayer coronaron nublos.
Si dieron temor armadas,
precipitadas dan susto.

1 Los muros o torres de Joray están cerca de la Torre de
Juan Abad.

Sobre ellas, opaco, un monte
pálido amanece y turbio   10
al día, porque las sombras
vistan su tumba de luto.
  Las dentelladas del año,
grande comedor de mundos,
almorzaron sus almenas   15
y cenaron sus trabucos.
  Donde admiró su homenaje,
hoy amenaza su bulto:
fue fábrica y es cadáver;
tuvo alcaides, tiene búhos.   20
  Certificóme un cimiento,
que está enfadando unos surcos,
que al que hoy desprecia un arado,
era del fuerte un reducto.
  Sobre un alcázar en pena,   25
un balüarte desnudo
mortaja pide a las yerbas,
al cerro pide sepulcro.
  Como herederos monteses,
pájaros le hacen nocturnos   30
las exequias, y los grajos
le endechan los contrapuntos.
  Quedaron por albaceas
un chaparro y un saúco,
pantasmas que a primavera   35
espantan flores y fruto.
  Guadalén, que los juanetes
del pie del escollo duro

16 *trabuco,* máquina bélica con la cual arrojaban grandes
  piedras para batir las murallas.
17 *homenaje,* la llamada "torre del homenaje", la más fuerte
  y dominante, en la que el castellano hacía juramento de
  fidelidad y de defender la fortaleza.
32 *endechar,* cantar 'endechas': "canciones tristes y lamentables, que se lloran sobre los muertos, cuerpo presente, o
  en su sepultura o cenotaphio". Cov., *Tes.*
37 *Guadalén,* río de las provincias de Ciudad Real y Jaén,
  que desagua en el Guadalimar, frente a Linares.

sabe los puntos que calzan,
dobla por él, importuno.   40

    Este cimenterio verde,
este monumento bruto
me señalaron por cárcel:
yo le tomé por estudio.

    Aquí, en catreda de muertos,   45
atento le oí discursos
del bachiller Desengaño
contra sofísticos gustos.

    Yo, que mis ojos tenía,
Floris taimada, en los tuyos,   50
presumiendo eternidades
entre cielos y coluros,

    en tu boca hallando perlas
y en tu aliento calambucos,
aprendiendo en tus claveles   55
a despreciar los carbunclos,

    en donde una primavera
mostró mil abriles juntos,
gastando en sólo guedejas
más soles que doce lustros,   60

    con tono clamoreado,
que la ausencia me compuso,
lloré los versos siguientes,
más renegados que cultos:

    "Las glorias de este mundo   65
llaman con luz para pagar con humo.

    "Tú, que te das a entender
la eternidad que imaginas,
aprende de estas rüinas,
si no a vivir, a caer.   70
El mandar y enriquecer
dos encantadores son

_____

54 *calambucos*, las flores del calambuco, árbol americano,
que son blancas y olorosas.

que te turban la razón,
sagrado de que presumo.
Las glorias de este mundo 75
llaman con luz para pagar con humo.

"Este mundo engañabobos,
engaitador de sentidos,
en muy corderos validos
anda disfrazando lobos. 80
Sus patrimonios son robos,
su caudal insultos fieros;
y en trampas de lisonjeros
cae después su imperio sumo.
Las glorias de este mundo 85
llaman con luz para pagar con humo."

173

DESCRIBE EL RÍO MANZANARES CUANDO CONCURREN
EN EL VERANO A BAÑARSE EN ÉL *

ROMANCE

Llorando está Manzanares,
al instante que lo digo,
por los ojos de su puente,
pocas hebras hilo a hilo,
cuando por ojos de agujas 5
pudiera enhebrar lo mismo,
como arroyo vergonzante,
vocablo sin ejercicio.
Más agua trae en un jarro
cualquier cuartillo de vino 10
de la taberna, que lleva
con todo su argamandijo.

---

74 *sagrado*, sitio o recurso que asegura de un peligro.
* "Preso en el convento de León, poco antes de su libertad, escribió este [romance]". GS.
4 Sobre llorar *hilo a hilo*, véase la nota 24 en el poema 154.
12 *argamandijo*: "aparato y bulla de cosas menudas". *Auts*.

Pide a la fuente del Ángel,
como en el infierno el Rico,
que con una gota de agua   15
a su rescoldo dé alivio.

No llueve Dios sobre cosa
suya, a lo que yo colijo,
pues que, de calientes, queman
las migas de su molino.   20

En verano es un guiñapo,
hecho pedazos y añicos,
y con remiendos de arena,
arroyuelo capuchino.

Florida toda la margen   25
de jamugas y borricos,
de damas que, con carpetas,
hacen estrado el pollino.

Al revés de los gotosos,
ya no se mueve estantío;   30
pues de no gota es el mal
de que le vemos tullido.

No alcanza a la sed el agua,
en su madre, a los estíos;
que, facistol de chicharras,   35
es la solfa de lo frito.

Pues no aprende lo aguanoso
de tan húmedos resquicios,
no saldrá, de puro rudo,
en su vida de charquillos.   40

14 San Lucas, 12, 16.
17-18 Parece frase hecha, pero no la he encontrado registrada, para indicar la suma pobreza. A Quevedo le gustó
su uso. Comp.: "Ello [el dinero] se juntó a puro vender
tejas, de manera que los que hasta ahora eran tan pobres
que no llovía Dios sobre cosa suya, ahora, de últimamente pobres, no tienen cosa sobre que Dios no llueva,
por falta de tejados". *Epíst.*, p. 406. "Este es verdadera-
mente rico vino, y no otros vinos pobretones, que no
llueve Dios sobre cosa suya". *La hora de todos*, OP,
p. 281.
27 *carpeta,* cubierta de badana o tela, o alfombrilla.
30 *estantío,* parado, estancado.
34 *madre*: "se llama también el espacio de una o otra margen, por donde tiene su curso natural el río". *Auts.*

Suenan tragos y bocados
entre matracas y silbos,
y llevan el contrapunto
las gormonas y zollipos.

Con poco temor de Dios,   45
los mondongos, por lo limpio,
pretenden para las pruebas
el ser actos positivos.

Por haber faltado el ante
con las levas que se han visto,   50
todas las meriendas llevan
sus coletos de pepinos.

Los más en los salpicones
de carrera dan de hocicos;
en diciplinas del sorbo,   55
son abrojos los chorizos.

En camisa, por ir presto,
van no pocos palominos;
y sin Marta algunos pollos,
ya de ser suyos ahítos.   60

Rábanos y queso y bota,
en la gente del gordillo,
dan más trabajo al gaznate
que copones cristalinos.

44 *gormona,* de 'gormar', devolver lo comido. Comp.: "Gor-
   mamos siempre lo que no comemos". N.º 629, v. 9. "Para
   los gormadores hay capuces". N.º 581, v. 10.
47 *pruebas,* pero las de información de limpieza de sangre,
   porque los judíos no comían cerdo.
49 *ante,* lo primero que se sirve en la comida, y también
   la piel llamada 'ante'. Comp.: "Los rudimentos de la
   mesa se han de llamar los antes". *La culta latiniparla,*
   OP, p. 789b. "Pues quien no le tiene [el don] por ante, le
   tiene por postre, como remendón, azadón, pendón". *Buscón,* pp. 151-2.
52 *coleto,* vestido como casaca o jubón, hecho de ante.
58 *palomino:* "lo que queda en el culo de la camisa es
   palomino, nombre de ave muy regalada". *Gracias y desgracias...,* OP, p. 57. "Y al alzar las sábanas, fue tanta
   la risa de todos, viendo los recientes no ya palominos,
   sino palomos grandes, que se hundía el aposento". *Buscón,*
   p. 71.
60 Alude al conocido refrán "Marta, la que los pollos harta",
   que Correas, *Vocabulario,* explica "A desdén de la im-
   pertinente".

Agora se está una dueña   65
desnudando el *ab initio*;
haciéndoles encreyentes
que es el Jordán a sus siglos.

Yo le considero aquí
muy poblado de bullicio,   70
coche acá, coche acullá,
y metido a porquerizo.

Tres carrozas de tusonas
perdiendo van los estribos,
con pecosas y bermejas,   75
nariz chata y ojos bizcos.

Aguardando están la noche
un potroso y un podrido,
para sacar a volar
uno, parches; otro, el lío.   80

Una doncella, que sabe
que se le ahoga su virgo
en poca agua, le salpica,
escarbándola a pellizcos.

Aun en carnes, una flaca   85
es el miércoles Corvillo;
una gorda, el Carnaval
con mazas del entresijo.

Dos pïaras de fregonas
renuevan el adanismo,   90
compitiendo sus perniles
los blasones del tocino.

Dos estudiantes sarnosos,
más granados que los trigos,
con Manzanares se muestran,   95
si no Clementes, Beninos.

---

67 *hacer encreyentes,* frase hecha para "persuadir lo que no
se puede creer", según Correas. Comp.: "Infames, pues
me queréis hacer encreyentes que es estornudo el regüeldo". *La hora de todos,* OP, p. 276b. "¿Mandamiento?
—dijo el vicario. No me lo harán encreyentes cuantos
aran y cavan". *Cuento de cuentos,* OP, p. 797a.
73 *tusonas,* busconas.
88 *entresijo,* mesenterio.
94 *más granados,* con más granos.

El barbón y los bigotes
se enfalda un jurisperito,
por no sacarlos después
con cazcarrias en racimo.   100
    Una vieja con enaguas
va salpicando de hechizos,
con dos pocilgas por ojos,
por espinazo un rastillo,
por piernas un tenedor,   105
y por copete un erizo,
por tetas unas bizazas
y por cara el Antecristo.
    Una fea, amortajada
en su sábana de lino,   110
a lo difunto, se muestra
marimanta de los niños.
    Con azadones y espuertas,
son gabachos y coritos
sepultureros del agua,   115
en telarañas de vidro.
    Con sus capas en los hombros
y en piernas, algunos mizos
pescan de los nadadores,
en la orilla, los vestidos.   120
    En redrojos de rocines,
entre caballeros finos,
con sombreros de color,
andan hidalgos postizos.
    Prebendados en sus mulas,   125
galameros del atisbo,

107 *bizazas,* alforjas de cuero.
114 *corito,* se llamaban así a los asturianos y montañeses,
    pero también a los que llevaban en sus hombros los pe-
    llejos de mosto, desde el lagar a las cubas o transportaban
    con espuertas cosas de los mercados.
118 *mizo,* voz de germanía, zurdo, manco; pero aquí, la-
    drones, por 'miz', gato.
121 *redrojos*: "los razimillos de pocas ubas han dexado los
    vendimiadores atrás [...] Al muchacho que medra poco
    le llamamos redroxo o redroxuelo". Cov., *Tes.*
126 *galamero,* goloso; *atisbo,* mirada, de 'atisbar', mirar, en
    germanía, como explica el mismo Quevedo: "La Dueña,

echan el ojo tan largo,
galosmeando descuidos.

Anda en menudos Pilatos,
repartido en cuatro o cinco   130
alguaciles, que avizoran
pendencias y desafíos.

Un médico, de rebozo,
va tomando por escrito
los nombres de los que cenan   135
fiambrera y beben frío.

Acuérdome que ha tres años
que dejó de ser Narciso,
por falta de agua en que verse,
la zagala por quien vivo;   140

en el ampo de la nieve,
dos orientes encendidos,
portento de yelo y fuego,
Non plus ultra de lo lindo;

sobredorada su frente   145
con las minas de los indios;
de las pechugas del sol,
las guedejas y los rizos.

De llamas y nieve en paz
era todo su edificio: 150
el yelo le vi volcán,
el volcán le vi florido.

Con tocarla, tomó el agua
cantáridas; note el pío
letor, estando con ella,   155
lo que tomaba este indigno.

Ella gastó todo el charco
en escarpín de un tobillo,
y por subir más arriba,
la corriente daba brincos.   160

---

en zancos de fuego, se seguía, atisbando (como dicen los
pícaros) todo lo que pasaba". *Discurso de todos...*, OP,
p. 240a.

154 Las cantáridas se usaban también como estimulante eró-
tico. Comp.: "cantáridas toma el yelo / para mostrarse
muy hombre". N.º 690, vv. 57-8.

Bailar el agua delante
sólo con ella lo he visto;
mas al son de su meneo
los muertos darán respingos.

Mas hoy, de lo que en él hay   165
y de cuanto en él he visto,
sin los cielos de Clarinda,
nada apetezco ni envidio.

Arrebócese sus baños,
y cálese un papahígo,   170
y séquese, pues le falta
la fuente del Paraíso.

Yo considero estas cosas,
cuando estoy, el susodicho,
tres años ha, sobre doce,   175
entre cadenas y grillos,

aquí donde es año enero,
con remudar apellidos,
tan capona primavera,
que no puede abrir un lirio.   180

A modo de cachidiablos
me cercan tres cachirríos:
Orbigo, el Castro y Vernesga,
que son de Duero meninos.

Con mujeres en talega,   185
que calzan, por zapatillos,
artesas del cordobán
de los robles de estos riscos...

---

161 *bailar el agua delante*: "es servir con gran diligencia y
promptitud. Está tomada esta manera de hablar de las
criadas que en tiempo de verano, quando sus amos vienen
de fuera, refrescan las pieças y los patines con mucha
presteza, y el agua va saltando por los ladrillos y azulejos,
que parece baile". Cov., *Tes*.
170 *papahígo*, gorro que cubría el cuello y parte de la cara.
176 "Hacía la cuenta de todo el tiempo que en su vida había
pasado en prisión". GS.
179 *capona*, la llave maestra. Comp.: "las llaves caponas
barban / y quieren cerrar de golpe". N.º 690, 51-2.
188 "Hasta aquí llegó sin pasar adelante, asegurándolo el
mismo original que yo tuve". GS.

174

ROMANCE

Señor don Leandro,
vaya en hora mala,
que no puede en buena
quien tan mal se trata.
    ¿Qué imagina cuando   5
de bajel se zarpa,
hecho por la Hero
aprendiz de rana?
    ¿Pescado se vuelve
el hijo de cabra,   10
para quien mondongo
quiere más que escamas?
    Ya no hará en sorberse
el mar mucha hazaña
un amante huevo   15
pasado por agua.
    Bracear, y a ello,
por ver la muchacha,
una perla toda,
que a menudo ensartan;   20
    moza de una venta
que la Torre llaman
navegantes cuervos,
porque en ella paran.
    Chicota muy limpia,   25
no de polvo y paja,
que hace camas bien,
y deshace camas.

---

* Véase Antonio Alatorre, "Los romances de Hero y Leandro" en el *Libro jubilar de Alfonso Reyes* (México, 1956),
p. 28. Cree Alatorre que este romance es posterior al
famoso de Góngora "Aunque entiendo poco griego", fecha-
do en 1610.

Corita en cogote
y gallega en ancas;   30
gran mujer de pullas
para los que pasan.
Piernas de ramplón,
fornida de panza,
las uñas con cejas   35
de rascar la caspa.
Rolliza, y muy rollo,
donde cuelgan bragas,
derribada de hombros,
pero más de espaldas.   40
Que aunque del futuro
con nombre la llaman
del buen *sum, es, fui,*
cumple sus palabras.
Bien en puros cueros   45
va, pues, a esta dama,
que los apetece
más que las enaguas.
Y rema contento
mirando su cara,   50
estrellón de venta,
norte con quijadas.
Un candil le asoma
por una ventana,
farol de cocina   55
que el viento le apaga.
Tan mal prevenida,
que unas hojarascas
ardiendo aún no tiene
con que se enjugara.   60
Del candil la mecha
es toda su llama,

---

33 *piernas de ramplón,* toscas, bastas, como hechas con el
   cuero de que se hacían los zapatos 'ramplones'.
37-8 *rollo,* la picota u horca, hecha de piedra. Por eso cuelgan 'bragas', calzones masculinos.

y con mechas tales
no cura sus llagas.
  Pero ir sin greguescos   65
no es muy mala traza
para disculparse
del no darle blanca.
  Si ansí fueran todos
a ver a sus daifas,   70
fueran ahorrados
y horros de la paga.
  Que aunque de sus uñas
hicieran tenazas,
estuvieran libres   75
que los desnudaran.
  Si como va vuelve,
buena dicha alcanza,
y si, por las costas,
el mar no le embarga.   80
  Guarde que le dé
por cárcel la casa,
pues son calabozos
sus mejores salas.
  Mancebito, aguije,   85
que los vientos braman
y la luz dormita
ya en trémulas pausas.
  Para cuando vuelva
pida las borrascas,   90
que a un arrepentido
no serán ingratas.
  Si el nadar despacio
para entonces guarda,
andará entendido,   95
ya que necio hoy anda;
  porque de la moza
la limpieza es tanta,

70 *daifa,* ramera, manceba.
72 *horro,* libre.
79-80 Juego de voces con las 'costas' judiciales.

que al hondo a lavarse
entrará de gana.   100
  Pero ¿qué le ha dado?
Sin duda es que traga
a la engendradora
de las cucarachas.
  ¿Juega al escondite?   105
Si danza, sea la *Alta*:
que en el mar no es bueno
el danzar la *Baja*.
  ¿Se ahoga de veras,
o finge las bascas,   110
por hacer reír
a la desollada?
  Pero ya dio al traste.
¿Hay tan gran desgracia,
que a vista del puerto   115
no llegue a la playa?
  No habrá habido ahogado
que mejor lo haga,
ni con menos gestos,
ni con mayor gracia.   120
  Ya Hero lo ha visto,
y por él se arranca
todos los cabellos,
y se mete a calva.
  A diluvios llora,   125
no en forma ordinaria:
la nariz moquitas,
los ojos lagañas.
  "¡Ay, Leandro! —dijo—,
grítelo la fama: 130
que muerto el efecto,
no vivió la causa.

---

108 *Alta y Baja,* dos danzas de la época.
113 *dar al traste*: "término náutico. Tropezar la nave por los
  costados en alguna costa de tierra o roca en que se deshace o bara". *Auts.*

"Mas ya que desnudo
a morir te echabas,
mucho tus vestidos   135
hoy me consolaran.

"Mas, pues todo amores
fue ese pecho y nada,
a nadar contigo
este mío vaya.   140

"Desde este desván
a ese mar de plata
dar conmigo quiero
una zaparrada,

"por si a los dos juntos,   145
piadoso, nos traga,
como caperuzas,
algún pez tarasca;

"y en sepulcro vivo,
por tálamo, zampa   150
estos dos amargos
de una vez la Parca.

"Que para memoria,
en las peñas pardas
que este dolor miran   155
casi lastimadas,

"escribirá Amor,
con letra bastarda,
cortando una pluma
de sus proprias alas: 160

"Cual huevos murieron
tonto y mentecata.
Satanás los cene:
buen provecho le hagan."

Calló, y lo primero   165
el candil dispara;

---

144 *zaparrada,* golpe, zarpazo.
145-8 Sobre *tarasca,* véase la nota al poema 169, v. 52.
158 "Infeliz y no legítima del Amor". GS. Pero también la
   llamada "letra bastarda o bastardilla".

y por no mancharse,
las olas se apartan.
    Y deshecha en llanto,
como la que vacia,   170
echándose, dijo:
"¡Agua va!", a las aguas.
    Hízose allá el mar
por no sustentarla,
y porque la arena   175
era menos blanda.
    Dio sobre el aceite
del candil, de patas,
y en aceite puro
se quedó estrellada.   180
    La verdad es ésta,
que no es patarata,
aunque más jarifa
Museo la canta.

175

REFIERE UN SUCESO SUYO, DONDE SE CONTIENE ALGO
DEL *Mundo por de dentro*

ROMANCE

    Érase una tarde,
San Antón nos oiga,
la gente ceniza,
y carbón las horas.
    Chamuscaba el día: 5
sacó por corona
sol penitenciado,
llamas y coroza,

---

183 *jarifa*: "delicada, graciosa, amable". Cov., *Tes.*
184 *Museo*, el poeta griego († h. el 580), autor de la *Historia
de Hero y Leandro*, poema en 340 hexámetros, muy leído
y traducido desde 1494 ó 1495, en que fue editado por el
célebre Aldo Manucio, inaugurando las ediciones en tipos
griegos.

        cuando atarantadas
    en diversas tropas,   10
    "¡Oxte que me quemo!"
    le dicen las moscas;
        cuando el mesmo río
    está con ampollas
    y con humo la agua,   15
    tostadas las sombras;
        cuando el Cito tus,
    que ladra modorras,
    faldero del diablo,
    mastín de Sodoma,   20
        estaba mordiendo
    al León la cola,
    asador lanudo,
    llama de las hojas;
        cuando los dotores,   25
    de la fruta, cobran
    garrotillo a varas,
    tabardillo a arrobas;
        cuando el beber sabe
    mejor que las mozas,   30
    con las gorgoritas
    que el gaznate entona;

9 *atarantadas,* inquietas, bulliciosas. Comp.:

> Con nalgas atarantadas,
> la Berrenda de Roldán
> pasó plaza de alquitara
> y destilaba el lugar.
>
> N.º 864, vv. 25-8.

11 *¡Oxte!*: una palabra bárbara, pero muy usada de los que
llegando con la mano a alguna cosa, pensando que está
fría, se queman". Cov., *Tes.*

17 *Cito tus,* el Can celeste, la canícula. (*Cito* y *Tus* eran voces para llamar a los perros). Comp.:

> Ten vergüenza, purpúrate, don Luis,
> pues eres poco verme y mucho pus;
> cede por el costado, que eres tus,
> cito, no incienso; no lo hagamos lis.
>
> N.º 837, vv. 1-4

27 *garrotillo,* la difteria.
49 *taleguilla,* "Su coche". GS.

cuando las Franciscas
las dos efes logran,
y las busca el tiempo   35
por frías y flojas;
    y a las ojinegras,
porque incendios brotan,
para que no quemen,
primero las soplan.   40
    Mes que desmanceba
y mes que desnovia,
bueno a los que nadan,
malo a los que bodan.
    Yo, aquel licenciado   45
de la vida bona,
en mi casa cura,
y dolencia en otras,
    en mi taleguilla,
con sus dos langostas,   50
que para chicharras
aprenden la solfa,
    a las dos del día,
con manteo y loba,
a cazar rescoldo   55
salí de mi choza,
    en cas de una niña,
que, si la retozan,
herreros escupe
y cohetes brota.   60
    Sentéme y sentóse,
muy confín la ropa;
de dime y diretes
anduvo la prosa.
    El que de arremetes   65
entiende la historia,
ya del fuego aplica
lo junto a la estopa.

50 Con sus caballos como langostas de verano.
65-8 Alude al conocido refrán "El hombre es fuego; la mu-
    jer estopa; viene el diablo y sopla".

Mas de los refranes,
vuélvalo a la bolsa,   70
pues por desmentirlos
no se pecó en cosa.
   No es el "¡Cierra, España!"
de todas personas:
más vale un bonete   75
que cuarenta golas.
   De visita luego
vinieron dos mozas:
doña Tal Estrellas,
Mari Tal Auroras.   80
   Esferas vestidas
de luz y de aljófar:
la Conjunción magna
fue aquel par de diosas.
   Sin sonar a dientes,   85
vejecilla ronca
calavereaba
las bellezas choznas.
   La huéspeda estaba
de lo de no coman,   90
muy poco merienda
y mucho señora.
   Hablaron en trenza,
de una esquina a otra,
urracas en soto,   95
o en estrado sotas.
   Yo, por no atreverme
solo para todas,
al coger la puerta,
tomé una por otra.   100
   (Quien de las mujeres
huye siendo hermosas,

---

76 *gola,* significaba "la armadura del cuello que se pone sobre
   el peto y el espaldar". Cov., *Tes.,* y también la 'gorgue-
   ra', el adorno de tela almidonada y rizada, que se ponía
   alrededor del cuello.
83 *Conjunción magna,* la de Júpiter y Saturno, que ocurre
   cada 18'9 años.

que caiga en la cueva
merece más honda.)
    Celda sin salida   105
de escondida alcoba;
entré con sudores
adonde los toman.
    Sin luz, entre trastos
de jarros y ollas,   110
al infierno vine,
dejando la gloria.
    La nariz olía
una misma cosa
entre los servicios   115
y entre las redomas.
    Dijo cierto unto,
pisando unas orzas:
"Presto seré cara;
guarda, no me rompas".   120
    "Tente (me gritaban
polvillos en conchas),
que para ser manos
los dedos nos sobran."
    La tizne decía: 125
"Seré cejas toda";
y la borra: 'Piernas';
la cerilla: 'Bocas'.
    La fruta que llaman
en el mundo doñas,   130
en cáscaras vuelta,
verán si la mondan.
    Canséme de andar
entre las escobas,
apalpando botes   135
que han de ser personas,
    y ensarté la vista
por cerraja rota,

108 Donde se cogen los sudores, pero de bubas.
128 *cerilla,* para los labios. Vid. la nota al v. 76 del poe-
    ma 165.

y vi la semblea
de hermosura toda.   140
    Estaban contando
con risa y de gorja
los ardides suyos,
que nos trampantojan.
    En ausencia hablaban   145
muy mal de las joyas.
Dije yo temblando:
"La plata sea sorda."
    Tratóse de faltas,
murmurando de otras: 150
maridos y achaques
todo era una ropa.
    Yo, en un colchoncillo,
que fue vicealhombra,
a chinches fallidas   155
di merienda coja.
    Entró al "Buenas noches"
doncellita angosta
velas empezadas
en chapín de azófar.   160
    Por sus gentilhombres
preguntó una roma,
que pide prestados
pobres a la sopa.
    Llegaron al punto,   165
luego la carroza,

---

139 *semblea,* asamblea.
144 *trampantojan,* engañan, de 'trampantojo', pero como verbo no lo registra *Auts.*
148 Calco de "El diablo sea sordo", "deseo de que no suceda alguna cosa que se tema". *Auts.,* s. v. 'sordo'.
149 *faltas,* parece juego de voces entre las faltas de las mujeres preñadas (la falta del menstruo) y 'defectos'.
154 *vicealhombra,* casi alfombra.
160 *chapín de azófar,* candil de latón, o candelabro.
164 Alude a los pobres que acudían a la sopa de los conventos. "Preguntámosle la causa [de las heridas], y dijo
que había ido a la sopa de San Jerónimo y que pidió
porción doblada, diciendo que era para unas personas
honradas y pobres". *Buscón,* p. 185.

yéndose de lengua
antes que de obra.
  Chirrïaron luego,
chillando a sus solas: 170
yo, lamentación
en tinieblas proprias,
  bochorno con barbas,
hoguera con borra,
alma condenada,   175
la tórrida zona,
  me arrojé en la calle
lleno de congojas,
y en mi corazón
dije: '¡Cantimplora!'   180
  "¿Quién va a la justicia?",
preguntó la ronda.
Seculum per ignem,
respondió Bayona.

176

RECETA PARA HACER SOLEDADES EN UN DÍA

SONETO

Quien quisiere ser culto en sólo un día,
la jeri (aprenderá) gonza siguiente:
fulgores, arrogar, joven, presiente,
candor, construye, métrica armonía;

---

180 *cantimplora*: "es una garrafa de cobre, con el cuello muy
largo, para enfriar en ella el agua o el vino, metiéndola
y enterrándola en la nieve, o meneándola dentro de un
cubo con la dicha nieve, cosa muy conocida y usada en
España y en todas partes". Cov., *Tes.*
* Va al frente de la conocida *Aguja de navegar cultos,*
impresa en el *Libro de todas las cosas y otras muchas
más,* del propio Quevedo, Madrid, 1631.

poco, mucho, si no, purpuracía,   5
neutralidad, conculca, erige, mente,
pulsa, ostenta, librar, adolescente,
señas traslada, pira, frustra, arpía;

cede, impide, cisuras, petulante,
palestra, liba, meta, argento, alterna,   10
si bien disuelve émulo canoro.

Use mucho de *líquido* y de *errante*,
su poco de *nocturno* y de *caverna*,
anden listos *livor*, *adunco* y *poro*.

Que ya toda Castilla,   15
con sola esta cartilla,
se abrasa de poetas babilones,
escribiendo sonetos confusiones;
y en la Mancha, pastores y gañanes,
atestadas de ajos las barrigas,   20
hacen ya cultedades como migas.

177

SONETO *

Yo te untaré mis obras con tocino,
porque no me las muerdas, Gongorilla,
perro de los ingenios de Castilla,
docto en pullas, cual mozo de camino.

Apenas hombre, sacerdote indino,   5
que aprendiste sin christus la cartilla;
chocarrero de Córdoba y Sevilla,
y en la Corte, bufón a lo divino.

---

* Alude claramente, por el verso 9, al soneto de Góngora
que comienza "Anacreonte español, no hay quien os tope",
de hacia 1609.

¿Por qué censuras tú la lengua griega
siendo sólo rabí de la judía,   10
cosa que tu nariz aun no lo niega?

No escribas versos más, por vida mía;
aunque aquesto de escribas se te pega,
por tener de sayón la rebeldía.

178

OTRO CONTRA EL DICHO

SONETO

Tantos años y tantos todo el día;
menos hombre, más Dios, Góngora hermano.
No altar, garito sí; poco cristiano,
mucho tahúr; no clérigo, sí arpía.

Alzar, no a Dios, ¡extraña clerecía!;   5
misal apenas, naipe cotidiano;
sacar lengua y barato, viejo y vano,
son sus misas, no templo y sacristía.

Los que güelen tu musa y tus emplastos
cuando en canas y arrugas te amortajas,   10
tal epitafio dan a tu locura:

"Yace aquí el capellán del rey de bastos,
que en Córdoba nació, murió en Barajas
y en las Pintas le dieron sepultura".

1 *tantos,* de la baraja.
2 *hombre,* un juego de naipes.
5 *Alzar,* las cartas.
7 *sacar lengua,* "frase que además del sentido recto, significa
notar los defectos públicos y mal vistos, que desdicen a
la estimación de alguna persona". *Auts. Sacar barato,* lo
que entregaba el gananioso a los mirones. Comp.: "cómo
mete naipes y solemniza las cosas del que gana, todo por
un triste real de barato". *Buscón,* 157.
14 *pintas,* otro juego de cartas.

179

CARTA DE ESCARRAMÁN A LA MÉNDEZ *

JÁCARA

Ya está guardado en la trena
tu querido Escarramán,
que unos alfileres vivos
me prendieron sin pensar.

Andaba a caza de gangas,   5
y grillos vine a cazar,
que en mí cantan como en haza
las noches de por San Juan.

Entrándome en la bayuca,
llegándome a remojar   10
cierta pendencia mosquito,
que se ahogó en vino y pan,

al trago sesenta y nueve,
que apenas dije "Allá va",
me trujeron en volandas   15
por medio de la ciudad.

Como al ánima del sastre
suelen los diablos llevar,
iba en poder de corchetes
tu desdichado jayán.   20

---

* Apareció en un pliego suelto, impreso en Barcelona en
1613, pero el poema debe de ser de hacia 1611. Tuvo uno
de los éxitos más extraordinarios, puesto que se volvió a
lo divino, entre otros, por Lope de Vega, e hizo nacer el
famoso baile del *Escarramán*.
1 *trena,* cárcel, voz de germanía, como casi todas las de las
jácaras.
3 *alfileres vivos,* corchetes. Comp.:

> *Perote.*   Alfiler llamo al alguacil.
> *Bart.*   Famoso.
> *Perote.*   Garfio al corchete.
>
>   Lope de Vega, *Entremés del letrado,*
>   Ac. II, 145a.

9 *bayuca,* taberna.

Al momento me embolsaron,
para más seguridad,
en el calabozo fuerte
donde los godos están.

Hallé dentro a Cardeñoso,   25
hombre de buena verdad,
manco de tocar las cuerdas,
donde no quiso cantar.

Remolón fue hecho cuenta
de la sarta de la mar,   30
porque desabrigó a cuatro
de noche en el Arenal.

Su amiga la Coscolina
se acogió con Cañamar,
aquel que, sin ser San Pedro,   35
tiene llave universal.

Lobrezno está en la capilla.
Dicen que le colgarán,
sin ser día de su santo,
que es muy bellaca señal.   40

Sobre el pagar la patente
nos venimos a encontrar
yo y Perotudo el de Burgos:
acabóse la amistad.

Hizo en mi cabeza tantos   45
un jarro, que fue orinal,
y yo con medio cuchillo
le trinché medio quijar.

24 *godos*, principales, importantes.
27-28 *cuerdas*, las del tormento; *cantar*, declarar. Comp.: "Muchas veces me hubieran llorado en el asno, si hubiera cantado en el potro". *Buscón*, p. 19.
30 Es decir, fue condenado a galeras.
38-9 Sobre 'colgar' véase la nota en el poema 165.
41 *pagar la patente*, pagar la novatada, dar dinero a los miembros viejos de una institución, centro, etc. Comp.: "Amaneció, y helos aquí en camisa a todos los estudiantes de la posada a pedir la patente a mi amo. El amo no sabía lo que era. Pidieron dos docenas de reales". *Buscón*, p. 62.
45 *tanto*: "se toma también por golpe; y assí se dice 'Le dio un tanto'". *Auts*.
48 *quijar*, quijada.

Supiéronlo los señores,
que se lo dijo el guardián,   50
gran saludador de culpas,
un fuelle de Satanás.
    Y otra mañana a las once,
víspera de San Millán,
con chilladores delante   55
y envaramiento detrás,
    a espaldas vueltas me dieron
el usado centenar,
que sobre los recibidos
son ochocientos y más.   60
    Fui de buen aire a caballo,
la espalda de par en par,
cara como del que prueba
cosa que le sabe mal;
    inclinada la cabeza   65
a monseñor cardenal;
que el rebenque, sin ser papa,
cría por su potestad.
    A puras pencas se han vuelto
cardo mis espaldas ya;   70
por eso me hago de pencas
en el decir y el obrar.
    Agridulce fue la mano;
hubo azote garrafal;
el asno era una tortuga,   75
no se podia menear.
    Sólo lo que tenia bueno
ser mayor que un dromedal,
pues me vieron en Sevilla
los moros de Mostagán.   80

---

52 *fuelle,* soplón.
55 *chilladores,* pregoneros que anunciaban la causa del cas-
    tigo.
69 *pencas,* los azotes del verdugo.
75 Comp.: "¡Vive Dios! —dijo el corchete—, que se lo pa-
    gué yo sobrado a Lobrezno en Murcia, porque iba el bo-
    rrico que remedaba el paso de la tortuga". *Buscón,* p. 137.
78 *dromedal,* dromedario.

No hubo en todos los cjento
azote que echar a mal;
pero a traición me los dieron:
no me pueden agraviar.

Porque el pregón se entendiera   85
con voz de más claridad,
trujeron por pregonero
las sirenas de la mar.

Invíanme por diez años
(¡sabe Dios quién los verá!)   90
a que, dándola de palos,
agravie toda la mar.

Para batidor del agua
dicen que me llevarán,
y a ser de tanta sardina   95
sacudidor y batán.

Si tienes honra, la Méndez,
si me tienes voluntad,
forzosa ocasión es ésta
en que lo puedes mostrar.   100

Contribúyeme con algo,
pues es mi necesidad
tal, que tomo del verdugo
los jubones que me da;

que tiempo vendrá, la Méndez,   105
que alegre te alabarás
que a Escarramán por tu causa
le añudaron el tragar.

A la Pava del cercado,
a la Chirinos, Guzmán,   110
a la Zolla y a la Rocha,
a la Luisa y la Cerdán;

a mama, y a taita el viejo,
que en la guarda vuestra están,

---

113 *mama* y *taita* ('padre', en lenguaje infantil), eran los 'padres' de la mancebía.

y a toda la gurullada   115
mis encomiendas darás.

Fecha en Sevilla, a los ciento
de este mes que corre ya,
el menor de tus rufianes
y el mayor de los de acá.   120

180

RESPUESTA DE LA MÉNDEZ A ESCARRAMÁN

JÁCARA

Con un menino del padre
(tu mandil y mi avantal),
de la cámara del golpe,
pues que su llave la trae,
    recibí en letra los ciento,   5
que recibiste, jayán,
de contado, que se vían
uno al otro al asentar.

Por matar la sed te has muerto;
más valiera, Escarramán,   10
por no pasar esos tragos,
dejar otros de pasar.

Borrachas son las pendencias,
pues tan derechas se van
a la bayuca, donde hallan,   15
besando los jarros, paz.

No hay cuistión ni pesadumbre
que sepa, amigo, nadar:
todas se ahogan en vino;
todas se atascan en pan.   20

---

115 *gurullada*, voz de germanía, junta de rufianes y de man-
    cebas. Comp.: "El son alborotó la gurullada". *Orlando*,
    I, v. 377.
1 *menino*, criadito.
2 *mandil*, el criado del rufián; *avantal*, delantal.
3 *cámara del golpe*, calabozo.
4 *llave*, carta?
5 *los ciento*, los cien latigazos de que hablaba Escarramán.

Si por un chirlo tan sólo
ciento el verdugo te da,
en el dar ciento por uno
parecido a Dios será.

Si tantos verdugos catas,   25
sin duda que te querrán
las damas por verdugado
y las izas por rufián.

Si te han de dar más azotes
sobre los que están atrás,   30
estarán unos sobre otros,
o se habrán de hacer allá.

Llevar buenos pies de albarda
no tienes que exagerar:
que es más de muy azotado   35
que de jinete y galán.

Por buen supuesto te tienen,
pues te envían a bogar;
ropa y plaza tienes cierta,
y a subir empezarás.   40

Quéjaste de ser forzado;
no pudiera decir más
Lucrecia del rey Tarquino,
que tú de su Majestad.

Esto de ser galeote   45
solamente es empezar;
que luego, tras remo y pito,
las manos te comerás.

Dices que te contribuya,
y es mi desventura tal,   50
que si no te doy consejos,
yo no tengo que te dar.

---

27 *verdugado*, vestidura que las mujeres usaban debajo de las basquiñas, y azotado por el verdugo.
28 *izas*, rameras.
32 *hacerse allá*, correrse un poco.
38 *a bogar*, juego de voces con 'abogar', defender.
43 Quevedo escribió también un romance burlesco con la historia de Lucrecia, que comienza "Marca Tulia se llamaba", n.º 738.
48 De la frase "Comerse las manos" de gusto.

Los hombres por las mujeres
se truecan ya taz a taz,
y si les dan algo encima,   55
no es moneda lo que dan.

No da nadie sino a censo,
y todas queremos más
para galán un pagano,
que un cristiano sin pagar.   60

A la sombra de un corchete
vivo en aqueste lugar,
que es para los delincuentes
árbol que puede asombrar.

De las cosas que me escribes   65
he sentido algún pesar:
que le tengo a Cardeñoso
entrañable voluntad.

¡Miren qué huevos le daba
el Asistente a tragar   70
para que cantara tiples,
sino agua, cuerda y cendal!

Que Remolón fuese cuenta,
heme holgado en mi verdad,
pues por aquese camino   75
hombre de cuenta será.

Aquí derrotaron juntos
Coscolina y Cañamar,
en cueros por su pecado,
como Eva con Adán.   80

---

54 *taz a taz,* como "taz por taz": "quando una cosa se per-
muta por otra igualmente". Cov., *Tes.* Comp.:

> Es lenguaje de poyos y de establo
> "Tengamos y tengamos"; y "Lo cierto
> es lo de taz a taz", si yo le entablo.
>   N.º 563, vv. 9-11.

64 *asombrar,* por dar 'sombra' y 'asombro', ya que el 'arbol
seco' era el corchete, en germanía. Véase el v. 37 del poema siguiente.
72 Alude a los tormentos sufridos por Cardeñoso en la cárcel para hacerle 'cantar'.
77 *derrotaron,* llegaron, arribaron, de "hacer la derrota" los
navíos.

Pasáronlo honradamente
en este honrado lugar;
y no siendo picadores,
vivieron, pues, de hacer mal.

Espaldas le hizo el verdugo;   85
mas debióse de cansar,
pues habrá como ocho días
que se las deshizo ya.

Y muriera como Judas;
pero anduvo tan sagaz,   90
que negó, sin ser San Pedro,
tener llave universal.

Perdone Dios a Lobrezno,
por su infinita bondad;
que ha dejado sin amparo   95
y muchacha a la Luján.

Después que supo la nueva,
nadie la ha visto pecar
en público; que, de pena,
va de zaguán en zaguán.   100

De nuevo no se me ofrece
cosa de que te avisar;
que la muerte de Valgarra
ya es añeja por allá.

Cespedosa es ermitaño   105
una legua de Alcalá;
buen diciplinante ha sido;
buen penitente será.

Baldorro es mozo de sillas,
y lacayo Matorral: 110
que Dios por este camino
los ha querido llamar.

Montúfar se ha entrado a puto
con un mulato rapaz:
que, por lucir más que todos,   115
se deja el pobre quemar.

---

83 *picador,* en germanía, ladrón que usa ganzúa.
116 Los que cometían 'pecado nefando' eran condenados a
la hoguera, como ya se dijo en el poema 166, v. 78.

Murió en la ene de palo,
con buen ánimo, un gañán,
y el jinete de gaznates
lo hizo con él muy mal.   120

Tiénenos muy lastimadas
la justicia, sin pensar
que se hizo en nuestra madre,
la vieja del arrabal;
pues sin respetar las tocas,   125
ni las canas ni la edad,
a fuerza de cardenales
ya la hicieron obispar.

Tras ella, de su motivo,
se salían del hogar   130
las ollas con sus legumbres:
no se vio en el mundo tal;
pues cogió más berenjenas
en una hora, sin sembrar,
que un hortelano morisco   135
en todo un año cabal.

Esta cuaresma pasada
se convirtió la Tomás
en el sermón de los peces,
siendo el pecado carnal.   140

Convirtióse a puros gritos;
túvosele a liviandad,
por no ser de los famosos,
sino un pobre sacristán.

---

119 *jinete de gaznates,* verdugo, porque más de una vez se
montaban sobre los condenados para rematarlos. Comp.:
"Allá quedarás, bellaca, deshonrabuenos, jinete de gaznates". *Buscón,* p. 147.
128 *hicieron obispar,* la encorozaron. Véase la nota 11 en el
poema 116.
133 Comp.: "Yo le tiré dos berenjenas a su madre cuando
fue obispa". *Buscón,* p. 22.
144 *sacristán,* el que predicó en la misión. Abundan las referencias a las mancebas convertidas por los predicadores
en la Cuaresma. Comp.: "Mandamos que la Semana Santa
recojan a todos los poetas públicos y cantoneros, como
a malas mujeres, y que los prediquen sacando Cristos para
convertirlos". *Buscón,* p. 116.

No aguardó que la sacase   145
calavera o cosa tal:
que se convirtió de miedo
al primero Satanás.
    No hay otra cosa de nuevo;
que, en el vestir y el calzar,   150
caduca ropa me visto
y saya de mucha edad.
    Acabado el decenario,
adonde agora te vas,
tuya seré, que tullida   155
ya no me puedo mudar.
    Si acaso quisieres algo
o se te ofreciere acá,
mándame, pues, de bubosa,
yo no me puedo mandar.   160
    Aunque no de Calatrava,
de Alcántara ni San Juan,
te envían sus encomiendas
la Téllez Caravajal,
    la Collantes valerosa,   165
la golondrina Pascual,
la Enrique Maldegollada,
la Palomita torcaz.
    Fecha en Toledo la rica,
dentro del pobre hospital,   170
donde trabajos de entrambos
empiezo agora a sudar.

---

160 *mandar*, gobernar los miembros.
163 *encomiendas*, recuerdos, saludos.

181

JÁCARA

Zampuzado en un banasto
me tiene su majestad,
en un callejón Noruega,
aprendiendo a gavilán.
    Gradüado de tinieblas   5
pienso que me sacarán
para ser noche de hibierno,
o en culto algún madrigal.
    Yo, que fui norte de guros,
enseñando a navegar   10
a las godeñas en ansias,
a los buzos en afán,
    enmoheciendo mi vida,
vivo en esta oscuridad,
monje de zaquizamíes,   15
ermitaño de un desván.
    Un abanico de culpas
fue principio de mi mal;

1 *banasto,* cárcel, voz de germanía.
3 *Noruega,* por lo frío y oscuro.
4 Alude a las muchas aves de altanería procedentes del norte de Europa. Algunas veces las tenían en habitaciones oscuras.
9 *guros,* alguaciles.
11 *godeñas,* rameras importantes, de 'godo'; *navegar en ansias,* vivir los afanes y trabajos de todo tipo, incluso los amorosos, de pícaros y rufos. Comp.: "y así, propuse de navegar en ansias con la Grajal hasta morir". *Buscón,* p. 279.
12 *buzo,* ladrón muy hábil o que ve mucho.
17 *abanico de culpas,* soplón. Comp.: "Vino el Soplón, abanico del infierno, resuello de culpas". *Discurso de todos...,* OP, p. 245a. "[Los corchetes] son abanicos de culpas y resuello de la provincia y vaharada del verdugo". *El sueño del infierno,* OP, p. 179b.

un letrado de lo caro,
grullo de la puridad.   20

Dios perdone al padre Esquerra,
pues fue su paternidad
mi suegro más de seis años
en la cuexca de Alcalá,
en el mesón de la ofensa,   25
en el palacio mortal,
en la casa de más cuartos
de toda la cristiandad.

Allí me lloró la Guanta,
cuando, por la Salazar,   30
desporqueroné dos almas
camino de Brañigal.

Por la Quijano, doncella
de perversa honestidad,
nos mojamos yo y Vicioso,   35
sin metedores de paz.

En Sevilla, el árbol seco
me prendió en el Arenal,
porque le afufé la vida
al zaino de Santo Horcaz.   40

El zapatero de culpas
luego me mandó calzar
botinicos vizcaínos,
martillado el cordobán.

---

20 *grullo,* alguacil.
24 *cuexca,* mancebía. Comp.: "Estábase el padre Ezquerra /
en la cuexca de Alcalá". N.º 864, vv. 1-2.
26 *palacio mortal,* mancebía, por los pecados 'mortales' y las
enfermedades.
31 *desporqueronar*: "libertar o sacar alguna cosa de parte
inmunda. Es voz jocosa e inventada". *Auts.,* que cita este
verso.
35 *mojamos,* herimos.
37 *árbol seco,* alguacil, corchete. Véase la nota 64 del poema 180.
39 *afufar,* huir, hacer huir.
40 *zaino,* traidor.
41 *zapatero de culpas,* el juez.
43 *botinicos vizcaínos,* grillos fabricados en Vizcaya. Comp.:
"Traía [un preso] más hierro que Vizcaya, dos pares de
grillos y una cadena de portada". *Buscón,* p. 196.

Todo cañón, todo guro,   45
todo mandil y jayán,
y toda iza con greña,
y cuantos saben fuñar,
     me lloraron soga a soga,
con inmensa propriedad: 50
porque llorar hilo a hilo
es muy delgado llorar.

     Porque me metí una noche
a Pascua de Navidad
y libré todos los presos,   55
me mandaron cercenar.

     Dos veces me han condenado
los señores a trinchar,
y la una el maestresala
tuvo aprestado sitial.   60

     Los diez años de mi vida
los he vivido hacia atrás,
con más grillos que el verano,
cadenas que El Escurial.

     Más alcaides he tenido   65
que el castillo de Milán;
más guardas que monumento,
más hierros que el Alcorán,
     más sentencias que el Derecho,
más causas que el no pagar,   70
más autos que el dia del Corpus,
más registros que el misal,

---

45 *cañón,* soplón o pícaro. Comp.: "Llegó la hora de cenar;
   vinieron a servir unos pícaros, que los bravos llaman ca-
   ñones". *Buscón,* p. 277.
48 *fuñar,* robar.
55 Por Pascua de Navidad solían indultarse presos, como ya
   se anotó en el poema 160.
56 *cercenar*: "vale en locución picaresca, rapar y cortar el
   cabello como a reo condenado a azotes y otras penas".
   Auts.
68 Juego de voces con 'yerro'.
72 *registros*: "en los breviarios y misales, las cintas o cordo-
   nes puestos en el oficio, por donde se rigen en el rezado
   o canto". Cov., *Tes.*

más enemigos que el agua,
más corchetes que un gabán,
más soplos que lo caliente,   75
más plumas que el tornear.
   Bien se puede hallar persona
más jarifa y más galán;
empero más bien prendida
yo dudo que se hallará.   80
   Todo este mundo es prisiones;
todo es cárcel y penar:
los dineros están presos
en la bolsa donde están;
   la cuba es cárcel del vino,   85
la trox es cárcel del pan,
la cáscara, de las frutas,
y la espina, del rosal.
   Las cercas y las murallas
cárcel son de la ciudad;   90
el cuerpo es cárcel de l'alma,
y de la tierra, la mar;
   del mar es cárcel la orilla,
y en el orden que hoy están,
es un cielo de otro cielo   95
una cárcel de cristal.
   Del aire es cárcel el fuelle,
y del fuego, el pedernal;
preso está el oro en la mina;
preso el diamante en Ceilán.   100
   En la hermosura y donaire
presa está la libertad;
en la vergüenza, los gustos;
todo el valor, en la paz.
   Pues si todos están presos,   105
sobre mi mucha lealtad,

76 Los caballeros que torneaban solían llevar sombreros con
abundantes plumas; pero el jaque puede referirse a las
'plumas' que han empleado en los procesos y a las veces
que ha sido condenado a remar, porque en germanía la
voz 'pluma' significa remo. Creo que se refiere a esta última significación.

llueva cárceles mi cielo
diez años, sin escampar.

   Lloverlas puede, si quiere,
con el peine y con mirar,   110
y hacerme en su Peralvillo
aljaba de la Hermandad.

   Mas, volviendo a los amigos,
todos barridos están:
los más se fueron en uvas,   115
y los menos, en agraz.

   Murió en Nápoles Zamora,
ahíto de pelear;
lloró a cántaros su muerte
Eugenia la Escarramán.   120

   Al Limosnero, Azaguirre
le desjarretó el tragar:
con el Limosnero pienso
que se descuidó San Blas.

   Mató a Francisco Jiménez   125
con una aguja un rapaz,
y murió muerte de sastre,
sin tijeras ni dedal.

   Después que el padre Perea
acarició a Satanás   130
con el alma del corchete
vaciada a lo catalán,

   a Roma se fue por todo,
en donde la enfermedad
le ajustició en una cama,   135
ahorrando de procesar.

   Dios tenga en su santa gloria
a Bartolomé Román,
que aun con Dios, si no lo tiene,
pienso que no querrá estar.   140

---

124 Por ser el santo que se invoca en las enfermedades de la
    garganta.
132 Una de las muchas alusiones al bandolerismo catalán de
    la época.

Con la grande polvareda,
perdimos a don Beltrán,
y porque paró en Galicia,
se teme que paró en mal.

Xeldre está en Torre Bermeja;   145
mal aposentado está,
que torre de tan mal pelo
a Judas puede guardar.

Ciento por ciento llevaron
los inocentes de Orgaz,   150
peonzas que, a puro azote,
hizo el bederre bailar.

Por pedigüeño en caminos,
el que llamándose Juan,
de noche, para las capas,   155
se confirmaba en Tomás,

hecho nadador de penca,
desnudo fue la mitad,
tocándole pasacalles
el músico de *Quien tal*.   160
Sólo vos habéis quedado,
¡oh Cardoncha singular!,

141-2 Son dos versos citadísimos del romance sobre la muerte
    de Beltrán en Roncesvalles (Durán, BAE, X, p. 264):

> Cuando de Francia partimos
> hicimos pleito homenaje,
> que el que en la guerra muriese
> dentro en Francia se enterrase.
> Y como los españoles
> prosiguieron el alcance,
> con la mucha polvareda
> perdimos a don Beltrane.

148 Porque, según la leyenda española, Judas fue de pelo
    rojo. Comp.: "vi a Judas [...] No sabré decir sino que me
    sacó de la duda de ser barbirrojo, como le pintan los
    españoles". *El sueño del Infierno,* OP, p. 185b.
152 *bederre,* verdugo.
159 Comp.: "Sacaron a la vieja delante de todos, en un pa-
    lafrén pardo a la brida, con un músico de culpas delante.
    Era el pregón: '¡A esta mujer, por ladrona!' Llevábale el
    compás en las costillas el verdugo". *Buscón,* p. 205.
160 Parte de la fórmula que se empleaba para pregonar la
    justicia; lo mismo que la del v. 163.

roído del *Sepan cuantos*
y mascado del varal.

    Vos, Bernardo entre franceses,   165
y entre españoles, Roldán,
cuya espada es un Galeno,
y una botica la faz,
    pujamiento de garnachas
pienso que os ha de acabar,   170
si el avizor y el calcorro
algún remedio no dan.

    A Micaela de Castro
favoreced y amparad,
que se come de gabachos   175
y no se sabe espulgar.

    A las hembras de la caja,
si con la expulsión fatal
la desventurada Corte
no ha acabado de enviudar,   180
    podéis dar mis encomiendas,
que al fin es cosa de dar;
besamanos a las niñas,
saludes a las de edad.

    En Vélez, a dos de marzo,   185
que, por los putos de allá,
no quiere volver las ancas,
y no me parece mal.

167-8 Por lo que matan los médicos y boticarios. Recuérdese: "Sus tiendas no se habían de llamar boticas, sino armerías de los dotores". *El Sueño del Infierno,* OP, p. 183a.
169 *pujamiento de garnachas,* abundancia de togas. (*Pujamiento*: "crecimiento de la sangre, que hace fuerza por salir". *Auts.*)
171 *avizor,* ojo; *calcorro,* zapato.
177 *caja,* almacén, pero aquí, mancebía.
178 El 4 de febrero de 1623 se decretó el cierre de las mancebías.

182

DESAFÍO DE DOS JAQUES

JÁCARA

A la orilla de un pellejo,
en la taberna de Lepre,
sobre si bebe poquito,
y sobre si sobrebebe,
Mascaraque el de Sevilla,   5
Zamborondón el de Yepes
se dijeron mesurados
lo de sendos remoquetes.
Hubo palabras mayores
de lo de "No como liebre";   10
"Ni yo a la mujer del gallo
nadie ha visto que la almuerce".
"¿Tú te apitonas conmigo?"
"¿Hiédete el alma, pobrete?"
"Salgamos a berrear,   15
veremos a quién le hiede."
Hubo mientes como el puño,
hubo puño como el mientes,
granizo de sombrerazos
y diluvio de cachetes.   20
Hallóse allí Calamorra,
sorbe, si no mata, siete,

2 Un Juan Lepre tuvo, en efecto, una taberna en la calle
de las Huertas, en Madrid. Murió el 25 de diciembre de
1634.
4 *sobrebeber*, beber mucho.
13 *apitonarse*: "repuntarse y decirse unos a otros palabras
pesadas y ofensivas; lo que sucede a los que están eno-
jados o coléricos, y es más regular en la gente vulgar y
en los preciados de guapos y valientes". *Auts.*, que cita
este texto.
15 *berrear*, reñir con otro, "dando bufidos a manera de los
becerros. Es voz jocosa". *Auts.*
22 *sorber*, con el sentido de sobrepujar, aventajar y también
consumir, acabar.

bravo de contaduría,
de relaciones valiente.

Con lo del "Ténganse, digo",   25
y un varapalo solene,
solfeando coscorrones,
hace que todos se arredren.

Zamborondón, que de zupia
enlazaba el capacete,   30
armado de tinto en blanco,
con malla de cepa el vientre,

acandilando la boca
y sorbido de mofletes,
a la campaña endereza,   35
llevando el vino a traspieses.

Entrambos las hojarascas,
en el camino, previenen:
el uno, la *Sacabucha,*
y el otro, la *Sacamete.*   40

Séquito llevan de danza;
en puros pícaros hierven;
por una y por otra parte
van amigos y parientes.

Acogióse a toda calza   45
a dar el punto a la Méndez
el cañón de Mascaraque,
Marquillos de Turuleque.

A la Puente Segoviana
los dos jayanes decienden,   50
asmáticos los resuellos,
descoloridas las teces.

23 *contaduría,* era también el bodegón, la taberna.
29 *zupia,* vino barato, poso del vino. Comp.: "Por darme
   confortativos, me daban zupia". *Discurso de todos...,* OP,
   p. 252b.
30 *capacete,* aquí, cabeza y no la pieza de la armadura que
   la defendía.
37 *hojarasca,* de 'hoja', espada, como en el poema 171.
39 *Sacabucha,* de 'sacabuche', espada. Comp.: "pórtese de
   aquí adelante de suerte que no andemos cada día con el
   sacabuche en la mano". *Vida de la Corte,* OP, p. 23b.
45 *acogerse,* huir, escapar; *a toda calza,* a toda velocidad?
46 *punto,* aviso, en germanía.

Como se tienen los dos
por malos correspondientes,
de espaldas van atisbando   55
los pasos con que se mueven.
    Manzorro, cuyo apellido
es del solar de las equis,
que metedor y pañal
de paces ha sido siempre,   60
    preciado de repertorio
y almanaque de caletre,
quiso ensalmar la pendencia,
y propuso que se cuele.
    Bramaban como los aires   65
del enojado noviembre,
y de andar a sopetones
los dos están en sus trece.
    Mojagón, que del sosquín
ha sido zaino eminente,   70
y en los soplos y el cantar
es juntos órgano y fuelles,
    dijo, en bajando a lo llano,
que está entre el Parque y la Puente:
"Para una danza de espadas,   75
el sitio dice coméme".
    Los dos se hicieron atrás,
y las capas se revuelven:
sacaron a relucir
las espadas, hechas sierpes.   80

---

57 Porque *Manzorro* se compone de *Man*, hombre, y *zorro*,
   de 'zorra', borrachera.
58 "Sabido es el término vulgar para significar la borrachez:
   que está hecho una X". GS.
59 *metedor*: "el paño de lienzo largo y angosto, que se pone
   a los niños pequeños debajo del pañal". *Auts.*
61 "Por hallar lo que no se pierde. La postrera [última] copla lo muestra ansí, que habla del mismo". GS.
   repertorio y *reportorio* eran lo mismo que 'calendario'.
   Lo que quiere decir es "preciado de inteligencia".
69 *sosquín*, golpe dado de soslayo.

Mascaraque es Angulema,
científico, y Arquimedes,
y más amigo de atajos
que las mulas de alquileres.

Zamborondón, que de líneas   85
ninguna palabra entiende,
y esgrime a lo colchonero,
Euclides de mantinientes,

desatando torbellinos
de tajos y de reveses,   90
le rasgó en la jeta un palmo,
le cortó en la cholla un jeme.

El otro, con la sagita,
le dio en el brazo un piquete;
ambos están con el mes: 95
colorado corre el pebre.

Acudieron dos lacayos
y gran borbotón de gente;
andaba el "¡Ténganse afuera!",
y "Llamen quien los confiese".   100

Tirábanse por encima
de los piadosos tenientes,
amenazando la caspa,
unas heridas de peine.

En esto, desaforada,   105
con una cara de viernes,
que pudiera ser acelga
entre lentejas y arenques,

81 *Angulema,* Carlos de Valois, Duque de Angulema, hijo
natural de Carlos IX y de María Touchet (1573-1650),
que tanto intervino en la política y en las guerras de su
tiempo.
85 Alude a las famosas líneas y a los no menos famosos ángulos de los tratadistas de la espada, como Pacheco y
Carranza, de que tanto se burló Quevedo.
88 *mantinientes,* golpes dados con toda la fuerza de la mano.
92 *jeme,* palmo.
93 *sagita,* espada.
94 *piquete,* herida de poca importancia.
96 *pebre,* salsa con mucha pimienta y vinagre; es decir,
'sangre'.
102 *tenientes,* de 'tenerse', que "vale assimismo resistir o hacer oposición a alguno en riña o pelea". *Auts.*

la Méndez llegó chillando,
con trasudores de aceite, 110
derramado por los hombros
el columpio de las liendres.

El "¡Voto a Cristo!" arrojaba
que no le oyeron más fuerte
en la legua de Getafe 115
ni las mulas ni los ejes.

"Cuando pensé que tuvieras
que contar más de una muerte,
¿te miro de Maribarbas,
con dos rasguños las sienes? 120

"Ándaste tú reparando
si Moñorros me divierte,
¿y no reparas un chirlo
que todo el testuz te yende?

"¿Estaba esa hoja en Babia, 125
que no socorrió tus dientes?
¿De recibidor te precias,
cuando por dador te vendes?"

Llegóse a Zamborondón,
callando bonicamente, 130
y sonóle las narices
con una navaja a cercen,

diciendo: "Chirlo por chirlo,
goce deste la Pebete;
quien a mi amigo atarasca, 135
mi brazo le calavere".

A puñaladas se abrazan;
unos con otros se envuelven;
andaba el "¡Moja la olla!"
tras la goda delincuente, 140

cuando se vieron cercados
de alguaciles y corchetes,
de plumas y de tinteros,
de espadas y de broqueles.

135 *atarasca*, muerde, hiere.
139 *¡Moja la olla!*, ¿¡Ábrele la cabeza!?

Al "¡Ténganse a la justicia!",   145
todo cristiano ensordece.
"Favor al rey" piden todos
los chillones escribientes.

La Méndez dijo: "Mancebos,
si favor para el rey quieren,   150
a mí me parece bien:
llévenle esta cinta verde".

Unos se fueron al Ángel,
con el diablo a retraerse;
otros, por medio del río,   155
tomaron trote de peces.

Manzorro cogió dos capas,
una vaina y un machete:
que desde niño se halla
lo que a ninguno se pierde.   160

183

BODA DE PORDIOSEROS

BAILE

A las bodas de Merlo,
el de la pierna gorda,
con la hija del ciego,
Marica la Pindonga,
    en Madrid se juntaron   5
cuantos pobres y pobras
a la Fuente del Piojo
en sus zahúrdas moran.

152 Por ser el color verde símbolo de la esperanza.
  9 *tendedores de rasa,* pobres que parecían tendedores de
telas con rasas, porque 'rasa' es la abertura que se hace
en las telas endebles al menor esfuerzo.

Tendedores de rasa,
bribones de la sopa,   10
clamistas de la siesta,
y mil zampalimosnas.

Vino el esposo güero,
muy marido de cholla,
muy sombrero a la fiesta,   15
y al banquete, muy gorra.

El dote, de palabra,
y las calzas, de obra;
de contado, la suegra,
y en relación, las joyas.   20

La novia vino rancia,
muy necia y poco moza;
y sobre su palabra,
doncella, como todas.

Llevaba almidonada   25
la cara y no la toca;
gesto como quien prueba
marido por arrobas.

Sentáronse en un banco,
cual si fuera de popa: 30
que el matrimonio en pobres
es remo con que bogan.

Cuando por una calle
el Manquillo de Ronda
entró dando chillidos,   35
recogiendo la mosca.

11 *clamistas de la siesta,* los pobres que pedían a la hora de
la siesta. Comp.: "y viendo que los clamistas de la noche,
al son de la campanilla dicen: —Acuérdense, hermanos,
de los que están en pecado mortal". *La culta latiniparla,*
OP, 787a.

13 *güero,* estéril, de huevo 'huero'. Comp.: "Bien mirado,
bueno es, decían los padres güeros". *Discurso de todos...,*
OP, p. 242a.

34 Personaje que aparece por alguna jácara.

36 *mosca,* dinero, es voz de germanía, usada todavía en "Aflo-
jar la mosca".

"Denme, nobles cristianos,
por tan alta Señora
(ansí nunca se vean),
su bendita limosna."   40

Columpiado en muletas
y devanado en sogas,
Juanazo se venía
profesando de horca.

En un carretoncillo,   45
y al cuello unas alforjas,
Pallares con casquete
y torcida la boca,

y el Ronquillo a su lado,
fingiendo la temblona,   50
cada cual por su acera,
desataron la prosa.

Y levantando el grito,
dijeron con voz hosca
lo del *aire corruto*   55
y aquello de *la hora.*

Con sus llagas postizas,
Arenas el de Soria
pide para una bula,
que eternamente compra.   60

Romero el estudiante,
con sotanilla corta,

42 *devanado en,* envuelto en, fue muy del gusto de Quevedo.
   Comp.: "Llegó Neptuno, lleno de cazcarrias y devanado
   en ovas". *La hora de todos,* OP, p. 268a. "cuando, Dios
   y en enhorabuena, devanado en un trapo, y con unos zue-
   cos, entró un chirimía de la bellota, digo, un porquero".
   Buscón, p. 136.
47 *casquete*: "casco de tiña. Casquete que se pone a los
   tiñosos, de pez y otras cosas, para curarlos della". Cov.,
   Tes.
50 *fingiendo la temblona,* como "hacer la temblona", que
   registra *Auts.,* como frase que "vale afectar o fingir temor
   o miedo para engañar o conmover".
55-56 Los mendigos decían que en funesta hora y por un aire
   corrompido, como en las epidemias, les habían sucedido
   sus desgracias. Comp.: "Oyéronme esto y, en llegando,
   empecé a decir "Por tan alta Señora", y lo ordinario de
   la hora menguada y aire corruto". *Buscón,* p. 83.

y con el *quidam pauper,*
los bodegones ronda.

Con niños alquilados,   65
que de contino lloran,
a poder de pellizcos,
por lastimar las bolsas,

la taimada Gallega,
más bellaca que tonta,   70
entró de casa en casa
bribando la gallofa.

Devanada en la manta,
la irlandesa Polonia,
con pasos tartamudos   75
y con la lengua coja,

resollando mosquitos
y chorreando monas,
hablaba de lo caro
con acentos de Coca.   80

Tapada de medio ojo,
en forma de acechona,
con el "Ce, caballero",
y un poco la voz honda,

pide una vergonzante   85
con una estafa sorda
para un marido preso,
con parte que perdona.

---

63 *quidam pauper,* el otro pobre. Quizá frase escolar. **Comp.**:
"Como dijo el *Otro.* Yo no he dicho nada ni despego la
boca. En latín me llaman *Quidam*". *El sueño de la Muerte,* OP, p. 222a.

75 **Comp.**: "Soy tartamudo de zancas y achacoso de por-
tante". *Epist.,* p. 114.

77-78 Táchala de borracha. Los 'mosquitos' son los del vino,
y 'mona', como hoy, la borrachera.

79 *caro,* el vino. Véase la nota 3 en el poema 156.

80 *acentos de Coca,* acentos vinosos, por los vinos de Coca,
que llevaban fama en el siglo XVII.

83 **Comp.**: "Aquella mujer [...] no deja descansar la lengua
en ceceos, los ojos en guiñaduras". *El mundo por de
dentro,* OP, p. 205b.

86 *sorda,* callada.

En figura de ciega,
Ángela la Pilonga,   90
tentando como ,diablo,
con un bordón asoma:
    "Manden rezar, señores,
de la Virgen de Atocha,
del Ángel de la Guarda.   95
La plegaria sea sorda."
    Luego, puestos en rueda,
llegan todos y todas
a dar las norabuenas,
que malas se las tornan.   100

1.º: Que se gocen vustedes muchos años,
y que les dé Dios hijos, si quisiere;
y si ven que se tarda mucho en darlos,
que, como se usa agora,
los busque en otra parte la señora.   105

2.º: Sea para bien de todos los vecinos;
y si acaso pudieren,
gócense por ahí con quien quisieren.

3.º: De vuestedes veamos
hijos de bendición.   110

1.º: Son, si lo apuras,
hijos de bendición, hijos de curas.

MUJER 1.ª: Dios sabe lo que siento
ver a vusté casado,
pudiendo, sin la ce, quedar asado.   115

MUJER 2.ª: En el alma me pesa, amiga mía,
el verte maridada,
pues, para mi traer, siempre he querido
que, antes de ser venido, sea marido.

96 Calco de la frase "El diablo sea sordo".
125 *ande la loza,* corra la juerga. Comp.: "Neptuno, en vién-
dolos, dijo / a gritos: "¡Ande la loza!" N.º 682, vv. 257-8.

4.º: A todos el juntaros satisfizo.   120

NOVIA: Descanse en los infiernos quien lo hizo.

3.º: Suegra tienes; que al diablo te dé
                 [dotes.

NOVIO: Pues Dios me la reciba como azotes.

2.º: Que ya no hay que tratar: buena es
                 [la moza;
y pues corre la edad, ande la loza.   125
Aquí no hay quien lo atisbe.

2.º (*sic*):   Amigos, toda plaga vaya fuera,
y aclare su tramoya limosnera.

Cantan y bailan

Malito estaba y malo estoy,
y malo me quedo y malo soy.   130

Yo me llamo Perico
de la Gallofa,
carretero cosario
de la limosna.

Hay lisiados que piden   135
a cuantos quieren,
y muchachas lisiadas
por pedir siempre.

"Dios le ayude, hermano",
dicen algunos,   140
como si el mendigo
fuera estornudo.

Pobres de calcilla,
cuello y cadena,
piden más con billetes   145
que con muletas.

133 *cosario,* recadero, ordinario.

184

LOS BORRACHOS

BAILE

Echando chispas de vino,
y con la sed borrascosa,
lanzando en ojos de Yepes
llamas del tinto de Coca,
    salen de blanco de Toro,   5
hechos reto de Zamora,
ceñidas de Sahagún
las cubas, que no las hojas,
    Mondoñedo el de Jerez,
tras Ganchoso el de Carmona,   10
de su majestad de Baco
gentileshombres de boca:
    los soldados más valientes,
que en esta edad enarbolan,
en las almenas del brindis,   15
las banderas de las copas.
    A meterles en paz salen
la Escobara y Salmerona;
fénix del gusto la una,
cisne del placer la otra: 20

3-8 Yepes, Coca, Toro, etc., famosas por sus vinos. Comp.:
        De Sahagún soy cuba,
        de San Martín soy taza,
        soy alano de Toro
        y soy de Coca marta.
                N.º 871, vv. 81-4

  5 *blanco,* vino blanco.
 12 *gentilhombre de boca*: "Oficio en la casa del Rey en
classe de caballeros [...] Su legítimo empleo es servir a la
mesa del Rey". *Auts.* Naturalmente, en Quevedo no se
emplea con esa significación, sino con la de buenos comedores.

dos mozas de carne y güeso,
no de las de nieve y rosa,
que gastan a los poetas
el caudal de las auroras.
"Haya paz en las espadas   25
—dicen—, pues guerra nos sobra
en las plumas de escribanos,
malas aves españolas."
De la campaña los sacan,
de donde se van agora   30
a enterrar en la taberna
más cuerpos que en la perroquia.
Envainan, y en una ermita
beben, ya amigos con sorna,
su pendencia hecha mosquitos: 35
aquí paz y despúes gorja.
Más vino han despabilado
que en este lugar la ronda,
que un mortuorio en Vizcaya
y que en Ambers una boda.   40
Tan gran piloto es cualquiera,
que por su canal angosta,
al galeón San Martín
cada mañana le emboca.
Siendo borrachos de asiento,   45
andan ya de sopa en sopa,
con la sed tan de camino,
que no se quitan las botas.

Vino y valentía,
todo emborracha;   50
más me atengo a las copas
que a las espadas.

32 *perroquia,* parroquia.
43 Por los vinos de esa región.

    Todo es de lo caro,
si riño o bebo,
o con cirujanos,   55
o taberneros.

    Sumideros del vino,
temed sus tretas,
que, apuntando a las tripas,
da en la cabeza.   60

    Ya los prende la Justicia,
que en Sevilla es chica y poca,
donde firman la sentencia
al semblante de la bolsa.
    Sajóles el escribano   65
de plata algunas ventosas,
con que bajó luego al remo
el pujamiento de soga.
    Ya los llevan, y las fembras
van siguiendo sus derrotas,   70
cantando por el camino,
por divertir la memoria:

    Cuatro erres esperan
al bien de mi vida
en llegando a la mar: 75
ropa fuera, rasura,
reñir y remar.

    Llegan al salado charco,
en donde los vientos dan
a las nubes, con las olas,   80
cintarazos de cristal.
    Ya los hacen eslabones
de la cadena real,
que son las más necesarias
joyas de su majestad.   85

------

68 Es decir, fueron condenados a galeras y a no ser ahorcados, gracias a las ventosas de plata.

Van embarcando a la gente,
y con forzosa humildad
a su cómitre obedecen,
que así diciéndoles va:
Ropa fuera, rasura,   90
reñir y remar.

185

POEMA HEROICO DE LAS NECEDADES
Y LOCURAS DE ORLANDO EL ENAMORADO

FRAGMENTO DEL CANTO PRIMERO *

Y luego se asomaron cuatro patas,
que dejan legua y media los zancajos,
y cuatro picos de narices chatas,
a quien los altos techos vienen bajos;
después, por no caber, entran a gatas,   405
haciendo las portadas mil andrajos,
cuatro gigantes; que, aunque estaba abierta,
sin calzador, no caben por la puerta.

Levantáronse en pie cuatro montañas,
y en cueros vivos cuatro humanos cerros;   410
no se les ven las fieras guadramañas,
que las traen embutidas en cencerros.

---

* Sobre este poema, véase la edic. de María Malfatti (Barcelona, 1965); E. Alarcos García "El poema heroico de las necedades y locuras de Orlando enamorado", *Mediterráneo*, IV (1946), pp. 25-63; G. Caravaggi, "Il poema eroico de *Las necedades...*, de Quevedo", en *Letterature Moderne*, 4 (Bologna, 1961), pp. 445 y ss., y Celina Sabor de Cortázar, "Lo cómico y lo grotesco en el *Poema de Orlando*, de Quevedo", en *Filología*, XII (1966-67) [1969], pp. 95 y ss.

411 *guadramañas,* ignoro qué significa la voz, que aquí se refiere sin ninguna duda a cierta parte del cuerpo. Más adelante, en el Canto II, vv. 455-6 se vuelve a encontrar:

¿Este postema de soberbia y saña
en mí descansará su guadramaña?

En los sobacos crían telarañas;
entre las piernas, espadaña y berros;
por ojos en las caras, carcabuezos,   415
y simas tenebrosas por bostezos.

Puédense hacer de cada pantorrilla
nalgas a cuatrocientos pasteleros,
y dar moños de negra rabadilla
a novecientos magros escuderos;   420
cubren, en vez de vello, la tetilla
escaramujos, zarzas y tinteros,
y en tiros de maromas embreadas,
cuelgan postes de mármol por espadas.

Rascábanse de lobos y de osos,   425
como de piojos los demás humanos,
pues criaban, por liendres de vellosos,
erizos y lagartos y marranos;
embutióse la sala de colosos,
con un olor a cieno de pantanos,   430
cuando detrás inmensa luz se vía:
tal al nacer le apunta el bozo al día.

Empezó a chorrear amaneceres,
y prólogos de luz, que el cielo dora;
en doñ[a] Alda ajustó los alfileres   435
ver un flujo de sol tan a deshora;
las que tienen mejores pareceres,
a cintarazos de la nueva aurora,
con arrepentimiento de tocados,
parecieron un coro de letrados.   440

415 *carcabuezos,* los barrancos que hacen las aguas en tierras
movedizas.
423 *tiro,* cuerda puesta en garrucha para subir una cosa.
439 Es decir, las damas se apresuraron a arreglarse rápida-
mente los cabellos, los tocados.

Clarice enderezó con prisa el moño;
rizó los aladares Galerana;
afilóse Armelina de madroño
contra el rubí, que teme la mañana;
púsose en arma en ellas el otoño   445
contra la primavera soberana;
acicalan las manos y los labios,
temblando los bellísimos agravios.

Y ya que su venida dispusieron
tantos caniculares y buchornos,   450
almas y corazones previnieron
para ser mariposas en sus tornos;
en ascuas todos juntos se volvieron
antes que los mirasen los dos hornos
que en las propias estrellas hacen riza   455
y chamuscan las nieves en ceniza.

Entraron las dos Indias en su cara,
y el ahíto de Midas en su pelo,
pues Tibar por vellón se confesara
con el que cubre doctamente el velo;   460
con premio por su plata se trocara
la más cendrada que copela el cielo,
y por venirles corto el nombre dellos,
ésta se llamó tez, aquél cabellos.

Relámpagos de perlas fulminaba   465
cuando el clavel donde la[s] guarda abría
y a los que con la risa aprisionaba,
con la propia prisión enriquecía;
su vista por sus manos la pasaba,
porque llegue templada, si no fría;   470
deja, con sólo su mirar travieso,
a Carlos sin vasallos y sin seso.

455 *hacer riza,* causar estragos y muertes.
462 *copela,* de 'copelar', fundir metales en una 'copela', especie de vaso.

Incendio son las canas imperiales;
la sala y el palacio son hogueras;
los ojos, dos monarcas celestiales,   475
a quien viene muy corto ser esferas;
pasa con movimientos desiguales,
ya mirando de burlas, ya de veras;
ahorrando tal vez para abrasarlos,
con dejar que la miren, el mirarlos.   480

Con triste y estudiada hipocresía,
de sus dos llamas exprimió rocío,
que en los asomos lágrimas mentía:
tal es de invencionero su albedrío;
por otra parte, el llanto se reía,   485
obediente al hermoso desvarío;
dulce veneno lleva de rebozo:
disculpa al viejo y ocasión al mozo.

Por todos se reparte sediciosa,
con turbación aleve y hazañera;   490
va, cuanto más humilde, belicosa;
huye la furia y el temor espera;
y con simplicidad facinorosa,
usurpando vergüenza forastera,
mezclando reverencias con desmayos,   495
en la tierra postró cielos y rayos.

Rechina Ferragut por los ijares;
humo y ceniza escupe el conde Orlando;
Oliveros la quiere hacer altares;
Reinaldos de robarla está trazando;   500
y en tanto que se están los Doce Pares
y cristianos y moros chicharrando,
el conde Galalón sólo se mete,
por venderla, en servirla de alcagüete.

ÍNDICE DE PRIMEROS VERSOS

	N.º	Pág.
A fugitivas sombras doy abrazos	83	157
A la Corte vas, Perico	165	280
A la orilla de un pellejo	182	359
A las bodas de Merlo	183	364
A todas partes que me vuelvo veo	73	149
A vosotras, estrellas	88	162
"¡Ah de la vida!"... ¿Nadie me responde? ...	2	52
Al oro de tu frente unos claveles	82	156
Alma de cuerpos muchos es severo	134	208
Amor me ocupa el seso y los sentidos	109	183
Amor me tuvo alegre el pensamiento	24	75
"Antes que el repelón" eso fue antaño	113	187
Antiyer nos casamos; hoy querría	117	191
Arder sin voz de estrépito doliente	79	154
¡Ay, Floralba! Soñé que te... ¿Dirélo?	81	155
Bastábale al clavel verse vencido	75	151
Bien te veo correr, tiempo ligero	23	74
[Bueno. Malo]. V. Que le preste el ginovés		
Buscas en Roma a Roma, ¡oh peregrino! ...	64	141
Cargado voy de mí: veo delante	105	180
Cerrar podrá mis ojos la postrera	103	178
¡Cómo de entre mis manos te resbalas! ...	21	73
¿Cómo es tan largo en mí dolor tan fuerte ...	95	172
Con acorde concento, o con ruïdos	40	89
¿Con qué culpa tan grave	87	159
[Con su pan se lo coma]. V. Que el viejo que con destreza		
Con testa gacha toda charla escucho	121	195
Con tres estilos alanos	151	235
Con un menino del padre	180	346
Crespas hebras, sin ley desenlazadas	91	169
¡Cuán fuera voy, Señor, de tu rebaño	13	65
Cuando esperando está la sepoltura	47	95
Cuando me vuelvo atrás a ver los años	14	66
¿Cuándo seré infeliz sin mi gemido?	28	78
Cubriendo con cuatro cuernos	166	284

[*Chitón*]. V. Santo silencio profeso

De la Asia fue terror, de Europa espanto ...   66   143
¿De qué sirve presumir   63   140
De tu peso vencido   59   131
De un molimiento de güesos   167   287
Deja la procesión, súbete al Paso   55   124
Dejad que a voces diga el bien que pierdo ...   85   158
Desabrigan en altos monumentos   33   83
Descansa, mal perdido en alta cumbre   32   82
Dichoso tú, que, alegre en tu cabaña   34   83
Diez años de mi vida se ha llevado   102   177
Dime, cantor ramillete   62   138
Don Repollo y doña Berza   152   238

Echando chispas de vino   184   370
El metal animado   51   99
El que si ayer se muriera   142   217
El que vivo enseñó, difunto mueve   69   145
En breve cárcel traigo aprisionado   101   176
En crespa tempestad del oro undoso   94   171
En cuévanos, sin cejas y pestañas   138   211
En el precio, el favor y la ventura   41   90
En el retrete del mosto   169   292
En los claustros de l'alma la herida   108   182
Erase un hombre a una nariz pegado   114   188
Erase una tarde   175   333
¿Es más cornudo el Rastro que mi agüelo ...   135   209
Esforzaron mis ojos la corriente   78   153
Esta concha que ves presuntuosa   42   90
Esta es la información, éste el proceso   137   210
Esta víbora ardiente, que, enlazada   100   175
Estas que veis aquí pobres y escuras   52   101
Este amor que yo alimento   89   164
Este sí que es corredor. V. Ha de espantar las
    estrellas

Falleció César, forţunado y fuerte   10   59
Flor que cantas, flor que vuelas. V. Dime,
    cantor ramillete
Fue más larga que paga de tramposo   119   193
¡Fue sueño ayer; mañana será tierra!   3   53
Fuego a quien tanto mar ha respetado   70   147

Gobernando están el mundo   156   251

Ha de espantar las estrellas   146   225
Hay mil doncellas maduras   150   234
Hermosísimo invierno de mi vida   80   154
Huye sin percibirse, lento, el día   6   55

La edad, que es lavandera de bigotes   130   204
La losa en sortijón pronosticada   127   201
La mocedad del año, la ambiciosa   71   148
La morena que yo adoro. V. Opilóse, en con-
   clusión
[La pobreza. El dinero]. V. Pues amarga la
   verdad
La que hubiere menester   162   271
La vida empieza en lágrimas y caca   125   199
La voluntad de Dios por grillos tienes   43   91
Lágrimas alquiladas del contento   31   81
Las leyes con que juzgas, ¡oh Batino!   48   96
Leí los rudimentos de la aurora   124   198
[Lindo chiste]. V. Hay mil doncellas maduras
Lisis, por duplicado ardiente Sirio   107   181
Los médicos con que miras   160   265
Los que ciego me ven de haber llorado ...   92   170

Llorando está Manzanares   173   321
Llueven calladas aguas en vellones   65   142

Madre, yo al oro me humillo   148   229
"Madres, las que tenéis hijas   158   259
"Manzanares, Manzanares   163   273
[Mas no ha de salir de aquí]. V. Yo, que nun-
   ca sé callar
Más solitario pájaro ¿en cuál techo   84   157
Mejor vida es morir que vivir muerto   110   183
Memoria soy del más glorioso pecho   67   144
Mensajero soy, señora   164   277
Ministril de las ronchas y picadas   123   197
Mirábanse de mal ojo   171   304
Miras este gigante corpulento   45   93
Miras la faz, que al orbe fue segunda   46   94
Miré los muros de la patria mía   19   71
Músico llanto, en lágrimas sonoras   74   150
Muy discretas y muy feas   168   290

Nególe a la razón el apetito   16   68
No digas, cuando vieres alto el vuelo   44   92
No he de callar, por más que con el dedo ...   54   116
No me aflige morir; no he rehusado   106   181

¡Oh corvas almas, oh facinorosos   53   104
¡Oh tú, que, inadvertido, peregrinas   12   61
Oír, ver y callar, remedio fuera   37   86
Opilóse, en conclusión   145   223

Para agotar sus luces la hermosura   77   152
Parióme adrede mi madre   155   247
Pecosa en las costumbres y en la cara   133   207
Pelo fue aquí, en donde calavero   120   194
[Pícaros hay con ventura]. V. El que si ayer
    se muriera
Pise, no por desprecio, por grandeza   17   69
Poderoso caballero. V. Madre, yo al oro me
    humillo
¿Podrá el vidro llorar partos de Oriente? ...   36   85
Por ser mayor el cerco de oro ardiente   97   173
Puedo estar apartado, mas no ausente   111   184
Pues amarga la verdad   143   219
Pues hoy derrama noche el sentimiento   56   129
Pues hoy pretendo ser tu monumento   22   73
Pura, sedienta y mal alimentada   58   130

¡Qué alegre que recibes   60   132
¡Qué bien me parecéis, jarcias y entenas   7   56
Que el viejo que con destreza   140   213
¿Qué imagen de la muerte rigurosa   86   159
Que le preste el ginovés   149   232
¿Qué otra cosa es verdad, sino pobreza   4   54
¡Qué perezosos pies, qué entretenidos   104   179
[¿Qué puede ser?]. V. Que un corazón lasti-
    mado
¿Qué tienes que contar, reloj molesto   50   98
Que un corazón lastimado   90   166
Que vos me permitáis sólo pretendo   96   173
¿Quién dijera a Cartago   15   66
Quien quisiere ser culto en sólo un día   176   339
Quiero dar un vecino a la Sibila   38   87

Quitándose está Medoro   159   262
Quitar codicia, no añadir dinero   25   75

Raer tiernas orejas con verdades   39   88
Retirado en la paz de estos desiertos   49   97
Rizas en ondas ricas del rey Midas   112   185
Rosal, menos presunción. V. ¿De qué sirve
   presumir
Rostro de blanca nieve, fondo en grajo   129   203

Sabed, vecinas. V. Viénense a diferenciar
Santo silencio profeso   141   215
Señor don Juan, pues con la fiebre apenas ...   1   51
Señor don Leandro   174   328
Si a una parte miraran solamente   76   152
Si de un delito proprio es precio en Lido ...   26   76
Si eres campana, ¿dónde está el badajo?   116   190
Si fuere que, después, al postrer día   99   175
Si gobernar provincias y legiones   27   77
Si hija de mi amor mi muerte fuese   98   174
Si la prosa que gasté   147   228
Si me hubieran los miedos sucedido   9   58
Si mis párpados, Lisi, labios fueran   93   170
Si no temo perder lo que poseo   5   55
Siempre, Melchor, fue bienaventurada   68   144
Solamente un dar me agrada. V. Si la prosa
   que gasté
Son las torres de Joray ... •.. 172   318
Su colerilla tiene cualquier mosca 132   206

Tantos años y tantos todo el día   178   341
Todo tras sí lo lleva el año breve   20   72
Tomando estaba sudores   154   244
Torcido, desigual, blando y sonoro   72   148
Tras vos un alquimista va corriendo   126   200
Trataron de casar a Dorotea   118   192
Tú, si en cuerpo pequeño   61   133
Tú ya, ¡oh ministro!, afirma tu cuidado   29   79
Tudescos moscos de los sorbos finos   122   196

Un godo, que una cueva en la montaña   35   84
Una picaza de estrado   161   267

Ven ya, miedo de fuertes y de sabios   18   70
Vi, debe de haber tres días   157   256
Vida fiambre, cuerpo de anascote   128   202
Viejecita, arredro vayas   170   299
Viejo verde, viejo verde   153   241
Viendo al martirologio de la vida   131   205
Viénense a diferenciar   139   212
Vinagre y hiel para sus labios pide   57   129
Vivir es caminar breve jornada   11   60
Volver quiero a vivir a trochimoche   136   210

Y luego se asomaron cuatro patas (fragmento
    del Canto I del *Poema heroico de las Ne-
    cedades y locuras de Orlando el Enamora-
    do*)   185   373
Ya está guardado en la trena   179   342
Ya formidable y espantoso suena   8   57
Ya los pícaros saben en Castilla   115   189
Ya llena de sí solo la litera   30   80
Yo, que nunca sé callar   144   221
Yo te untaré mis obras con tocino   177   340

Zampuzado en un banasto   181   352

ÍNDICE DE LÁMINAS *

	Entre págs.
Clio (Historia)	96-97
Polymnia (Poesía lírica)	96-97
Melpomene (Tragedia)	128-129
Erato (Elegía)	128-129
Terpsicore (Danza)	220-221
Euterpe (Música)	220-221
Caliope (Elocuencia)	252-253
Urania (Astronomía)	252-253

* Todas las ilustraciones de este volumen proceden del tomo tercero de *Obras* de don Francisco de Quevedo, Amberes. Viuda de Henrico Verdussen, 1726.

ESTE LIBRO
SE TERMINÓ DE IMPRIMIR
EL DÍA 2 DE SEPTIEMBRE DE 1989

ÚLTIMOS TÍTULOS PUBLICADOS

89 / Emilio Prados
LA PIEDRA ESCRITA
Edición, introducción y notas
de José Sanchis-Banús.

90 / Rosalía de Castro
EN LAS ORILLAS DEL SAR
Edición, introducción y notas
de Marina Mayoral Díaz.

91 / Alonso de Ercilla
LA ARAUCANA. Tomo I
Edición, introducción y notas
de Marcos A. Morínigo e
Isaías Lerner.

92 / Alonso de Ercilla
LA ARAUCANA. Tomo II
Edición, introducción y notas
de Marcos A. Morínigo e
Isaías Lerner.

93 / José María de Pereda
LA PUCHERA
Edición, introducción y notas
de Laureano Bonet.

94 / Marqués de Santillana
POESÍAS COMPLETAS.
Tomo II
Edición, introducción y notas
de Manuel Durán.

95 / Fernán Caballero
LA GAVIOTA
Edición, introducción y notas
de Carmen Bravo-Villasante.

96 / Gonzalo de Berceo
SIGNOS QUE APARECERÁN
ANTES DEL JUICIO FINAL.
DUELO DE LA VIRGEN.
MARTIRIO DE SAN LO-
RENZO
Edición, introducción y notas
de Arturo Ramoneda.

97 / Sebastián de Horozco
REPRESENTACIONES
Edición, introducción y notas
de F. González Ollé.

98 / Diego de San Pedro
PASIÓN TROVADA. POE-
SÍAS MENORES. DESPRE-
CIO DE LA FORTUNA
Edición, introducción y notas
de Keith Whinnom y Dorothy
S. Severin.

99 / Ausias March
OBRA POÉTICA COMPLETA.
Tomo I
Edición, introducción y notas
de Rafael Ferreres.

100 / Ausias March
OBRA POÉTICA COMPLETA.
Tomo II
Edición, introducción y notas
de Rafael Ferreres.

101 / Luis de Góngora
LETRILLAS
Edición, introducción y notas
de Robert Jammes.

102 / Lope de Vega
LA DOROTEA
Edición, introducción y notas
de Edwin S. Morby.

103 / Ramón Pérez de Ayala
TIGRE JUAN
Y EL CURANDERO
DE SU HONRA
Edición, introducción y notas
de Andrés Amorós.

104 / Lope de Vega
LÍRICA
Selección, introducción y no-
tas de José Manuel Blecua.

105 / Miguel de Cervantes
POESÍAS COMPLETAS, II
Edición, introducción y notas
de Vicente Gaos.

106 / Dionisio Ridruejo
CUADERNOS DE RUSIA.
EN LA SOLEDAD
DEL TIEMPO.
CANCIONERO EN RONDA.
ELEGÍAS
Edición, introducción y notas
de Manuel A. Penella.

107 / Gonzalo de Berceo
POEMA DE SANTA ORIA
Edición, introducción y notas
de Isabel Uría Maqua.

108 / Juan Meléndez Valdés
POESÍAS SELECTAS
Edición, introducción y notas
de J. H. R. Polt y Georges
Demerson.

109 / Diego Duque de Estrada
COMENTARIOS
Edición, introducción y notas
de Henry Ettinghausen.

110 / Leopoldo Alas, Clarín
LA REGENTA, I
Edición, introducción y notas
de Gonzalo Sobejano.

111 / Leopoldo Alas, Clarín
LA REGENTA, II
Edición, introducción y notas
de Gonzalo Sobejano.

112 / P. Calderón de la Barca
EL MÉDICO DE SU HONRA
Edición, introducción y notas
de D. W. Cruickshank.

113 / Francisco de Quevedo
OBRAS FESTIVAS
Edición, introducción y notas
de Pablo Jauralde.

114 / POESÍA CRÍTICA
Y SATÍRICA DEL SIGLO XV
Selección, edición, introducción y notas de Julio Rodrí-
guez-Puértolas.

115 / EL LIBRO
DEL CABALLERO ZIFAR
Edición, introducción y notas
de Joaquín González Muela

116 / P. Calderón de la Barca
ENTREMESES, JÁCARAS
Y MOJIGANGAS
Edición, introducción y notas
de E. Rodríguez y A. Tordera

117 / Sor Juana Inés
de la Cruz
INUNDACIÓN CASTÁLIDA
Edición, introducción y notas
de Georgina Sabat de Rivers

118 / José Cadalso
SOLAYA
O LOS CIRCASIANOS
Edición, introducción y notas
de F. Aguilar Piñal.

119 / P. Calderón de la Barca
LA CISMA DE INGLATERRA
Edición, introducción y notas
de F. Ruiz Ramón.

120 / Miguel de Cervantes
NOVELAS EJEMPLARES,
Edición, introducción y notas
de J. B. Avalle-Arce.

121 / Miguel de Cervantes
NOVELAS EJEMPLARES,
Edición, introducción y notas
de J. B. Avalle-Arce.

122 / Miguel de Cervantes
NOVELAS EJEMPLARES,
Edición, introducción y notas
de J. B. Avalle-Arce.

123 / POESÍA DE LA EDAD
DE ORO I. RENACIMIENTO
Edición, introducción y notas
de José Manuel Blecua.

124 / Ramón de la Cruz
SAINETES, I
Edición, introducción y notas
de John Dowling.

5 / Luis Cernuda
A REALIDAD Y EL DESEO
lición, introducción y notas
: Miguel J. Flys.

6 / Joan Maragall
BRA POÉTICA
lición, introducción y notas
Antoni Comas.
lición bilingüe, traducción
castellano de J. Vidal Jové.

7 / Joan Maragall
BRA POÉTICA
lición, introducción y notas
Antoni Comas.
lición bilingüe, traducción
castellano de J. Vidal Jové.

8 / Tirso de Molina
HUERTA DE JUAN
ERNANDEZ
lición, introducción y notas
Berta Pallares.

9 / Antonio de Torquemada
ARDÍN DE FLORES
URIOSAS
lición, introducción y notas
Giovanni Allegra.

0 / Juan de Zabaleta
. DÍA DE FIESTA POR LA
AÑANA Y POR LA TARDE
lición, introducción y notas
Cristóbal Cuevas.

1 / Lope de Vega
A GATOMAQUIA
lición, introducción y notas
: Celina Sabor de Cortazar.

2 / Rubén Darío
ROSAS PROFANAS
lición, introducción y notas
Ignacio de Zuleta.

3 / LIBRO DE CALILA
DIMNA
lición, introducción y notas
María Jesús Lacarra y
sé Manuel Cacho Blecua.

134 / Alfonso X
LAS CANTIGAS
Edición, introducción y notas
de W. Mettman.

135 / Tirso de Molina
LA VILLANA DE LA SAGRA
Edición, introducción y notas
de Berta Pallares.

136 / POESÍA DE LA EDAD
DE ORO, II: BARROCO
Edición, introducción y notas
de José Manuel Blecua.

137 / Luis de Góngora
LAS FIRMEZAS DE ISABELA
Edición, introducción y notas
de Robert Jammes.

138 / Gustavo Adolfo Bécquer
DESDE MI CELDA
Edición, introducción y notas
de Darío Villanueva.

139 / Castillo Solórzano
LAS HARPÍAS DE MADRID
Edición, introducción y notas
de Pablo Jauralde.

140 / Camilo José Celá
LA COLMENA
Edición, introducción y notas
de Raquel Asún.

141 / Juan Valera
JUANITA LA LARGA
Edición, introducción y notas
de Enrique Rubio.

142 / Miguel de Unamuno
ABEL SÁNCHEZ
Edición, introducción y notas
de José Luis Abellán.

143 / Lope de Vega
CARTAS
Edición, introducción y notas
de Nicolás Marín

144 / Fray Toribio de Motolinía
HISTORIA DE LOS INDIOS DE LA NUEVA ESPAÑA
Edición, introducción y notas de Georges Baudot

145 / Gerardo Diego
ÁNGELES DE COMPOSTELA. ALONDRA DE VERDAD
Edición, introducción y notas de Francisco Javier Díez de Revenga

146 / Duque de Rivas
DON ÁLVARO O LA FUERZA DEL SINO
Edición, introducción y notas de Donald L. Shaw

147 / Benito Jerónimo Feijoo
TEATRO CRÍTICO UNIVERSAL
Edición, introducción y notas de Giovanni Stiffoni

148 / Ramón J. Sender
MISTER WITT EN EL CANTÓN
Edición, introducción y notas de José María Jover Zamora

149 / Sem Tob
PROVERBIOS MORALES
Edición, introducción y notas de Sanford Shepard

150 / Cristóbal de Castillejo
DIÁLOGO DE MUJERES
Edición, introducción y notas de Rogelio Reyes Cano

151 / Emilia Pardo Bazán
LOS PAZOS DE ULLOA
Edición, introducción y notas de Marina Mayoral

152 / Dámaso Alonso
HIJOS DE LA IRA
Edición, introducción y notas de Miguel J. Flys

153 / Enrique Gil y Carrasco
EL SEÑOR DE BEMBIBRE
Edición, introducción y notas de J. L. Picoche
468 págs.

154 / Santa Teresa de Jesús
LIBRO DE LA VIDA
Edición, introducción y notas de Otger Steggink
720 págs.

155 / **NOVELAS AMOROSAS DE DIVERSOS INGENIOS**
Edición, introducción y notas de E. Rodríguez
360 págs.

156 / Pero López de Ayala
RIMADO DE PALACIO
Edición, introducción y notas de G. de Orduna
552 págs.

157 / **LIBRO DE APOLONIO**
Edición, introducción y notas de Carmen Monedero

158 / Juan Ramón Jiménez
SELECCIÓN DE POEMAS
Edición, introducción y notas de Gilbert Azam

159 / César Vallejo
POEMAS HUMANOS. ESPAÑA, APARTA DE MÍ ESTE CÁLIZ
Edición, introducción y notas de Francisco Martínez García
246 págs.

160 / Pablo Neruda
VEINTE POEMAS DE AMOR Y UNA CANCIÓN DESESPERADA
Edición, introducción y notas de Hugo Montes

161 / Juan Ruiz, Arcipreste de Hita
LIBRO DE BUEN AMOR
Edición, introducción y notas de G. B. Gybbon-Monypenny

162 / Gaspar Gil Polo
LA DIANA ENAMORADA
Edición, introducción y notas de Francisco López Estrada

163 / Antonio Gala
LOS BUENOS DÍAS PERDIDOS. ANILLOS PARA UNA DAMA
Edición, introducción y notas de Andrés Amorós